NAMORO BLINDADO NAS ESCOLAS!

O QUE É O PROJETO?

Trata-se de uma adaptação do livro Namoro Blindado, de Renato e Cristiane Cardoso, apresentadores do programa The Love School, da Record TV, desenvolvida para o público adolescente. O projeto Namoro Blindado nas Escolas visa à educação amorosa dos jovens, com o objetivo de esclarecer as dúvidas e compreender as emoções comuns à fase da adolescência.

OS PALESTRANTES

A equipe do Namoro Blindado é composta por casais que dominam a educação amorosa e que abraçaram o desejo de ajudar as próximas gerações a buscarem um relacionamento feliz e à prova de coração partido.

Palestrantes – autores dos *best-sellers*: *Casamento Blindado* e *Namoro Blindado.*

Walber e Patrícia,
Palestrantes internacionais, com mais de 20 anos de casados.

PALESTRAS DISPONÍVEIS

01 AMOR É QUESTÃO DE EDUCAÇÃO!

02 JUVENTUDE E A SEXUALIDADE

03 AUTOMUTILAÇÃO: "CORTANDO OS MEDOS"

04 VÍCIOS NA ADOLESCÊNCIA

05 *BULLYING*: "QUANDO A BRINCADEIRA FICA SÉRIA"

06 APRENDENDO A FAZER A ESCOLHA CERTA: "PROFISSÕES DO FUTURO"

07 COMO SER REFERÊNCIA PARA OS FILHOS: "EXCLUSIVO PARA OS PAIS"

NAMORO BLINDADO NAS ESCOLAS

DESEJA LEVAR O PROJETO PARA A SUA ESCOLA?
ENTRE EM CONTATO CONOSCO:
eventos@namoroblindado.com

ASSISTA À *ESCOLA DO AMOR* **NA** *RECORD TV* **TODOS OS SÁBADOS, AO MEIO DIA, E TAMBÉM PELO** *FACEBOOK/ESCOLADOAMOR*

SIGA NOSSAS REDES SOCIAIS

NAMORO BLINDADO
Instagram: @livronamoroblindado
Facebook.com/LivroNamoroBlindado
Twitter: @namoroblindado
Site: namoroblindado.com

RENATO CARDOSO
Instagram: @renatocardosooficial
Facebook.com/renatocardosooficial
Twitter: @bprenato

GOSTARIA DE APRENDER MAIS SOBRE O AMOR INTELIGENTE?

Temos palestras especiais todas as quintas-feiras.
Encontre um endereço perto de você.

TERAPIA DO AMOR

Publisher	*Omar de Souza*
Editores	*Aldo Menezes e Samuel Coto*
Coordenadora de Produção	*Thalita Aragão Ramalho*
Edição de texto	*Vanessa Lampert*
Preparação e revisão	*Davison Lampert*
Diagramação e projeto gráfico	*Sonia Peticov*
Capa	*Rafael Brum*
Fotos da capa	*Décio Figueiredo*

CIP-BRASIL. CATALOGAÇÃO NA FONTE
SINDICATO NACIONAL DOS EDITORES DE LIVROS, RJ

D578a
Cardoso, Renato
Namoro blindado: O seu relacionamento à prova de coração partido / Renato Cardoso e Cristiane Cardoso. — 1. ed. — Rio de Janeiro: Thomas Nelson Brasil, 2016.
320 p.

ISBN 978.85.7860.175-1

1. Namoro. 2. Relação homem-mulher. I. Cardoso, Cristiane. II. Título.

CDD: 306.7
CDU: 392.4

Thomas Nelson Brasil é uma marca licenciada à Vida Melhor Editora S.A.
Todos os direitos reservados à Vida Melhor Editora S.A.
Rua da Quitanda, 86, sala 218 – Centro – 20091-005
Rio de Janeiro – RJ – Brasil
Tel.: (21) 3175-1030
www.thomasnelson.com.br

Sumário

O momento mais doloroso em nosso consultório

CRISTIANE E EU JÁ PERDEMOS A CONTA de quantas vezes pensamos ao aconselhar casais em nosso consultório matrimonial: "Esses dois nunca deveriam ter se casado". É duro ver duas pessoas que nunca deveriam ter se juntado infernizando a vida um do outro. Mais duro ainda, é claro, é para elas tentar fazer funcionar um casamento que nunca deveria ter acontecido.

Isso nos levou a uma conclusão:

A maioria dos divórcios começa no namoro. A pessoa não viu os sinais, ou viu e ignorou.

Dizem por aí que o amor é cego. Em parte, é verdade. As pessoas se apaixonam, sonham com um casamento perfeito em que a casa está sempre arrumada como nas novelas, a mulher já acorda com maquiagem, o marido com o cabelo penteado e no qual romance e dinheiro nunca acabam. Enquanto sonham, não enxergam os sinais já aparentes durante o namoro de que a previsão é de pesadelo com crises esparsas após a lua de mel. A excitação do namoro, a perspectiva de finalmente acabar com a solidão, se casar e provar para a tia Gertrude que afinal você não vai ficar igual a ela, se tornam motivos muito mais fortes do que se preocupar com detalhes sobre o parceiro.

Uma vez a cegueira instalada, os erros são praticamente garantidos e o divórcio, salvo por milagre, será apenas questão de tempo.

Mas não precisa ser assim.

A maioria dos divórcios começa no namoro porque acreditam por aí que o "amor é cego". Não é. O amor verdadeiro não é cego. O verdadeiro amor é inteligente e enxerga melhor que uma águia. Este livro será os olhos do seu amor, as lentes que lhe darão visão acurada para identificar problemas cedo no relacionamento; ver de longe quando uma pessoa não é para você; e também enxergar em si mesmo o que pode estar fazendo de você uma pessoa que ninguém quer para casar. Também saberá como fortalecer o seu senso de valor próprio; como merece ser tratado em um relacionamento e como deve tratar a outra pessoa.

AS LENTES

Você deve se lembrar de algum super-herói que usava um "super óculos" que lhe dava uma "super visão". Este livro será uma espécie de "super óculos" para você enxergar coisas que a maioria não vê nos relacionamentos. Imagine ter visão para ver de longe os erros que resultam na infelicidade amorosa — e também os acertos daqueles que são felizes no amor. Se tiver a humildade de aprender e decidir praticar o que lhe apresentaremos aqui, você terá essa visão.

Amar inteligentemente requer aprender tudo o que pudermos para fazer certo. Não precisamos errar quando há tantos exemplos por aí do que não fazer.

Quando o assunto é errar no relacionamento, graças à grande ignorância da maioria das pessoas, não faltam oportunidades de aprender com os erros dos outros. Não que tenhamos prazer na miséria alheia, mas pelo menos vamos aproveitá-la e tirar boas lições para não cometer esses mesmos erros.

Quem comete seus próprios erros e aprende deles é esperto. Quem aprende dos erros dos outros é sábio.

Infelizmente, a tendência humana é a esperteza, não a sabedoria. Há mais gente ignorando do que aprendendo as lições ao seu redor. Há jovens que gostam de exclamar aos mais velhos: "Eu tenho direito de errar! Me deixe cometer os meus erros, descobrir por mim mesmo...". Imagine as oportunidades que você tem de ser sábio e se colocar à frente da maioria...

Você conhece as definições de burro, esperto e sábio? Confira:

- **Burro:** Aquele que sente que precisa cometer seus próprios erros. "Deixe-me ser eu mesmo! Quero viver a minha vida!"
- **Esperto:** Um burro que, eventualmente, se gradua na escola da vida e aprende com seus próprios erros. "Errei muito, mas finalmente aprendi minha lição."
- **Sábio:** Aquele que observa com atenção o burro e o esperto arruinarem suas vidas e daí aprende com eles o que fazer e o que não. "Obrigado por me ensinarem isso."

Infelizmente, há muitos por aí fazendo burrices no amor. Alguns deles, não todos, acabam aprendendo depois de tanto errar e finalmente conseguem a felicidade amorosa, ainda que tarde na vida. Já quem ler este livro terá a sabedoria para evitar os erros e fazer certo desde o começo. E ainda que você já esteja no meio de um relacionamento conturbado, ou se recuperando de um desastre amoroso, aqui será a sua escola para finalmente aprender e não errar mais.

Invejar é errado. Querer a riqueza material de outra pessoa ou desejar alguém que já pertence a outro alguém não vai ajudá-lo. Mas não é errado desejar as virtudes dos outros. É até mesmo necessário. Já que o ser humano aprende por imitação, devemos nos inspirar nas qualidades de outras pessoas e nos esforçar para imitá-las.

Quando vir alguém que tem o que você quer, que conseguiu aquela pessoa "perfeita" e realizou seu sonho amoroso, procure analisar o que ele ou ela fez para merecer isso. Você poderá descobrir que aquela pessoa, que a princípio não parecia ter nada de especial ou melhor que você, na verdade tem qualidades de caráter que você deveria imitar. Talvez ela sempre tenha sido muito seletiva e nunca foi de namorar qualquer um. Talvez ela receba atenção positiva porque realmente é muito simpática, generosa e as pessoas gostam de estar perto dela. Talvez ele transmita uma seriedade rara para os rapazes da idade dele. Talvez seja um cara que invista muito na sua mente e inteligência, o que o faz muito seguro de si mesmo a ponto de passar essa segurança para a namorada dele. Talvez você também pudesse fazer coisas assim ao focar sua mente em melhorar como pessoa.

Por isso, não espere que este livro faça algo por você. Este livro, por si só, não faz absolutamente nada. Se o deixar na sua cabeceira à noite antes de dormir, de manhã ele vai estar lá, do jeito que você deixou. Pode servir como um econômico bichinho de estimação, pois não come nada nem faz sujeira. Quem vai fazer não é o livro, é você.

Se aplicar as informações aqui contidas, vai descobrir como se preparar antes de namorar alguém, como atrair alguém interessante, como escolher bem a pessoa com quem vai namorar, como agir durante o namoro e como ter certeza se aquela pessoa é para casar ou entrar para a sua lista de "foi bom enquanto durou".

Hoje é relativamente fácil encontrar alguém, porém, não alguém especial. E manter um relacionamento está cada vez mais difícil. Esse desafio é uma das principais razões deste livro.

PARA QUEM É ESTE LIVRO?

Primeiro, vamos deixar claro para quem este livro NÃO É. Há três grupos:

1. Para quem não quer um namoro sério agora, só está querendo zoar com o coração dos outros e com o seu mesmo.
2. Para quem acha que já sabe tudo sobre namoro, noivado e casamento.
3. Para freiras, padres, monges, ermitões, eunucos e qualquer outra pessoa que escolheu viver uma vida simplificada, sem as complicações e dores de cabeça de um relacionamento amoroso. (Aviso: se você vive em um monastério ou convento e este livro foi "misteriosamente" parar em suas mãos; se não conseguir parar de ler e isso despertar em você um desejo pelo sexo oposto, não nos responsabilizamos caso comece a questionar sua vocação. Aviso dado.)

Tendo esclarecido isso, vamos agora aos que devem ler este livro:

- Quem quer se preparar para o namoro.
- Quem nunca namorou e quer saber como esse negócio de namoro funciona.
- Quem está namorando e quer agir certo.
- Quem quer saber se a outra pessoa é a certa para casar.
- Quem está passando situações no namoro e se perguntando: "O que eu faço?".
- Namorados que querem fazer uma média com a namorada ("Ele está lendo o *Namoro Blindado*, awnnn...").
- Quem já cansou de namoro que não dá em nada.
- Quem está desacreditado no amor.
- Pais que querem saber como orientar os filhos sobre namoro.
- Filhos que querem saber como orientar os pais sobre namoro (cada vez mais necessário hoje em dia).
- Noivos ou quem planeja noivar em breve.
- Quem está com dúvidas se continua ou termina o namoro.
- Quem quer namorar para casar e não divorciar.
- Divorciados que querem recomeçar a vida amorosa com outra pessoa.
- Quem quer muito ajudar um amigo ou amiga que está sofrendo no namoro.
- Quem quer impressionar qualquer um com o quanto sabe sobre o assunto de namoro.
- Quem quer ficar mais bonito, ter os dentes mais brancos e que não chova no dia do seu casamento (ok, não garantimos isso).

O livro *Namoro Blindado* é fruto de nossas experiências de quase 25 anos de casados e de nosso trabalho diário com casais e solteiros em todo o Brasil e em vários países. Além disso, fizemos uma vasta pesquisa especialmente para este trabalho. Mais de 4.300 pessoas responderam a um questionário detalhado sobre suas dificuldades no namoro. As respostas nos deram um olhar privilegiado da realidade dos solteiros hoje — e nos ajudaram a desenvolver as soluções e ferramentas que você vai encontrar aqui.

Você vai notar que o livro segue uma progressão lógica de antes, durante e depois do namoro. Seja qual for a fase em que você estiver, procure ler o livro todo. É imprescindível que tenha um entendimento e visão geral de todos os temas. Assim, saberá como se posicionar e agir diante de qualquer situação no seu relacionamento. Por exemplo, se estiver noivo e prestes a se casar, pode pensar que as seções que tratam do antes e durante o namoro já não se aplicam a você. Porém, pode ser que tenha ignorado algo essencial no seu relacionamento, que só tratamos nessas seções. Por isso, leia tudo. Lembre-se, muitos divórcios começam no namoro.

Vamos, então, entender como tudo começou.

PARTE 1

DEFININDO o namoro

CAPÍTULO 1

O QUE É namorar?

CRISTIANE TIROU A SORTE GRANDE de se casar com o seu primeiro namorado. Não teve o coração partido por ninguém, não passou pelas mãos de ninguém. E eu tirei a sorte grande de me casar com uma mulher que nunca teve outro namorado. Nunca ter de me preocupar se o ex era melhor, não precisar imaginá-la nos braços de outro. Do nosso primeiro encontro ao dia do casamento foram dez meses. Mas do dia do casamento até finalmente nos acertarmos como um casal blindado foram doze longos anos. "Se for para continuar assim, é melhor a gente se separar", Cristiane me disse uma vez. (Mais sobre isso depois.)

Nunca brigamos durante o namoro. Nem uma briguinha. Mas, afinal, o que causou tanto estresse em nosso casamento por tantos anos e que não percebemos um no outro antes de casar? Se pudéssemos voltar no tempo e ter, durante o namoro, a informação que você vai encontrar neste livro, teríamos evitado os nossos problemas? Poderíamos ter tido um casamento blindado já a partir da lua de mel?

Temos a absoluta certeza que sim. O que sabemos hoje sobre nós mesmos e sobre o outro é totalmente ensinável. Poderíamos ter aprendido isso durante aqueles dez meses e nos poupado muita dor de cabeça. Já teríamos começado certo.

É muito mais eficaz e inteligente começar certo do que tentar acertar depois. É possível também acertar depois, claro, e nosso casamento é prova disso. Se você já está em um namoro conturbado, com muitas dúvidas e problemas não resolvidos, pode, sim, mudar sua relação se começar a fazer as coisas certas que vai aprender aqui. Mas saiba: quanto mais cedo aprender e fazer as coisas certas, maior a chance de ser feliz no amor. Talvez invertendo a frase fique mais forte:

> *Quanto mais tarde você deixar para aprender e fazer as coisas certas, maior a probabilidade de ser infeliz no amor.*

Por isso, vamos começar o mais cedo possível. Vamos entender o que é namorar, afinal.

NAMORO NO SÉCULO 21

O conceito de namoro está praticamente perdido atualmente, e você vai entender o porquê. Olhe ao seu redor e perceba o que as pessoas estão fazendo em seus relacionamentos amorosos. Você verá que hoje em dia as pessoas entendem que namorar pode variar entre qualquer uma destas coisas:

- Ficar com alguém e curtir enquanto durar
- Fazer sexo sem compromisso
- Pegar, mas não se apegar
- Mudar de status no Facebook e postar uma selfie no Instagram
- Para alguns homens, ter alguém à disposição para fazer sexo; para algumas mulheres, ter alguém para se divertir e bancar seus luxos
- Ter alguém para sair junto com os amigos e não se sentir sozinho
- Fazer um test-drive para saber se vai rolar uma "química"
- Tapas e beijos, um vaivém sem fim entre começar e terminar
- Ir morar junto para ver no que vai dar (que deu origem à palavra "namorido")
- Passatempo
- Ficar com alguém enquanto não aparece outro mais interessante
- Ficar com alguém fixo e ao mesmo tempo com outros(as) mais interessantes
- Cozinhar um relacionamento e se divertir com outras, porque, se com elas não der certo, tem alguém garantido esperando
- Mostrar que tem alguém para não dar a impressão de estar encalhada
- Ter companhia nos finais de semana

Antes, havia só um nome para descrever o início do relacionamento amoroso de duas pessoas: namorar. Hoje, há um monte: ficar, pegar, enrolar, sair juntos, morar junto, amizade colorida, relacionamento aberto, rolo, curtir, transar, zoar, flertar, união estável, ________________ (inserir novo termo a ser criado em breve).

Em resumo: mais intimidade, menos compromisso. Ninguém é de ninguém. O namoro de hoje é isso. Muita curtição, nenhuma responsabilidade; tudo é permitido. Uma bagunça.

No passado, se um homem e uma mulher eram vistos se beijando, era praticamente certo que estavam em um compromisso sério. Hoje, o que um casal se beijando quer dizer? Ninguém sabe. Se muitas vezes nem os que se beijam sabem o que rolou, que dirá os que estão observando. As linhas estão borradas. Uma aventura de uma noite pode virar relacionamento casual que, por sua vez, pode dar em morar junto — e de repente não ser mais nada.

Um casal que aconselhamos: ela guardava uma mágoa porque no início do relacionamento ele havia "ficado" com uma cliente que deu em cima dele numa balada. Ele se defendia: "Mas eu não estava num compromisso sério com você". Ela rebatia: "Não? A gente só foi para o motel no sábado antes de você ficar com ela!". E ele, com cara de surpresa, justificava: "Eu fiquei com você aquele dia, mas a gente não tinha conversado nada sobre assumir um relacionamento".

A falta de definição nos relacionamentos atuais tem causado uma grande confusão na cabeça das pessoas. Namorar, ficar, sair juntos — se tornou mais um divertimento, uma distração, do que propriamente *um processo de conhecer a outra pessoa com o objetivo de determinar se é adequada para um futuro casamento ou não.* (Acabei de lhe dar, em itálico, a definição correta de namorar.)

Namoro é descoberta. Vocês têm que descobrir um ao outro e se deixar descobrir — mas sem tirar as roupas! É a descoberta do que está *dentro* de vocês, com o intuito de chegar à definição de prosseguir para o casamento ou terminar. É a busca e a troca do máximo de informações para tomar uma decisão inteligente sobre o futuro do relacionamento.

Isso é namorar. Coisa que os antigos pareciam entender bem melhor. Ainda que o modelo dos nossos antepassados não seja totalmente aplicável no século 21, precisamos entender seus valores. Então vamos agora, como sábios, mergulhar no passado e aprender com os erros e acertos deles. Vamos entender melhor como chegamos aqui, o que não está funcionando e qual é a melhor proposta para os dias atuais[1].

ANTIGAMENTE

Compare a situação atual com o que acontecia antigamente, quando os estágios do relacionamento eram bem definidos e com um objetivo bem claro.

No passado, desde sempre e por milhares de anos, o que os pais mais queriam era ver seus filhos casados. Era questão de sobrevivência das famílias pois estas viviam em comunidades. Por isso, os pais criavam seus filhos para serem maridos, homens responsáveis e provedores; e suas filhas para

---

[1] Alerta antitédio: se você se sentir tentado a pular esta parte sobre alguns fatos históricos do namoro, resista. Sabe aqueles clichês, "você não saberá para onde está indo se não souber de onde está vindo" e "quem não conhece a história está fadado a repeti-la"? Então, sua professora de história estava certa. Vai ser um mergulho rápido, mas com lições bem legais. Bora lá!

serem esposas, mães e companheiras. Não conseguiriam casamento sem estas qualidades.

Casar era sinal de maturidade dos jovens. Não havia um conceito muito forte de adolescência como temos hoje, um período de transição da infância para a vida adulta marcado pela busca da máxima curtição antes que o "túmulo" do casamento os enterre... A passagem para a vida adulta era quase sempre marcada pelo casamento.

Quando os jovens chegavam a uma idade em que se consideravam prontos para casar, o processo de namoro começava.

Namorar envolvia inicialmente o homem ser aceito na casa da moça para ser conhecido e avaliado. Ele só a tirava de casa quando se casava com ela. Daí o termo "cortejar", uma antiga forma de descrever o que acontecia antes do namoro em si. O rapaz era admitido na "corte" dela, ou seja, no espaço dela, onde ela (mais comumente seus pais) mantinha o controle ou acesso. (O contrário nunca acontecia, a moça ir namorar na casa do rapaz.)

Primeiro, o rapaz tinha de se apresentar aos pais da moça e conquistar o respeito deles. Era costume os pais dele inicialmente comunicarem aos pais dela o interesse do filho. O processo exigia que o rapaz desenvolvesse boa amizade com os pais da moça e vice-versa. Isso fortalecia os laços familiares e, consequentemente, o casamento. Todos torciam e trabalhavam para que o casamento desse certo e as famílias se mantivessem unidas. Em algumas culturas, o rapaz ou seus pais traziam presentes, não somente para agradar aos pais da moça, mas também para mostrar que o rapaz tinha condições econômicas de casar com ela, caso fosse aceito.

Com o consentimento dos pais, o rapaz podia ter acesso à moça e iniciar o processo de conquistá-la e de se conhecerem melhor. Mesmo assim, não era permitido que ficassem a sós. Em casa ou se fossem a algum evento social, teriam de ser acompanhados por um *chaperone*. Quase sempre uma mulher mais madura ou um irmão mais velho que acompanhava o casal para garantir que não se comportariam de maneira inapropriada.

Se tudo prosseguisse bem, o casal entrava em um compromisso de casamento, que hoje conhecemos como noivado. Os preparativos para o casamento começavam: o noivo providenciava a futura casa onde iriam morar e a noiva se organizava para se tornar esposa. A cerimônia de casamento oficializava a união do casal com a benção de ambas as famílias e os dois então iam para as núpcias. Ali, na lua de mel, era quase sempre a primeira vez que se tocavam fisicamente.

Tudo isso parece nos remeter ao tempo dos dinossauros, mas antes de descartar esse passado como ridículo, vamos analisar os significados e benefícios por trás daquelas práticas.

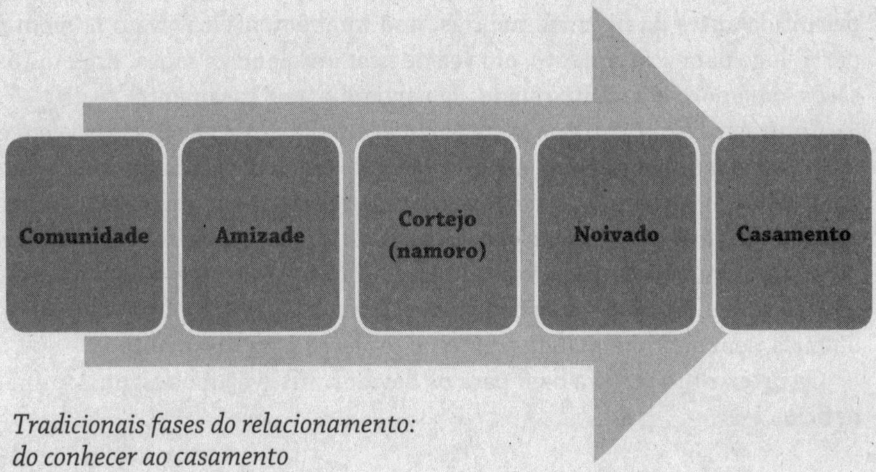

Tradicionais fases do relacionamento: do conhecer ao casamento

POR QUE FUNCIONAVA

No geral, note que o processo colocava praticamente toda a responsabilidade e o trabalho da conquista nas mãos do homem. Ele é que tinha de enfrentar os pais da moça e conquistar o respeito deles. Ele é que tinha de se mostrar responsável e capaz de cuidar dela. Se conseguisse convencer os pais, teria então de conquistar o interesse e a afeição dela.

Além disso, durante o cortejo na casa dos pais da jovem ou em ocasiões sociais, o casal permanecia o tempo todo sob os olhos vigilantes de algum membro da família dela. Isso inibia qualquer tentativa de o rapaz tirar vantagem dela ou desrespeitá-la. Ele sabia que se a desrespeitasse, teria de dar satisfação à família dela. Sim, a condição para ter contato sexual com a moça era casar com ela.

O objetivo do cortejo era realmente conhecer o que estava dentro da outra pessoa, não o que estava por baixo de suas roupas. Esse conhecer era feito por meio da conversa, da troca de ideias, informações e opiniões entre os dois. Por isso, beijar, abraçar ou até segurar na mão eram considerados desnecessários, fora do objetivo do cortejo. E sem a tensão do contato físico, os dois podiam manter o foco no que realmente importava naquele momento: conhecer um ao outro.

Considerando que o divórcio não era uma opção fácil nem muito bem-vista na sociedade, o casal tinha de avaliar muito bem um ao outro e estar bem seguro de que ambos realmente queriam assumir um compromisso por toda a vida. Chegar a essa decisão o quanto antes era o objetivo — ou casavam logo ou deixavam de enrolar. E como a intimidade física não era permitida antes da noite de núpcias, isso também incentivava o homem a partir logo para o casamento, em vez de ficar enrolando a moça. Em muitos casos, o namoro era muito rápido. Já partiam para o casamento.

Contraste isso com o que acontece hoje em dia. Como as pessoas veem o namoro, em grande parte, como diversão, uma oportunidade de ter contato físico sensual, passam um longo tempo se relacionando dessa forma e se conhecendo mesmo muito pouco. O namoro físico lhes satisfaz os desejos sensuais e a necessidade de companhia. Assim, elas não têm nenhuma pressa para casar. Por isso é comum hoje ver "namoros" de dois, três, cinco anos ou mais, sem nenhum planejamento ou projeção para casamento.

O cortejar funcionava bem para os devidos fins. Vejamos alguns dos benefícios:

- **Envolvimento das famílias:** pessoas maduras e de confiança guiavam seus filhos para um bom casamento. A aproximação dos parentes de ambos os lados fortalecia os laços familiares do futuro casal. O apoio familiar para que o casamento funcionasse era muito forte. E, é claro, por essa tradição, raramente se casavam membros de famílias rivais ou que não se davam bem.
- **Já se conheciam:** porque ambos normalmente eram de famílias próximas, era comum já se conhecerem desde a infância. Quando não, mesmo assim, as referências familiares já atestavam as boas origens dos candidatos. Não era como hoje, quando as pessoas sabem praticamente nada sobre o passado de quem começam a namorar.
- **Responsabilidade do rapaz para com os pais da moça:** ele sabia que teria de cuidar e tratá-la bem, pois empenhou sua palavra aos pais dela. Hoje, honrar o compromisso com a família da esposa é uma preocupação quase inexistente na mente de muitos maridos na hora da crise conjugal. Às vezes, quem volta para casa dos pais é ele, deixando sua esposa e filhos em casa.
- **Filtrava os fanfarrões:** todo o processo do cortejo — a seriedade, o envolvimento das famílias e o objetivo em si (casamento) — já mantinha os que tinham segundas intenções com a moça bem longe. Ela, por sua vez, já sabia que o rapaz era sério e estava realmente determinado a conquistá-la.
- **O foco era certo:** descobrir e decidir se queriam ser marido e mulher pela vida toda. Isso fazia a avaliação ser bem mais racional e calculada do que emocional e impulsiva, como costuma acontecer atualmente.
- **A dificuldade valorizava a conquista:** com tanto trabalho e tantas barreiras para chegar à moça e finalmente se casar com ela, o homem costumava valorizar mais o que conquistou a duras penas.

- **Não havia intimidade o bastante para haver brigas:** sem o sexo, o casal não tinha tanta intimidade, os jovens não tinham a sensação de posse um do outro e por isso não tinham razões para brigar. Ao contrário de hoje, quando namorados são ativos sexualmente e vivem brigando, terminando, voltando e brigando novamente. Assim, desgastam a relação antes mesmo do compromisso.

É claro que o cortejo não era um sistema perfeito. Alguns pais acabavam impondo sobre seus filhos a escolha do cônjuge, em vez de deixá-los decidir. Motivações sociais, econômicas e políticas muitas vezes influenciavam a escolha do par para os filhos. Mas nem sempre isso significava que o casal era infeliz. Na sua maioria, os casais aprendiam a se amar e construíam uma vida juntos.

Porém, as vozes de descontentamento com esse sistema falavam alto. Estamos acostumados a ver nos filmes de época a jovem sendo forçada pelos pais interesseiros a casar com um amigo rico da família, que, para reforçar o drama no enredo, costumava ser um homem bem mais velho que ela, feio de doer, asqueroso, bêbado, mulherengo, violento e barrigudo. Foram histórias como essas que rotularam os casamentos arranjados como uma absurda violação dos direitos dos jovens, especialmente das mulheres. (Mas não vamos nos esquecer que no sistema atual isso ainda acontece, não por imposição de ninguém, mas por livre escolha de muitas mulheres. É só dar uma olhada nas colunas sociais e sites de celebridades para verificar.)

Apesar de não serem a norma, casos de abusos sofridos por mulheres em casamentos arranjados ecoavam em todas as classes sociais. É a velha história: má notícia corre rápido e vende mais.

Isso, somado à popularidade dos contos românticos que ganhavam espaço nas artes literárias, fez com que o cortejo saísse de moda. Entra a era do amor romântico.

Cristiane

O nome já parece vir com flores: Romantismo... ahhhh, uma idealização feminina que nos faz sonhar. Mas você sabia que isso foi um movimento?

O Romantismo começou nas últimas décadas do século 18 na Europa e se estendeu até o século 19. Ele veio em contrapartida ao século anterior, que promoveu a razão, o Iluminismo.

Depois de séculos de escravidão mental promovida pela religião e pelos governos, a Reforma Protestante criou espaço para que as pessoas começassem a pensar por si mesmas. Assim, o mundo ocidental saiu do que a História hoje chama de "Idade das Trevas" e, com o passar do tempo, começou a abraçar as ideias dos pensadores iluministas. Muitos desses pensadores, para romper definitivamente com a dominação religiosa dos séculos anteriores, foram para o outro extremo, colocando a sabedoria humana como centro de tudo. Mas, com as pessoas sendo motivadas a pensar por si mesmas, poderiam encontrar o equilíbrio, entendendo que o homem não era o centro e que a razão não precisava excluir a fé.

Porém, antes que as pessoas pudessem encontrar um equilíbrio, o Romantismo veio para anular o que o Iluminismo buscava. Agora era hora de viver pelos sentimentos e não pela razão. E foi assim que o mundo voltou a ser escravo, dessa vez não de uma religião ou governo, e sim do próprio coração. Se o coração sentiu, é porque tem que ser, como vários cantores hoje entoam com tanta dor. A ideia do romance é tão influenciadora e entranhada em nossas veias femininas, que a primeira vez que me dei conta dessa realidade foi como quando descobri que Papai Noel não existia. Uma verdadeira decepção.

Os escritores desse período, como a inglesa Jane Austen, foram os que mais contribuíram para que o romance se transformasse em idealização amorosa no imaginário popular. Até hoje, mulheres suspiram por seus personagens inventados. Apesar de ter vivido séculos antes, o dramaturgo William Shakespeare influenciou o trabalho de muitos romancistas da época, que bebiam de seu espírito para contar suas próprias histórias. Detalhe, Jane Austen nunca se casou, e Shakespeare, com sua vida pessoal obscura, não foi conhecido como um grande sucesso em sua vida amorosa. Sem contar que ninguém se lembra de que Romeu e Julieta, a mais famosa peça de Shakespeare, acabou com o suicídio de ambos e mais três mortes! Em uma época sem televisão e internet, era dos livros o papel de moldar o pensamento da sociedade, para o bem ou para o mal. Considerado marco inicial do Romantismo, o livro *Os Sofrimentos do Jovem Werther*, do alemão Goethe, levou vários leitores à morte quando foi lançado. As pessoas ficaram tão envolvidas com a história de amor frustrado do protagonista, que imitaram seu suicídio.

E foi sobre essas tragédias literárias que muitas pessoas passaram a basear suas vidas amorosas e o fazem até hoje. Vamos sentir em vez de pensar e de analisar. Vamos sofrer pois amar é sofrer, arriscar, se lançar de um prédio alto e ver no que vai dar... Será que já não sabemos o final dessa história?

"O sentimento do artista é sua lei" — disse um dos grandes artistas da época, resumindo bem o que os guiava em suas obras. E o sentimento se tornou mesmo lei. Jovens começaram a se rebelar e resistir à interferência dos pais, tomando em suas próprias mãos a responsabilidade de encontrar o amor de suas vidas. No antigo sistema, os pais escolhiam e os filhos consentiam. No novo, os filhos escolhiam e os pais consentiam. Mais tarde, os filhos escolhiam e os pais, consentindo ou não, tinham de aceitar. Hoje, a maioria dos pais não tem ideia do que seus filhos estão fazendo de suas vidas amorosas, com quem nem onde. Quando muito, ficam sabendo por terceiros que a filha engravidou ou que o filho foi morar junto com alguém. E o pior: muitos desses pais acham que é melhor assim. "Eles precisam errar para aprender", dizem.

Cada velha geração tem a nova geração que merece.

Tentando consertar um sistema que facilitava abusos em alguns casos, criou-se uma desordem generalizada. A emenda ficou pior que o soneto...

UM NOVO MODELO

Não estamos defendendo aqui uma volta aos antigos costumes de namoro segundo o que era feito em tal época, tal tradição ou religião. Na verdade, nem a Bíblia dá algum mandamento em si de como namorar. Era desnecessário. No período bíblico o cortejo era culturalmente implícito, já que os princípios familiares eram bem mais fortes. E isso não mudou muito ao longo de milênios.

Mas eventualmente tudo muda e nós, como seres inteligentes, temos de nos adaptar às mudanças da sociedade. As últimas décadas têm testemunhado transformações drásticas nos relacionamentos amorosos, além do desenvolvimento em várias outras áreas que também afetam diretamente a vida a dois. Para citar apenas algumas:

- A mulher se emancipou. Não depende mais do marido ou dos pais
- A principal economia mundial deixou de ser a agrícola/industrial e passou a ser a intelectual (o que colocou a mulher a par com o homem no mercado de trabalho).
- A Internet revolucionou a comunicação através das redes sociais e abriu um leque de outros fatores: pornografia, chats, sites e aplicativos de relacionamentos, Skype, troca de fotos e vídeos instantâneos, mensagens de texto... — coisas, entre outras, com as quais nossos pais e avós nunca tiveram de lidar.

A nossa geração precisa de novas estratégias e atitudes para navegar nessas mudanças.

O modelo antigo é, para todos os efeitos, impraticável atualmente. E as práticas atuais tampouco estão funcionando. O que estamos propondo é que você aja com inteligência e bom senso: tire as lições do passado e do presente; observe o que funciona, o que não, e por quê; e, então, adote a melhor estratégia.

Não propomos trazer de volta as práticas antigas, e sim os valores antigos. Os tempos mudam, os costumes culturais variam, mas os valores jamais envelhecem. Quem não gosta de respeito, admiração, cuidado, segurança, seriedade, responsabilidade e compromisso?

Infelizmente, o sistema que temos nos dias de hoje não promove esses valores.

Hoje, a primeira coisa que um homem faz ao demonstrar interesse em uma mulher é exatamente o contrário de antigamente. Ele logo pensa em convidá-la para "sair". Note: ele não vai mais até ela. Até o pegar em casa (termo que nos dias atuais pode não ter nada a ver com passar de carro na casa dela para levá-la ao local do encontro) já está saindo de moda. Atualmente, é comum marcar o lugar onde vão se encontrar — um barzinho, restaurante, balada, ou onde for — e cada um vai por si.

Observe que a expressão em si já indica uma mudança de costume: "sair juntos". O homem hoje não quer cortejar, entrar no ambiente da moça, mas sim tirá-la de lá e trazê-la para o ambiente dele ou para onde ele poderá ter acesso total a ela sem a interferência de ninguém — especialmente da família. Quanto mais distância dos familiares, melhor. (A mulher fica vulnerável, apesar de muitas, mesmo assim, defenderem até a morte sua independência familiar.) A ideia de "sair juntos" indica mais uma busca de divertimento do que o objetivo de conhecer a pessoa. Por isso, muitos namoram sem a mínima intenção de compromisso ou de se aproximar da vida da pessoa, mas apenas para tirar proveito dela.

O resultado disso tem sido a falta de compromisso, o enfraquecimento da posição da mulher e o pouco envolvimento da família de ambos. Isso tem colocado o poder nas mãos do homem, que facilmente consegue tirar o que quer da mulher sem dar muito em troca, a não ser talvez um jantar e um ticket para um cinema (isto é, se ela não insistir em pagar ou dividir a conta).

Deixamos de lado o cortejar para simplesmente sair ou "ficar". Não mais se respeita a mulher no espaço dela nem se procura conquistar o direito de ter acesso a ela. Qualquer outro espaço serve, desde que seja longe da "interferência" dos familiares, a fim de curtir a outra pessoa e atender aos seus anseios por diversão.

E que fique bem claro: homens e mulheres têm permitido que seja assim.

"VOCÊ TEM QUE FALAR COM MEU PAI"

Cristiane

O Renato me contatou pela primeira vez através de um cartão postal, cheio de poesia, entregue em mãos por um amigo seu. Guardo comigo até hoje. Fui às nuvens e voltei, pois já gostava dele na época, mas ele não sabia.

Mostrei o cartão para minha mãe, que logo providenciou uma ligação para um amigo em comum nosso para questionar o Renato sobre suas intenções.

Algumas semanas depois, esse amigo em comum me convidou para conhecer o Renato pessoalmente na igreja, e, com autorização dos meus pais, fui direto da escola para pegar o finalzinho da reunião de líderes de que ele participava. De lá, fomos todos juntos comer um cheeseburger no McDonald's do bairro – nosso amigo e esposa numa mesa e nós dois em outra. Conversamos sobre assuntos que não tinham nada a ver com o que realmente queríamos – namorar.

A segunda vez que nos encontramos foi nos estúdios de uma rádio. Na época, eu auxiliava uma radialista em um programa para jovens aos sábados à tarde. O Renato chegou lá já no fim do programa e só deu tempo de me dar um chocolate e nos despedirmos.

Quando cheguei em casa e falei a respeito da visita do Renato na rádio, meu pai ficou furioso.

– Como assim? Esse rapaz ainda não a pediu em namoro!

– Mas pai, a gente nem teve tempo de falar sobre isso ainda...

– Não quero saber, se ele quiser falar com você outra vez, terá de passar por mim primeiro e pedir autorização. Se não fizer isso, da próxima vez que vier falar com você ele vai se ver comigo!

Em minha defesa, eu não tinha ideia dessa tensão com o pai da Cristiane. Em meus relacionamentos anteriores, nunca tive de falar com o pai de nenhuma namorada. Nunca aprendi esse ritual. Para mim, simplesmente estava fazendo o que sempre fiz e via os outros fazerem. Eu tinha ouvido falar coisas muito positivas sobre a Cristiane e me interessei por ela. Sim, ela era linda, e é até hoje, e — não vou mentir — a aparência dela me chamou atenção. Mas eu já tinha tido namoradas muito bonitas antes. Afinal, este que vos escreve também não era de se jogar fora... Meu maior interesse, porém, era na pessoa que me disseram que ela era. Eu não queria mais errar. Tinha acabado de sair de um longo relacionamento. Então, quis conhecê-la melhor. Não queria já ir dizendo "Quer namorar comigo?". E eu nem sabia se ela gostava de mim. Qual não foi minha surpresa quando fui encontrá-la novamente...

Cristiane

Fiquei sem saber o que fazer, já que o Renato ainda não tinha tocado no assunto. Lembrando que na época não existia celular nem Internet. Para ele falar comigo sem me encontrar, teria de ligar na minha casa. Mas nem nesse estágio havíamos chegado.

A próxima vez que ele veio me encontrar, eu estava no altar da igreja, logo após a reunião de domingo de manhã, recebendo lições de música com o instrutor. Quando o avistei vindo em minha direção, subindo as escadas do altar, tremi na base me lembrando do que meu pai havia falado. Eu tinha apenas 16 anos. Me esqueci totalmente do instrutor e das pessoas que ainda estavam no salão da igreja e, assim que ele abriu a boca para falar, não o deixei continuar:

– Você tem que falar com o meu pai.

Hoje, quando me lembro, rio porque ele levou um susto. A cara dele era de alguém que estava dizendo para mim: "Mas eu ainda nem sei se você quer me namorar!".

Sabendo quem era o meu pai, ele respeitou o meu pedido e não falou mais nada. Só disse tudo bem, que iria falar com ele ainda aquela semana.

Eu fui falar com ele na sexta-feira seguinte. Foram os cinco dias mais tensos da minha vida. Mas a tensão da antecipação não se comparou ao que aconteceu dentro da sala com o pai dela. (Mais sobre isso nos próximos capítulos...)

O que posso dizer agora é que aquela atitude da Cristiane, de colocar uma barreira que eu teria de ultrapassar para chegar a ela, teve um efeito extraordinário em mim como homem. A mensagem captada foi: "A coisa é séria. Você tem de ser homem agora. Se estiver a fim de brincar, é melhor parar por aqui". Minhas intenções não eram brincar com os sentimentos da Cristiane ou me aproveitar dela. Mas a reação dela me fez admirá-la ainda mais, pois vi que não era uma qualquer. Eu precisei engrossar minha hombridade, reavaliar minhas intenções e me preparar para passar no teste do "de homem para homem".

É isso que as pessoas precisam nos dias de hoje: não agir como um ou uma qualquer.

Sempre ouço solteiros dizerem: "Estou procurando alguém assim e assim, que seja especial, diferente..." etc. Mas aí agem como um ou uma qualquer. Aceitam beijo no primeiro encontro, querem esfregar o corpo um no outro, vão deixando rolar, até acabarem num motel ou outra cama qualquer — e isso sem nem saber ao certo o que existe entre eles. Fazem o que todo mundo faz. Não pensam por si mesmos.

A mensagem que o cara capta é: "Essa foi fácil. Não é para compromisso. É só para zoar. Vamos ver até onde consigo levar isso". E na cabeça dela passa algo do tipo: "Se eu me entregar para ele, ele vai me amar. Vou fazer tudo o que ele me pedir".

Não está funcionando. Nem para eles, muito menos para elas. Precisamos de um novo modelo, novas estratégias.

O novo modelo é o "namoro blindado" e as novas estratégias você vai aprender aqui.

Vai cair na prova!

Reflita sobre o que explicamos até aqui:

1. Você concorda com a afirmação de que muitos divórcios começam no namoro? Por quê?

   ____

   ____

   ____

2. O que você achou de como o namoro era antigamente? Por que acha que ele saiu de moda?

   ____

   ____

   ____

3. Estamos melhores hoje com as novas formas de namorar?

   ____

   ____

   ____

Poste em nosso Facebook (fb.com/livronamoroblindado) ou em sua rede social preferida:

Começo hoje a aprender os segredos de um #namoroblindado.

CAPÍTULO 2

O QUE É um namoro blindado?

Se você não entender o que é um namoro blindado e por que precisa dele, não apreciará a importância de ter um. Namoro blindado é aquele em que você está:

1. Protegido contra se casar com a pessoa errada
2. Protegido de perder a pessoa certa[1] quando encontrá-la

Pense um pouco nesses dois pontos.

É difícil acordar do pesadelo de ter se casado com a pessoa errada ou perdido a pessoa certa. Descobrir depois de anos de um casamento infeliz que você errou na escolha de parceiro; não conseguir se perdoar por ter estragado o relacionamento com o amor da sua vida, que acabou casando com outra pessoa — tem sido a realidade de muitas, muitas pessoas hoje.

É mais fácil acontecer do que parece. Porque as pessoas não estão sabendo conduzir o namoro, muitas estão errando na escolha, cegadas por seus sentimentos.

Lívia se casou aos 19 anos com o homem que a "tirou do chão". Foi um amor intenso. O casamento veio rápido. Dezesseis anos mais tarde, ela estava em nosso consultório lamentando o tempo perdido de sua vida. Hoje com 35 anos e ele com 50, ela havia acabado de pedir o divórcio. Traições de ambas as partes, ela não conseguia entender por que seu marido sempre foi tão apático, sem iniciativa, indiferente a tudo que a interessava. E o que mais a incomodava, dizia ela, não era nem o divórcio em si, mas a reação dele quando ela lhe deu a notícia: "É, realmente acho melhor assim".

---

[1] Cristiane e eu não gostamos de usar a expressão "pessoa certa", e sim "pessoa adequada". Você vai entender por que no Capítulo 8. Por enquanto, vamos usá-la aqui para facilitar o entendimento.

"Ele não esboçou o mínimo de vontade de evitar a separação", nos disse, frustrada. Lívia errou na escolha por causa de sua paixão cega e pagou caro por isso.

Agora considere o caso de Armando. Aos 40 anos e solteiro, sem nunca ter se casado, ele sentou à minha frente e me contou um episódio que o perturba até hoje. Cinco anos atrás ele havia encontrado a mulher que ele cria, e ainda crê, ser o amor de sua vida.

Na altura, depois de breves contatos em círculos sociais que frequentavam, ele a convidou para tomar um café. "Eu não acreditava mais em namoricos, relacionamentos que não davam em nada, porque já tinha tido muitos. Mas quando eu a vi, tive a certeza de que a queria como esposa. Meu erro foi ter ido com muita sede ao pote" — admitiu, com notório arrependimento.

Ela aceitou o convite. Sentado à frente dela no café, Armando abriu seu coração. Declarou seus sentimentos e logo a pediu em namoro. Ela foi sincera: "Mas eu mal o conheço... Não tenho sentimentos por você. Acho melhor a gente começar com uma amizade e ver no que vai dar".

Ele não titubeou: "Comigo não tem esse negócio de amizade. Ou tudo ou nada. Ou a gente vai namorar ou não vamos perder tempo", intimou Armando, exigindo um sim ou não dela.

E a resposta que o assombra até hoje: "Então é melhor a gente não ter nada".

Assustada com a postura incisiva dele, dali para frente ela passou a evitá-lo. Até hoje, cinco anos depois, ele mantém sentimentos por ela e acompanha sua vida à distância. Na altura de nossa conversa, ele tinha ouvido a pior notícia desde o "não" que recebeu: ela estava para se casar com outro.

Armando foi com muita sede ao pote, sim. Mas o real problema já estava dentro dele muito antes de se sentar com a pessoa dos seus sonhos naquele café. E continuará até que ele resolva as questões internas que o mantêm solteiro até hoje.

Enquanto a pessoa não resolver questões pendentes dentro dela mesma, acabará destruindo seus relacionamentos — mesmo com quem ela mais ama na vida.

Em um namoro blindado, o trabalho de blindagem começa antes de se ter um namorado. Veja que, nos casos de Lívia e Armando, eles já trouxeram os problemas com eles antes de encontrarem a pessoa amada. Foram esses problemas que os cegaram. Foram esses problemas que influenciaram suas decisões e comportamentos — e os levaram a um final infeliz. Um escolheu errado e o outro estragou a chance de ser escolhido por quem tanto gostava.

A maioria das pessoas infelizes no amor se encaixa em uma dessas duas categorias. As chances são de que, se você errar no amor, será por uma dessas razões.

Por isso você precisa agir agora, prestar muita atenção ao que está dentro de você e também, se já está em um relacionamento, ao que está dentro da outra pessoa. Note: prestar atenção é um trabalho da sua mente, de inteligência, e não de seu coração e seus sentimentos. É incrível, mas a principal ameaça à sua vida amorosa é exatamente esta figura tão fofa, a mais associada ao amor de todos os tempos:

Olhe para ele. Tão bonito, tão fofo... e tão perigoso. Você está olhando para a maior ameaça à sua vida amorosa: o coração. O grande responsável pelas más escolhas no amor. O grande abrigo de questões emocionais mal resolvidas. O grande destruidor de relacionamentos. Você vai entender por quê.

A MAIOR EMBROMAÇÃO DOS ÚLTIMOS SÉCULOS

Muitas pessoas têm entrado no relacionamento com amor e saído com ódio. Por que tantos relacionamentos têm sido autodestrutivos? Por que tantos tiros fora do alvo?

Aviso: depois de ler as próximas páginas você nunca mais vai ouvir música, assistir a filmes ou ler livros como tem feito até aqui.

Estamos no século 21. Tecnologicamente e cientificamente estamos na era mais moderna e avançada da história da humanidade. É um mundo totalmente diferente daquele dos nossos pais, que dirá de nossos avós. Nosso cotidiano tem pouco a ver com a vida de 30, 40 ou 50 anos atrás.

Para você ter uma ideia, hoje já temos a tecnologia para explorar o espaço de várias formas. O telescópio espacial Hubble, por exemplo, lançado ao espaço em 1990, permitiu ao homem pela primeira vez ver mais longe do que as estrelas da nossa própria galáxia.

Em 2012 foi anunciado publicamente o projeto da primeira missão tripulada a Marte (Projeto Mars One). Será uma viagem de ida e sem volta. O objetivo: colonizar o planeta vermelho. Os primeiros humanos aterrissariam (ou "amartissariam"?) em 2024 para começar uma nova civilização de marcianos. Ainda não conseguimos civilizar o nosso planeta, mas vamos com toda a moral para tentar em outro. O interessante é que mais de 200 mil pessoas se candidataram para participar da missão — incluindo muita gente casada querendo ir e deixar o marido ou esposa aqui na Terra. Nada diz "eu te amo" como um bilhete só de ida para Marte...

Em termos de tecnologia e ciência, estamos avançando a passos de gigante. Computadores poderosos, smartphones, aplicativos para tudo o que se pode imaginar — têm facilitado e melhorado a qualidade de vida de todos nós.

Uma área de grande avanço nos últimos tempos tem sido a neurociência, o estudo do sistema nervoso, especialmente o cérebro. Descobrimos mais sobre o cérebro humano nos últimos 100 anos do que em 6 mil anos de história da humanidade.

Porém, se na ciência, tecnologia, indústria e tantas outras áreas da vida humana estamos anos-luz à frente, quando o assunto é relacionamento amoroso ainda vivemos por crenças medievais. Na melhor das hipóteses, estamos no século 19, para ser exato. Parados no tempo. Para entender o porquê, viaje ao passado comigo.

Por milhares de anos, médicos, sábios e pensadores acreditavam que o coração, esse órgão pulsante que você tem aí no lado esquerdo do seu peito, era o centro da inteligência humana. Porque conseguiam sentir o coração bater e também associar várias emoções a reações físicas na região do peito (como quando você toma um susto ou se apaixona, por exemplo), eles pensavam que o coração era o centro da vida.

Os egípcios tinham o costume de mumificar seus mortos sob a crença de que preservar o corpo garantiria uma boa vida após a morte. O processo de mumificação envolvia a retirada do cérebro e outros órgãos, exceto o coração. Eles criam que o coração, como o centro dos pensamentos e sentimentos, seria necessário para manter a pessoa viva no além.

Gregos e romanos também criam que o coração era o principal órgão humano, responsável pelas emoções e inteligência. Alguns antigos desconfiavam que havia alguma coisa importante também acontecendo dentro do crânio humano, mas eles não tinham como provar nada. A crença prevalente era que a nossa central de comando estava no coração.

Essa crença influenciou praticamente todos os aspectos culturais da nossa civilização. Ao longo dos séculos, inúmeras obras de arte retratavam o coração com este foco emocional e intelectual.

As religiões também sempre deram grande ênfase ao "coração de Deus", com direito a artes sacras retratando Cristo com o órgão exposto do lado de fora do peito (!), movimentos devocionais ao "sagrado coração de Jesus" e outras alusões ao lado mais emotivo de Deus. De forma geral, a maioria das religiões leva as pessoas a uma experiência basicamente emocional, marcada por sentir isso ou aquilo, usando imagens, palavras bonitas, cenografia e decoração sacra, música para sensibilizar e outros artifícios que apelam aos nossos sentidos. Tudo contrário ao que encontramos na Bíblia, onde Deus sempre proibiu o uso de imagens, condenou tradições humanas que serviam apenas de teatro religioso e chamou as pessoas a usar suas mentes (inteligência) para meditar na Sua palavra (em vez de sentir com o coração).

O cinema e a televisão produzem seus filmes, seriados e novelas em que, quase sempre, há uma história de amor marcada pelos sentimentos de seus personagens. A razão é colocada de lado e o sentimento é que manda. "Siga o seu coração", é a mensagem subliminar (ou nada subliminar) constantemente martelada nessas histórias.

Porém, nada propaga mais essa ideia do coração do que a música. Não importa a cultura ou estilo musical, os exemplos são tantos que é difícil escolher um só. Você pode seguramente apostar que se ligar o rádio e sintonizar em uma estação musical, nove de cada dez músicas mencionam o coração e suas peripécias amorosas direta ou indiretamente[2].

A crença entrou até no nosso vocabulário. Na língua portuguesa, quando queremos dizer que sabemos algo muito a fundo, usamos a expressão "eu sei de cor". Este "cor" é abreviação de coração, pois os antigos pensavam que as informações eram guardadas no coração. Curiosamente, a mesma expressão existe no inglês (by heart), no francês (par cœur), no grego e em várias outras línguas.

Você pode notar que essa ideia está enraizada em tudo ao nosso redor. E isso há milhares de anos.

Mas há aproximadamente 100 anos, com o aprimoramento do microscópio, os cientistas puderam iniciar estudos mais apurados do cérebro humano. E descobriram, finalmente, que o coração não é muito mais que uma bomba de sangue para manter a circulação sanguínea no corpo. E que, na verdade, o centro da vida e inteligência está no cérebro. Isso revolucionou a neurociência desde então.

Nossas habilidades de compreensão e desenvolvimento se multiplicaram e a sociedade, nos últimos 100 anos, evoluiu com extrema velocidade.

Mas no departamento amoroso, curiosamente, essa evolução não aconteceu. Ficamos parados no tempo, lá no século 19, bêbados e enfeitiçados pelas ideias do amor romântico. Ainda associamos o amor, que é uma

---

[2] Coloquei meu próprio desafio à prova e busquei rapidamente entre as músicas mais tocadas nas rádios de São Paulo de janeiro a março de 2016. O coração aparece diretamente em janeiro no hit da Adele "Hello" — um apelo telefônico de um coração ferido pedindo perdão a outro coração por tê-lo ferido. Em fevereiro, o coração de Luan Santana "se apaixonou perdidamente" em "Chuva de Arroz". E em março, foi a vez do funk de Biel, "Química", que descreve precisamente uma das especialidades do coração: se apaixonar pelo visual da outra pessoa. Encerro meu caso.

atividade exclusiva do nosso cérebro, ao coração. É impossível hoje em dia alguém olhar uma ilustração no formato de coração e não pensar na palavra amor. Quando você lê as frases "Eu te ♥" ou "I ♥ NY", você sabe instintivamente qual palavra substitui o coração.

Nas outras áreas da vida, todo mundo já virou a atenção para o cérebro, só no amor as pessoas ainda estão reclusas nas cavernas do coração. Está mais difícil acordá-las para a realidade do que acordar um adolescente e tirá-lo da cama antes das seis da manhã.

E aqui mora o principal problema dos relacionamentos hoje:

Associar o amor ao coração.

É a maior embromação dos últimos séculos. (Qualquer ligação entre a bagunça atual nos relacionamentos e a palavra "amor" aparecer de trás para frente no meio da palavra "embromação", é mera coincidência. Ou não. Vai saber.)

VOCÊ ESTÁ DEMITIDO!

O coração[3] tem sido um péssimo administrador da vida amorosa. Ele tem feito um horrível trabalho nos relacionamentos. Se fosse um funcionário da sua empresa, você o mandaria embora por justa causa e jamais o contrataria de novo. O que ele tem feito na vida amorosa das pessoas é desastroso. E por isso a vida a dois não tem funcionado para muita gente, porque elas têm deixado o coração mandar.

Se por um lado a humanidade está avançando na ciência e tecnologia, no lado do amor ela está regredindo.

A prova dessa regressão está nas estatísticas. O número de divórcios no Brasil em 2014 foi mais que o dobro do ano 2000. Com mais divórcios, outra tendência crescente é o "recasamento". A cada dez casamentos realizados hoje, dois são na verdade recasamentos, nos quais pelo menos um dos cônjuges já veio de um ou mais divórcios. O número de solteiros tem aumentado e já ultrapassa o número de casados, que vem caindo. Nosso país tem 77 milhões de solteiros e 60 milhões de casados. Claramente, as pessoas estão ficando cada vez mais desacreditadas do matrimônio, muitas optando por uniões sem nenhum compromisso formal.

A maioria dos divórcios hoje ocorre entre casais casados por menos de oito anos. Quer dizer, as pessoas estão desistindo fácil e rápido. O casamento

[3] Quando falamos em coração, estamos nos referindo basicamente às emoções e sentimentos humanos, não ao órgão que bombeia sangue. Esses sentimentos, sabemos hoje, também são gerados em regiões específicas do cérebro, mas que não podem ser deixadas com a responsabilidade de tomar decisões. Esse papel pertence à nossa inteligência.

tem se tornado descartável — joga esse fora, pega outro. Isso tem dado origem a famílias mistas, aquelas formadas de pessoas já casadas anteriormente que trazem filhos de suas relações prévias para a nova união. Tais uniões têm taxa de divórcio ainda maior, devido aos conflitos inerentes.

Quando o casamento enfraquece na sociedade, os problemas sociais aumentam. Mães solteiras já são 1 em 5, o que significa filhos crescendo sem pai. Sem modelo de um homem responsável, serão que tipo de pai e marido lá na frente? Filhas que viram suas mães serem pai e mãe, como conseguirão dividir a vida com um homem?

Decadência total. Regresso ao invés de progresso. Todos os dados e evidências mostram que essa bagunça familiar é péssima para o ser humano. Está mais que provado que um casamento sólido saudável é o que provê uma melhor estabilidade econômica, emocional, social e de saúde para crianças, adultos e toda a sociedade.

Mas o coração não tem deixado isso acontecer. Ele é o maior culpado dessa baderna. E infelizmente continuará assim, enquanto as pessoas insistirem em amar com o coração e não com o cérebro. Nossa esperança é que você demita o incompetente. Mas se ainda não se convenceu, continue lendo.

Cristiane

Uma agravante: as pessoas estão desistindo do casamento por causa do coração, mas culpando o casamento. Por isso muitos jovens hoje já não têm objetivo de casar. Acham que o casamento é uma instituição falida, ultrapassada, que precisa ser repensada. Porém, a culpa não é dele. No fundo, todo mundo quer o que um bom casamento oferece. A culpa, na verdade, está em associar o amor com sentimentos.

Você já passou por isso várias vezes: não sentia vontade de fazer algo, mas foi e fez, porque sua cabeça o convenceu a fazer. Como acordar de manhã em sua cama quentinha e não sentir vontade de levantar e ir trabalhar, por exemplo. Seu alarme soou, você acordou, mas o seu corpo quis ficar na cama. Você ajeitou o travesseiro, sentiu o conforto da cama e disse para si mesmo: "Só mais cinco minutos". Mas em seguida, sua mente começou a perturbá-lo e dizer: "Levante logo, senão vai se atrasar... Imagine o trânsito que vai pegar se não sair cedo... E se chegar tarde de novo no trabalho, vai ter problema...". Daí, contra sua vontade, você finalmente se levantou e fez o que tinha de fazer. Naquele processo, você usou sua cabeça e não seu coração.

No trabalho, o seu supervisor chatinho e irritante, ou aquele colega pestinha que quase sempre o trata com arrogância, vem e o faz sentir como uma formiga com a atitude dele. A sua vontade é de lhe dar uma joelhada voadora estilo UFC e imobilizá-lo no chão com uma chave de braço até ele bater em desistência. É claro, ainda que você fantasie a cena na tela das suas emoções, o seu lado racional o mantém calmo e você simplesmente responde "Sim, senhor". Sua inteligência sabe que, se deixar extravasar seus sentimentos, perderá o emprego. Novamente, sua cabeça dominou seu coração.

Sabemos isso muito bem em várias áreas da vida, mas por alguma razão, quando o assunto é relacionamento, a máxima é: "Eu não mando no meu coração". As pessoas têm a ideia de que o coração não pode ser mandado. Acham que têm de fazer o que o coração está sentindo. Se o coração está triste, magoado, lamentando "não sinto mais amor", "não sinto mais vontade" — elas vão e agem de acordo.

Imagine se você fosse agir assim em outras partes da vida. Nunca iria realizar nada, manter nenhum emprego ou sair da cama antes do meio-dia. Se podemos dominar nossos sentimentos em outras áreas, por que não na vida amorosa? O problema está na maneira como você vê o amor.

Encarar o amor como um sentimento faz as pessoas aceitarem coisas absurdas no relacionamento. Muitas nos procuram dizendo: "Meu namorado me traiu, mentiu, fez isso e aquilo, mas eu o amo... O que eu faço para tê-lo de volta?". Elas não conseguem enxergar o ridículo que estão fazendo, como estão se diminuindo. São reféns dos sentimentos e por isso fazem qualquer coisa por uma migalha de atenção, mesmo vindo de alguém que não presta.

O coração prefere uma boa sensação agora, mesmo que vá sofrer depois. Faz as pessoas sofrerem "por amor" e então vai criando crenças para gerenciar suas frustrações e justificá-las. E, é claro, a culpa nunca é dele, sempre de outro.

Por exemplo, a mulher se decepcionou em vários relacionamentos e aí começa a dizer: "Homem é tudo igual, só muda de endereço". Preste atenção nessa frase. Você não vai precisar de muito tempo para entender que é uma afirmação falsa, uma mentira do coração. Ninguém é igual, nem homem nem mulher. Mas com essa crença a mulher pode colocar toda a culpa no sexo masculino e não assumir responsabilidade por suas escolhas e erros no relacionamento. É uma mentira, mas muitas mulheres têm baseado suas vidas nela.

Pelo coração, a pessoa se envolve com outra que já está casada, mesmo sabendo que é errado. E ainda justifica: "Mas eles não são felizes, já não se amam mais. O nosso amor, este sim, é verdadeiro. O casamento deles não deu certo, não era para estarem juntos". E para fortalecer essa ideia, o coração também criou o mito da alma gêmea.

A ideia da alma gêmea é a ridícula crença de que existe apenas uma pessoa nessa vida que pode nos completar, como a tampa da panela, a metade da laranja ou a cara-metade. É claro, nem precisa ter um cérebro de Einstein, pode ter um de chimpanzé mesmo, para perceber que esse negócio de alma gêmea é matematicamente impossível. Para começar, o número de homens solteiros nunca é igual ao de mulheres solteiras em nenhum país do mundo. Quer dizer, se fosse dança das cadeiras, muita gente ia ficar de pé chupando o dedo, porque não há cadeira para todo mundo. Segundo, logicamente bastaria uma pessoa casar com outra que não fosse sua alma gêmea (e sim a de outra pessoa) para desestabilizar todo o ecossistema de almas gêmeas...

Mas é claro, o coração não quer ouvir isso. Ele prefere crer que se há muitas brigas no casamento, se a química não rola mais, se o sentimento não é mais o mesmo do início, então é porque aquela pessoa não é sua alma gêmea. É claro que não. Se fosse, eles nunca brigariam. Seriam um casal tão perfeito que nem pum soltariam.

Não ria não, porque há quem baseie decisões importantíssimas em sua vida amorosa em cima dessa crença. É uma tragédia.

Considere mais um exemplo. A moça começa a ver suas amigas e familiares se casando, uma a uma. Daqui a pouco, ela se vendo ainda solteira, o coração começa a cobrar: "Você ainda não tem namorado?".

Um belo dia, ela por acaso vê no Facebook o perfil daquela antiga colega de classe, na época gordinha e desdentada, que ninguém queria namorar. Curiosa, pois não a vê há anos, ela vai e entra no perfil dela enquanto pensa: "Coitada, que fim teve ela?" — quase feliz por antecipação, esperando se consolar com o destino da ex-colega. Com certeza ela está mais gorda, mais feia e, claro, encalhada. Porém, para seu espanto, a fulana não somente está uns 20 quilos mais magra, mas também casada e com três filhos lindos de um marido que parece ter saído de uma capa de revista. Até os dentes dela estão perfeitos num sorriso de orelha a orelha.

O coração sobe para 120 batidas por minuto. "Você vai ficar parada aí?" — ele grita. Sem demora, ela busca o contato daquele cara que vive atrás dela, com quem ela nunca quis nada, e marca um encontro. Determinada a não ficar para trás, eles namoram, noivam e casam em seis meses. E os dois vivem infelizes para sempre, graças ao coração bandido.

UM OFERECIMENTO, HOLLYWOOD

Os grandes patrocinadores das crenças do coração são, sem dúvida, Hollywood e as celebridades em geral. Um dos fatos mais curiosos dos últimos tempos, que inaugurou uma nova crença criada pelo coração, foi a separação do "casal dourado" Gwyneth Paltrow e Chris Martin — ela, já considerada por uma revista americana "a mulher mais linda do mundo" e ele, vocalista do Coldplay.

No comunicado oficial postado no site da atriz, o casal disse ter chegado à conclusão de que "apesar de nos amarmos muito, permaneceremos separados".

Como pode um casal que se ama muito permanecer separado? Quem ama separa? Quem ama quer viver longe? Quem ama quer sujeitar seus filhos pequenos a um divórcio? Faz algum sentido?

É claro que não. Mas "quem um dia irá dizer que existe razão nas coisas feitas pelo coração"? Apesar da falta de nexo, as pessoas tomam decisões em cima dessa crença. Veja como Gwyneth iniciou o comunicado de sua separação:

> *"É com os corações cheios de tristeza que decidimos nos separar."*

Coincidência? Não. Pelo menos nisso ela acertou. Tal decisão, de fato, só poderia ter sido feita pelo coração.

As pessoas pensam que o amor-sentimento é suficiente para fazer a relação funcionar. Esse tipo de amor presume que o sucesso do convívio a dois é automático. Não é. A cabeça é que tem de tomar decisões no relacionamento, não o coração.

A separação do casal, porém, teve um fato ainda mais bizarro. Gwyneth postou em seu site, logo abaixo do anúncio da separação, um artigo de seus "conselheiros espirituais" dando a entender que o casal não estava se divorciando, mas sim fazendo um *conscious uncoupling* — um "desacoplamento consciente". "Divórcio é uma palavra muito negativa" — posso imaginar o tal guru pensando ao inventar o novo termo. "Vocês não estão se divorciando, apenas desacoplando. Seus filhos terão dois endereços agora, mas lembrem-se: todos vocês ainda se amam muito." Entenda como uma maneira de tentar fazer a horrível realidade de um divórcio parecer positiva. O coração sempre quis embelezar o que é feio, vestir de roupa bonita o que é podre.

A verdade da separação dos dois, qualquer que tenha sido o motivo, é que ela foi causada pelo coração, não pela inteligência.

Até Jesus, quando perguntado sobre o divórcio, responsabilizou o coração como o culpado[4]. A Bíblia não faz segredo dos perigos de confiar no coração. Veja só quem as pessoas estão deixando no controle de sua vida amorosa:

> *Quem pode entender o coração humano? Não há nada que engane tanto como ele; está doente demais para ser curado.*[5]

---

[4] Mateus 19.8: "Jesus respondeu: Moisés deu essa permissão [de divorciar] por causa da dureza do coração de vocês; mas no princípio da criação não era assim."

[5] Jeremias 17.9

Sim, o coração sabe enganar. Por isso, a roupa que veste o argumento do *conscious uncoupling* é realmente muito bonita. A explicação é que, nos dias atuais, casamento para a vida toda não é mais uma opção viável. Segundo os gurus de Paltrow, numa era onde a expectativa de vida das pessoas é mais de 70 anos, "elas não estão biologicamente nem psicologicamente preparadas para viver com a mesma pessoa por quatro, cinco ou seis décadas". A alternativa? Ter "dois ou três relacionamentos sérios ao longo da vida".

Sério. Tem gente que paga caro para receber conselhos assim. Especialmente em Hollywood. Prepare-se para ouvir mais notícias sobre casais de celebridades "desacoplando conscientemente" por aí.

Mas sabe por que esse argumento é tão atraente? Porque, como tantos outros mitos de relacionamento, ele isenta os "desacoplantes" de responsabilidade. Afinal, se o problema está na ideia do casamento para a vida toda, a culpa não é deles. Se o casal briga, se desentende, persegue objetivos diferentes que os distanciam, e acaba se separando — nada disso é o problema. Egoísmo? Orgulho? Teimosia? Não, essas coisas não são nada. A culpa é da biologia. Quem mandou viver muito?

Os gurus de Paltrow justificam sua teoria apontando que os casais que permanecem casados e felizes a vida toda são a exceção e não a regra. Mais uma vez, erram em afirmar que a maioria está sempre certa. Se assim fosse, teríamos de recomendar, por exemplo, a pornografia como novo modo de vida para todos os homens. Sim, pois uma pesquisa[6] apontou que quase 70% dos homens veem pornografia na Internet semanalmente. Ou seja, por essa lógica, se maioria o faz, deve ser bom e todos devem fazer.

Os ataques ao casamento, as mentiras vestidas de elegância e os mitos novos e velhos não param de crescer. Se você não se blindar, também acabará aceitando o divórcio como uma coisa natural e até bonita: uma prova da sua evolução como ser humano.

Fique alerta. Pratique o amor inteligente. Blinde o seu namoro.

Cristiane

Eu já tive várias experiências com meu coração enganoso, e uma delas foi bem no início do namoro com o Renato. Depois de algumas semanas de namoro, comecei a duvidar se gostava dele mesmo. Incrível, porque eu orei por alguém como ele por tanto tempo... Quando finalmente nos conhecemos, fiquei tão feliz... Sabe aquela felicidade que você tem em ver Deus responder suas orações exatamente como você pediu?

---

[6] Sempre que citamos um estudo ou pesquisa, você pode conferir a fonte na seção "Referências e Citações", ao final do livro.

Só que eu não estava mais sentindo o meu coração bater quando o via e isso me incomodou. Comecei a achar que talvez não o amasse como pensava até então, e a dúvida sobre nós dois apareceu. Até que um dia orei a Deus a respeito, pedi para que Ele confirmasse para mim, mais uma vez, que o Renato era de Sua vontade. Em poucos dias, aquela dúvida saiu.

Toda vez que me lembro desse episódio, fico pensando no que poderia ter acontecido se eu tivesse me deixado levar pelo meu coração... não teria me casado nem com o meu primeiro namorado, nem com o amor da minha vida.

O Renato tinha o perfil que eu tanto pedi a Deus e não tinha nada que eu pudesse usar como base para aquela dúvida, mas ela veio assim mesmo...

E quantas não são as pessoas que se enganam assim? Começam a duvidar, do nada, sem sequer uma explicação e param de usar a inteligência.

O coração tem feito um péssimo trabalho nos relacionamentos. Então, o que estamos propondo?

Que você não ame com o seu coração, mas com sua inteligência.

Um namoro blindado é aquele em que, por mais fortes que sejam os sentimentos, a pessoa não abandona a lucidez nem deixa de agir pela razão. Assim como nas outras áreas da vida a inteligência nos fez avançar, o avanço na vida amorosa também depende da sua cabeça. Os tempos mudaram. Temos que evoluir, verdadeiramente modernizar essa área de nossas vidas, acompanhar o progresso de outras áreas. Vamos sair das cavernas!

Não é que você vá virar um robô, sem sentimentos. Sentimentos têm seu lugar na relação. Você sempre terá sentimentos bons e também ruins. Mas com sua cabeça no controle, você saberá desfrutar dos bons e administrar os ruins. É preciso entender que mesmo os bons sentimentos de amor são apenas uma pequena parcela do que é amor em si.

Pense num serviço de TV a cabo. Há dezenas de canais a que você tem acesso, mas só pode assistir a um de cada vez. Os sentimentos são apenas um canal na TV do Amor. Há outros canais muito importantes nesse pacote, como o canal da fidelidade, o canal do respeito, o canal da honra à palavra, o canal do compromisso, o canal do servir ao parceiro etc. São todos estes canais, nada relacionados aos sentimentos, que valorizam o pacote da TV do Amor. E se você praticar o amor inteligente, quem tem o controle remoto nas mãos é a sua cabeça, não seu coração.

"Mas como assim", você pergunta, "amar com o cérebro? Como o cérebro ama?"

Ele pensa! O cérebro usa a inteligência para criar e praticar o amor verdadeiro. Ele prepara o solteiro antes de entrar num relacionamento. Ele o ajuda a escolher a pessoa com quem namorar. Ele estuda a pessoa para ver se é a certa para se casar. Ele resolve os problemas e supera as dificuldades para manter o relacionamento e nunca perder aquela pessoa.

QUATRO MUDANÇAS

Para não se deixar enganar pelo coração bandido, é preciso que você implemente quatro mudanças:

1. **Deixar de associar amor ao coração.** Passe a associar amor com o cérebro, a inteligência. Quando você pensar em amor, pense em inteligência, não em sentimento. Entenda que sentimentos estão incluídos no amor, mas são apenas uma pequena parcela dele. Pensou em amor, pensou em inteligência[7].
2. **Tirar as emoções do comando.** O que dizem por aí, "ninguém manda no coração", é mentira. Você pode mandar e desmandar no seu coração, determinar de quem ele vai gostar ou não. Decida: "Emoções não mandam em mim. Eu mando nelas". Se você tomar decisões baseadas em suas emoções, terá sérios problemas. Pare de decidir pelo que sente, passe a decidir com inteligência. Você não precisa mendigar atenção, sufocar o parceiro, se desvalorizar, fazer ridículo porque suas emoções o induzem a isso.
3. **Parar de seguir a multidão que segue o coração.** O mundo inteiro ainda bebe dos licores do coração e, embriagado por eles, continua produzindo literatura, música, filmes e toda sorte de arte que promove um falso amor. Pode levar séculos até que as pessoas acordem para o que você está aprendendo aqui. Então pense por si mesmo e saia na frente. Não vá ingerindo dessa bebida só porque a maioria bebe dela. Questione os mitos e crenças populares sobre relacionamento.

Cristiane

Quero fazer um aparte aqui. Eu deixei de gostar de filmes e livros românticos porque entendi que tudo aquilo só serve para mexer com meu coração. Você acaba comparando aquele personagem perfeito com o seu namorado, que não faz nada do que o personagem faz. Isso não é bom,

[7] Um fato curioso aconteceu envolvendo a logomarca de nosso programa de TV, a Escola do Amor. Quando a criei, a marca era simplesmente as palavras "The Love School" sobre um fundo remetendo a linhas de um caderno escolar. A associação era à ideia de escola, aprendizado e, por isso, cunhamos a expressão "amor inteligente". Na segunda temporada, a produção do programa decidiu renovar o cenário e aproveitou para criar uma nova imagem visual da Escola do Amor. O desenhista gráfico então fez questão de inserir as palavras The Love School dentro de... Adivinhe? Um coração! Nem a Escola do Amor escapou dele! Furioso, pedi que refizessem e expulsassem o bandido da nossa logomarca. Todo cuidado é pouco!

porque começa a idealizar e achar que aquilo ali é exemplo de namorado. Na verdade, o autor imaginou um cara para fazer mulheres se emocionarem. Aí você cai nessa e se emociona, mas nada daquilo é real. O real é bem mais simples. Não precisa estar na chuva para dizer que ama a outra pessoa. Não precisa de flores, chocolate ou poesias de amor.

Você deve imaginar que entre nós, professores do amor, deve rolar muito romance. Mas a verdade é que a nossa vida é muito simples. É simples, mas a gente tem paz. Eu sou e me sinto amada. O Renato cuida de mim e é disso que preciso. Chocolate e flores eu posso comprar.

Às vezes, o foco nessas coisas de Hollywood e de romances faz você dar uma importância exagerada ao que não tem no seu relacionamento. Aí, deixa de ver o homem que cuida de você, que a ama, que está ali do seu lado e é fiel a você.

Por isso eu passei a desgostar mesmo de filmes românticos, achá-los até irritantes. Hoje, sou muito mais de uma comédia ou filme de ação do que romances. Não estamos querendo dizer que você não possa assistir, mas meu alerta é porque sei o que romances fizeram comigo e com meu casamento – e fazem com muitas mulheres. É uma espécie de pornografia para mulher. Faz a mulherada idealizar aquele cara perfeito, assim como a pornografia faz os homens desejarem a mulher com um corpo perfeito. É uma coisa tóxica, pode acreditar.

Custou para eu compreender tudo isso e entendo se essa proposta de racionalizar os sentimentos é difícil para você processar. Nunca me esqueço da primeira vez que fui surpreendida com esse ensinamento na prática. Eu já tinha ouvido falar sobre ser mais razão e menos emoção, mas achava que não era bem assim... Achava muito radical para qualquer ser humano praticar.

Foi então que aconteceu um episódio com meu filho, que me decepcionou muito. Eu parecia estar sem chão. Me desesperei e caí em um choro de amargura profunda que eu nunca havia experimentado antes. Não conseguia dormir nem comer, só chorar. Ficava horas olhando para fora da janela, as lágrimas rolando pelo meu rosto, e vendo o replay do que tinha acontecido milhares de vezes na minha mente.

Até que meu pai me mandou parar com aquilo. Mas mandou mesmo, com uma firmeza que me sacudiu. Sinceramente, na hora achei que ele estava sendo extremamente insensível com a minha dor e, inicialmente, não aceitei a bronca. Mas depois, quando coloquei em prática, não só superei o que havia acontecido como me tornei uma mulher muito mais forte em todos os meus relacionamentos e na vida. Tudo porque deixei de seguir o meu coração e o treinei a seguir minha razão.

4. **Não seja ingênuo, e sim hábil no amor.** O amor não simplesmente "acontece". Ele é fruto de trabalho, aprendizado, observação e atitude. O que o cérebro faz de melhor é buscar soluções. Ele foi programado para isso. Há uma solução para sua dificuldade de encontrar alguém ou para seu problema de relacionamento. Senão, outros com o mesmo problema nunca teriam conseguido solucioná-lo. Em vez de sentar emburrado como uma criança, desenvolva as habilidades necessárias para resolver seu problema. (Nós vamos ajudá-lo nisso.)

Se você quer se proteger contra se casar com a pessoa errada e perder a pessoa certa quando encontrá-la, estas quatro mudanças são o princípio de um namoro blindado. Apenas o princípio.

A ideia não é ditar regras. Há casais felizes que deram certo apesar de terem tudo para dar errado e outros com tudo para dar certo que se divorciaram. O segredo está no que eles fizeram de certo ou de errado. Os que inicialmente sofreram, conseguiram se acertar a duras penas porque aprenderam a fazer as coisas certas. E os que perderam o casamento foi porque deixaram de fazê-las. O recado é: há o certo e o errado, e se quer ter mais chance de ser feliz, faça o certo agora e sempre.

Vamos continuar aprendendo como aplicar essas e outras mudanças.

Vai cair na prova!

A maioria dos relacionamentos que deram errado e dos que tinham tudo para dar certo, mas se desfizeram, foi vítima dos enganos do coração. Você já foi vítima do seu coração? Recorde aqui uma ou duas vezes em que isso aconteceu com você:

1. ______________________________

2. ______________________________

Poste em nosso Facebook (fb.com/livronamoroblindado) ou em sua rede social preferida:

Nunca mais deixarei meu coração arruinar minha vida amorosa. #namoroblindado

PARTE 2

ANTES do namoro

CAPÍTULO 3

COMO SABER se está ou não pronto para namorar?

SORAIA TEM 24 ANOS e acabou de se formar em direito. Através de uma amiga da faculdade, se apaixonou logo no início do curso por um rapaz "lindo, um príncipe loiro de olhos verdes", empresário bem-sucedido aos 27 anos, também na área de direito. "Acertei na loteria", foi o que ela pensou na época. Foram logo morar juntos e ela se entregou para ele de todas as formas.

Porém, ao conhecê-lo mais a fundo, descobriu que ele tinha vontades sexuais estranhas. Ele a queria na cama com outras mulheres. Ela, para não o perder, consentia. Várias vezes o dividiu com uma garota de programa. Fazia de tudo para agradá-lo. Às vezes bebia e usava drogas durante as orgias para ter coragem de atender aos pedidos dele, pois sã não conseguia.

Ele era, na verdade, um príncipe das trevas. Ao fim de quatro anos, o saldo de tudo o que ela investiu: a autoestima enterrada, pelo menos nove traições dele (que ela sabia) e agora uma das amantes estava grávida.

Soraia terminou o relacionamento, engordou 15 quilos e entrou em uma depressão profunda. Voltou para a igreja, da qual havia se afastado por causa dele, e começou a se recuperar. Após seis meses, um rapaz que a conheceu por lá começou a gostar dela. Ela viu nele ótimas qualidades e também se interessou. Hoje estão namorando há seis meses, mas ela nos procurou porque tem um conflito: ainda mantém fortes sentimentos pelo ex-namorado, o príncipe das trevas, que hoje já está casado. Não o vê mais, mas chora por ele e não consegue se conformar com a perda.

Soraia está tão despreparada para esse novo relacionamento quanto estava para o primeiro. Perdida, sem saber o que fazer e totalmente levada pelo coração, ela segue na rota de colisão com mais uma grande decepção amorosa. E o novo namorado, alheio ao que se passa com ela, também sofrerá o impacto. (Se ele tivesse lido *Namoro Blindado*, não estaria namorando com ela. E a esposa do ex da Soraia? Essa então...)

Entrar em um relacionamento sem estar pronto mentalmente, emocionalmente e espiritualmente é suicídio amoroso. É assim que muitas pessoas perdem um ótimo relacionamento, ou pior: perdem a si mesmas dentro da relação. Foi o que aconteceu com Soraia. Ela se perdeu dentro do próprio relacionamento. Deixou de ser ela, fez tudo para agradar o namorado por medo de perdê-lo, e mesmo assim o perdeu.

Nunca entre em um relacionamento sem estar bem fora de um.

O CHECKLIST

"Estar bem" para começar um namoro blindado significa, no mínimo, ter preenchido estes oito critérios:

1. Estar curado de relacionamentos anteriores
2. Ter idade para um relacionamento sério
3. Estar disponível e disposto a dedicar tempo para o relacionamento
4. Ter a intenção de casar em vez de apenas se divertir
5. Estar livre de vícios
6. Ter caráter íntegro
7. Estar definido na questão profissional e financeira
8. Estar resolvido interiormente

Não presuma entender completamente cada um destes pontos antes de ler suas respectivas explicações, a seguir.

1. O período de cura

Quando sai de um relacionamento em que você gostava muito da pessoa, a separação pode parecer como a amputação de um membro do seu corpo ou como a morte de alguém próximo. A dor e a falta não devem ser subestimadas. É comum a pessoa ter transtornos alimentares, perder noites de sono e até pensar que a vida não tem mais sentido.

O término de um relacionamento requer um período de cura. E durante esse tempo, você terá de evitar relacionamentos amorosos. Há pessoas que pulam de um relacionamento para outro com tanta frequência que se tornam cínicas, endurecidas. Elas não se dão conta de quão prejudicial é ter o coração partido tantas vezes. Elas simplesmente juntam os pedaços, colam de novo e vão para o próximo relacionamento. Mas as rachaduras ainda estão lá. E nessa condição, como pode o próximo namoro dar certo?

Se acabou de sair de um relacionamento, ou ainda está se recuperando de um, você precisa de um período de cura e também encontrar um desfecho apropriado para ele.

Não é um novo relacionamento que vai curá-lo do anterior. Pessoas que fazem isso criam um ciclo nocivo, não amadurecem, não melhoram como pessoa e nunca curam a ferida.

Uma grande lição sobre como curar as feridas do passado pode ser tirada da conhecida história da libertação do povo de Israel do Egito.

Os hebreus amargaram o fim de um relacionamento com os egípcios que começou muito bem, mas terminou terrivelmente mal. Por mais de quatro séculos eles foram escravizados e reduzidos praticamente a meros animais de carga. As feridas eram profundas.

Quando Deus enviou Moisés para libertá-los, uma das ordens expressas que Ele deu aos hebreus foi a de que eles deveriam deixar para trás não somente o Egito, mas tudo o que haviam aprendido e vivido ali. Os costumes, os ídolos egípcios, as atitudes e pensamentos de escravos — tudo isso eles tinham de deixar para trás. Só assim poderiam ser curados e se tornar uma nova nação, começar uma nova história.

Se você quer curar suas feridas e traumas deixados pelos seus relacionamentos anteriores, você tem de fazer o mesmo.

Não basta ter deixado o relacionamento. Você precisa deixar tudo o que ainda o liga a ele. Sim, aprenda as lições necessárias, mas jogue fora o que não lhe serve mais. Antigos costumes, como frequentar os mesmos lugares que seu ex, poderão ter de ser abandonados. Se seu ex era como um "ídolo" em sua vida, você precisa derrubá-lo dos altares que criou para ele ou ela — apagar fotos, tirar os contatos da agenda e das redes sociais, jogar fora ou vender qualquer presente que ainda traz lembranças, enfim, fazer uma limpeza geral. Não leve nada mais daquela pessoa com você. Saia do Egito!

Mas não basta sair do Egito. Você tem que tirar o Egito de dentro de você também. É claro que a cura interior é mais difícil e lenta, mas ela começa com a exterior.

Eu me lembro de um amigo cuja esposa batalhou por muitos anos contra o câncer. Ele ficou ao lado dela até o fim, quando infelizmente ela veio a falecer. Eu recebi a notícia da sua morte à noite e pela manhã fui até sua casa visitá-lo. Fiquei surpreso ao chegar. Ele já havia removido da casa todas as fotos da esposa — quadros, porta-retratos — e também juntado suas roupas para doá-las a uma instituição de caridade. Pensei a princípio que aquilo teria sido um ato de revolta ou raiva. Mas ele estava incrivelmente calmo e lúcido. E me explicou: "Ela já foi. Finalmente está em paz. Agora sou eu quem precisa voltar a viver".

Um tanto radical para muitos, mas do ponto de vista do que era melhor para o estado emocional dele, não há dúvida de que agiu certo.

Sua vida não pode terminar ao término de um relacionamento.

A limpeza exterior facilita e acelera a cura interior.

Uma vez eliminadas as coisas externas, você saiu do Egito. Agora você precisa tirar o Egito de dentro de você, que são os pensamentos, as lembranças que mexem nas feridas. Não gaste tempo com elas. Quando vierem à mente, mude logo de canal. Pense em outra coisa. Force-se a voltar ao presente.

Uma coisa que pode ajudá-lo é conversar com alguém de sua confiança e com a capacidade de aconselhar e ouvir sem julgar. Alguém como Moisés, que possa acompanhar você durante esse período de deserto. Talvez um de seus pais, um amigo, seu pastor ou outra pessoa capaz na igreja — mas nunca alguém do sexo oposto que ofereça ainda que a mínima chance de envolvimento amoroso. Você não precisa de mais uma dor de cabeça nesse momento...

2. Idade certa para namorar

É importante a pessoa ter um mínimo de maturidade para começar um relacionamento sério. Há uma razão por que existem leis que proíbem pessoas abaixo de uma certa idade de fazer certas coisas, como comprar bebida alcoólica, dirigir um automóvel ou se casar, por exemplo. São atividades que exigem certa maturidade. São leis indiscutíveis, porque todos sabem que são para a proteção dessas próprias pessoas.

Um relacionamento amoroso também tem seus riscos e perigos que não são tão aparentes para uma pessoa muito jovem. Lembra dos enganos do coração? A criança é 100% coração e o jovem 99%. Por isso, quase sempre as paixões que nos acontecem antes dos 16 ou 17 anos são marcadas por erros, decepções, dores e corações partidos. Apesar dessas paixões serem passageiras, as consequências delas podem não ser.

Em todas as nossas sessões de aconselhamento de casais e solteiros, sem exceção, Cristiane e eu lidamos com problemas de adultos que começaram na infância e adolescência. Muitas vezes temos de voltar no tempo e ajudar a pessoa a rastrear o problema até suas raízes. A jovem que se sentia feia e desprezada na escola se tornou a esposa carente de atenção de hoje. O rapaz que teve mais namoradas na adolescência do que espinhas no rosto se tornou o marido esnobe de hoje. A moça que perdeu sua virgindade enquanto bêbada numa festa *rave* se tornou a esposa que não liga para sexo com o marido hoje. Os casos são inúmeros.

> *Brincar com os seus sentimentos e dos outros hoje é plantar traumas para a vida amorosa de amanhã.*

Uma pergunta que o jovem tem de se fazer é: por que namorar? Sim, questione as razões. A maioria dos jovens começa a namorar por pressão dos colegas, da cultura, do círculo social ou do próprio coração. São razões erradas para começar a namorar — em qualquer idade. Seu namoro não pode ser uma satisfação social que você deve a quem quer que seja; tampouco deve ser uma validação do seu valor e importância como pessoa. Começar a namorar tem que ser uma decisão individual e bem considerada, pois ela não afetará ninguém mais do que você mesmo.

Outra pergunta é: "Estou preparado para me casar nos próximos dois anos[1]?". Se sua resposta é não, você não está em idade para namorar, seja com 12, 14, ou 40.

Idade e maturidade são coisas diferentes, mas relacionadas a certas fases da vida. Um jovem de 16 anos dificilmente pode reivindicar maturidade de adulto. Mas muitos adultos de 30 anos podem facilmente reivindicar maturidade de adolescente. Por isso, salvo pela imaturidade natural de um jovem adolescente, que já o desqualifica de cara, a idade certa para namorar deve ser definida em conjunto com os outros sete critérios que explicamos aqui.

Não queremos dizer com isso que os jovens não possam ter amizades saudáveis com pessoas do sexo oposto. Elas podem ser positivas no sentido de ajudá-los a praticar a interação respeitável entre si, a aprender a conversar e conhecer um pouco mais de seus mundos diferentes. Desde que praticadas dentro dos devidos limites e com responsabilidade, com jovens da mesma mentalidade, é tudo de bom. Afinal, quem não sabe ter amizade não vai saber namorar nem sustentar um casamento...

3. Disponível e disposto

É evidente que se você já está namorando, ficando, tendo um caso ou "rolo" com alguém, você não está disponível para um relacionamento com outra pessoa. Pode confiar, não dá certo. A não ser que você viva numa sociedade poligâmica. Do contrário, cedo ou tarde, uma vai descobrir a existência da outra e vocês todos poderão parar no noticiário das cinco: "Vingança e morte em triângulo amoroso...". Portanto, evite.

Mas já estar em um relacionamento não é a única coisa que pode fazê-lo indisponível. Falta de tempo, por exemplo, é algo que mata qualquer relação. Estar focado totalmente em um projeto pessoal, no qual não cabe tempo nem espaço para conhecer alguém, é outro assassino de relacionamentos. Um namoro vai exigir algum tempo e dedicação da sua parte. Se vai começar algo sério, não deixe o outro sentir que você não tem tempo para a relação.

É preciso estar disponível e disposto a dedicar tempo para o relacionamento.

Não é que vocês precisem se ver ou falar todos os dias, passar o fim de semana juntos ou fazer longas viagens românticas a cada três meses. Mas precisarão de um contato periódico em que a atenção de vocês será exclusiva um para o outro.

---

[1] No Capítulo 20 esclarecemos mais sobre o tempo suficiente de namoro antes do casamento — ou de decidir terminar.

Cristiane

O Renato e eu nos víamos normalmente uma vez por semana, sábado à tarde. Numa época em que não havia telefone celular nem Internet, pouco nos falávamos entre esses encontros. Às vezes ele me ligava em casa durante a semana, mas não costumavam ser ligações longas.

Apesar disso, quando estávamos juntos, aquele momento era especial. Ele trabalhava seis dias por semana e o sábado era o único dia que tinha para descansar. Por isso, eu sabia que ele realmente queria estar ali, apesar de algumas vezes cair de sono ao meu lado enquanto assistíamos a um filme no sofá da sala de TV... (Acho que até babou uma vez. Uma cena linda.)

Pelo menos ninguém podia me culpar de não me esforçar! Mas nosso namoro foi prova de que escola, trabalho e falta de tempo não são necessariamente impedimentos para namorar. O maior impedimento está na vontade da pessoa. Se ela prioriza alguma coisa acima da sua vida amorosa, com certeza não terá tempo para namorar. Portanto, é melhor mesmo que não namore. Pelo menos até que a vida amorosa se torne prioridade para ela.

Entenda, porém: estar "disponível e disposto" não significa que você tem de ser como um médico de plantão, que, ao tocar do seu bip, larga tudo para ir ao encontro do paciente. Vocês têm uma vida fora do namoro e ainda não são casados. Portanto, nada de ficar cobrando atenção demasiada um do outro.

4. A intenção de casar

Uma das coisas mais loucas que têm acontecido no mundo dos relacionamentos é o namoro por tempo indefinido. No passado, namoro sempre foi um meio, nunca um fim em si mesmo. Era um período breve para determinar se os dois queriam e eram compatíveis para se casarem. Se concluíam que não eram, acabava na separação. Se eram, dava em casamento. Mas nunca demorava muito tempo, pois quando a intenção é decidir se vai dar casamento, não há como nem por que demorar muito.

Mas hoje vemos casais namorando como se fossem viver mil anos. Namorar se tornou o fim, não mais o meio. Ficam namorando por três, quatro, sete anos ou mais — e, se perguntar para onde está indo aquele relacionamento, eles não têm resposta.

O que acontece com um namoro assim é que ele se desgasta. Depois de um tempo, a pessoa mais *acomodada* sentirá uma pressão da outra para tomar uma atitude sobre o futuro do relacionamento. E a pessoa mais *incomodada* ficará frustrada com a falta de atitude da outra. Isso vai gerar brigas e constantes desentendimentos por causa das expectativas não cumpridas.

Namorar é como mergulhar no mar. Por mais excitante que seja a aventura, chega uma hora que você quer voltar para a terra firme. Ninguém vai ao mar para ficar e morar lá. A não ser que você seja o Bob Esponja. (Deve ser por isso que ele não é casado. Ou por aquela calça quadrada, com certeza.)

A terra firme é o seu ponto de partida e também sua chegada. Você só sai dela para navegar quando sabe o destino e tem um prazo para chegar nele. Às vezes o destino será o casamento. Às vezes será a conclusão que você terá de voltar a ser solteiro. Mas o mar, o namoro, nunca é o destino.

Para não ficar à deriva em um namoro sem futuro, você não deve entrar em um sem a intenção de casar. Se você começar sem pensar nisso, apenas porque gosta daquela pessoa e quer se divertir, quando chegar o momento de decidir o futuro do relacionamento (querendo ou não, esse momento vai chegar), você vai ficar em apuros, sem saber o que fazer.

É por isso que muitos namoros acabam da maneira errada — com gravidez indesejada, casamento que não deveria acontecer ou um término traumático em que um sofre muito mais que o outro e os dois se sentem como idiotas por terem passado tanto tempo em um relacionamento que não deu em nada.

5. Estar livre de vícios

Qualquer vício é nocivo para um relacionamento porque toma o lugar do parceiro. O viciado coloca o vício no lugar do parceiro ou acima dele — seja droga, álcool, pornografia, videogame, mentira, rede sociais, o que for. Por isso, o viciado nunca conseguirá fazer alguém feliz no amor.

No sentido mais básico da palavra, vício é qualquer hábito que traz algum prazer momentâneo, mas, no fundo, nos prejudica e causa dependência.

Seja honesto. Você pratica algo que lhe dá prazer, mas que, na verdade, o está destruindo aos poucos — ou, no mínimo, impedindo o seu desenvolvimento? Esqueça namoro e lide com isso primeiro.

O viciado já tem um parceiro amoroso e ele se chama vício. Não há espaço para uma outra pessoa na vida dele.

Você pode não ter um vício, mas se seu namorado(a) tem, você sempre virá depois deste vício na vida dele(a). Por isso, nosso conselho é que você não entre ou fique em um namoro com uma pessoa viciada. Force-a a escolher entre o vício e você. Mas não fique surpreso se ela escolher o vício.

O máximo que você pode fazer é colocar uma condição para continuar o relacionamento: buscar ajuda para se libertar.

Se alguém quer se livrar de um vício, o primeiro passo é reconhecer que o tem. O segundo é admitir que pode precisar de ajuda para parar. A marca de um viciado é mentir para si mesmo quando diz: "Posso parar quando quiser". Se pudesse, provavelmente já teria parado.

Não subestime o poder de um vício. Em sua plena força, ele pode literalmente destruir a vida de uma pessoa, que dirá o relacionamento. É uma batalha muito maior do que física, mental e emocional. Ela atinge o espiritual da pessoa também.

Não hesite em buscar ajuda[2] para se libertar do seu vício. E nunca, jamais entre em um relacionamento com uma pessoa viciada, a não ser que você queira sempre se sentir menos importante do que o vício na vida dela.

6. Caráter íntegro

Pergunte a qualquer solteiro o que ele procura em alguém para um relacionamento sério e em algum lugar da resposta a palavra "caráter" irá aparecer. Mas o que é caráter, afinal?

Caráter é um conjunto de traços de comportamento que definem que tipo de pessoa você é. O caráter de uma pessoa determina se ela é de confiança, se vai atingir suas metas, ser verdadeira no trato com os outros e se vai respeitar regras e bons princípios.

Uma pessoa pode ter muito sucesso em sua carreira ou negócios, dinheiro, fama, beleza — mas se ela não tem caráter, ela não pode ser considerada realmente bem-sucedida, tampouco material para casamento.

Embora caráter esteja relacionado com personalidade, não é a mesma coisa. Caráter consiste em princípios e valores que determinam o comportamento de uma pessoa independentemente das circunstâncias, bem como suas reações, decisões e visão do mundo.

Todo mundo tem caráter. O que nem todo mundo tem é *bom* caráter. Quando alguém diz que uma pessoa tem caráter, normalmente se refere ao bom caráter.

Nosso caráter é muito mais do que apenas o que tentamos mostrar para os outros verem. É quem nós somos, mesmo quando ninguém está olhando. Bom caráter é fazer a coisa certa, porque é certo fazer o que é certo.

Por exemplo, uma pessoa que tem um caráter de ser verdadeira, normalmente se esforçará para reportar os fatos de um acontecimento e não a versão que a favorece. Alguém que tem um caráter transparente não procura esconder nada sobre si mesmo, tampouco inventar histórias para encobrir alguma falha ou embelezar suas qualidades. A pessoa que tem um caráter responsável ficará incomodada até cumprir suas tarefas de forma satisfatória e não ficará feliz se desapontar quem contava com ela.

Caráter e relacionamento amoroso estão intimamente ligados. É impossível manter um relacionamento saudável com alguém em quem você não

[2] A boa notícia é que vício tem cura. Recomendamos a todos os que querem essa ajuda a conhecerem o projeto Cura dos Vícios: www.viciotemcura.com

pode confiar, que não é transparente, não tem palavra ou que tem princípios e valores falhos. Você pode até tentar, mas o máximo que vai conseguir é se machucar e se decepcionar com aquela pessoa. Veja, mais uma vez, que não basta ter sentimentos de amor por alguém para manter um relacionamento. Sem caráter, a relação fica insustentável.

Como uma forma de ajudá-lo a identificar onde você talvez precise trabalhar na integridade do seu caráter, considere a lista a seguir. Nela você encontra 50 qualidades de um bom caráter. Não é uma lista exaustiva nem completa. Há muitas outras qualidades que poderiam ser incluídas aqui. Porém, vamos usar esta como um ponto de partida.

Dê a si mesmo uma nota de 1 a 5 para cada qualidade, onde 1 significa que você não tem essa qualidade e 5 que você a tem de sobra. Se você já está namorando, passe a lista uma segunda vez pensando em seu parceiro(a) e lhe dê uma nota segundo o que você conhece dele(a) em cada qualidade. O primeiro espaço em frente de cada qualidade é para sua nota; o segundo, para a nota que você dá ao seu parceiro. (Se o significado de alguma qualidade não estiver bem claro para você, veja a lista com a explicação de cada uma no Apêndice.)

TRAÇOS DE BOM CARÁTER	
1. Alegria ___ ___	26. Hospitalidade ___ ___
2. Atenção ___ ___	27. Humildade ___ ___
3. Autocontrole ___ ___	28. Iniciativa ___ ___
4. Benevolência ___ ___	29. Justiça ___ ___
5. Compaixão ___ ___	30. Lealdade ___ ___
6. Confiabilidade ___ ___	31. Mansidão ___ ___
7. Consideração ___ ___	32. Obediência ___ ___
8. Contentamento ___ ___	33. Ordem ___ ___
9. Criatividade ___ ___	34. Ousadia (coragem) ___ ___
10. Decisão ___ ___	35. Paciência ___ ___
11. Desenvoltura ___ ___	36. Perdão ___ ___
12. Determinação ___ ___	37. Persuasão ___ ___
13. Diligência ___ ___	38. Pontualidade ___ ___
14. Discernimento ___ ___	39. Prudência ___ ___
15. Discrição ___ ___	40. Resistência ___ ___
16. Disponibilidade ___ ___	41. Responsabilidade ___ ___
17. Economia ___ ___	42. Rigor ___ ___
18. Entusiasmo ___ ___	43. Sabedoria ___ ___
19. Fé ___ ___	44. Segurança ___ ___
20. Finalização ___ ___	45. Sensibilidade ___ ___
21. Flexibilidade ___ ___	46. Sinceridade ___ ___
22. Generosidade ___ ___	47. Tolerância ___ ___
23. Gentileza ___ ___	48. Veracidade ___ ___
24. Gratidão ___ ___	49. Vigilância ___ ___
25. Honra ___ ___	50. Virtude ___ ___

Explicação de cada qualidade no Apêndice

Agora marque em quais qualidades você deu uma nota 3 ou menor para si mesmo e/ou para seu parceiro. As qualidades com nota 3 ou menor são as que tem de trabalhar em si mesmo para melhorar. Do contrário, você não estará pronto para um relacionamento ou poderá ter sérios problemas se entrar em um. A mesma coisa se aplica à outra pessoa, se você já está em um relacionamento. Faça de tudo para identificar se ela tem essas qualidades. Na dúvida, não continue o relacionamento.

É claro, ninguém (a não ser quem pontue "0" na qualidade 46) tira "5" em todas as 50 qualidades. Por isso a linha de perigo é de 3 para baixo na maioria das qualidades. Na "maioria", porque você não quer alguém que pontue "4" em qualidades como "Veracidade", "Sinceridade" e "Lealdade", por exemplo. Muita atenção às qualidades "não negociáveis".

Outra descoberta interessante que pode sair desse exercício são as diferenças de caráter entre você e a outra pessoa. Quanto maior a diferença entre as notas de uma mesma qualidade, mais problemas vocês terão sobre aquele ponto.

Por exemplo, se sua nota para "Paciência" foi 4 e a do outro foi 1, vocês terão problemas quando essa qualidade for necessária entre vocês. Se a nota do outro para "Veracidade" foi 5 e a sua foi 2, vocês terão sérios problemas de confiança na relação.

Quanto mais robusto e saudável o caráter das duas pessoas, mais fortemente blindado será o namoro delas.

7. Definido no profissional e financeiro

Não, você não precisa ter uma carreira, faculdade, casa própria, carro ou uma conta bancária recheada para começar a namorar. Mas se vai namorar para casar, e isso pode acontecer em dois anos ou menos, vai precisar ter no mínimo, antes de começar a namorar, uma definição sobre para onde você está caminhando na sua vida profissional e financeira.

Uma das principais razões por que um namoro fica se arrastando (e se desgastando) por anos a fio é a situação econômica do casal que o impede de casar. (Ou pelo menos serve como boa desculpa.) "É claro que eu quero casar com você, mas agora não dá, não temos dinheiro para isso, e aquilo..." — é a clássica desculpa.

Assuntos de trabalho e dinheiro estarão sempre presentes na vida de um casal. Problemas nesta área estão entre as principais causas de separação e divórcio. Exploraremos mais sobre as razões disso e o que você deve considerar durante o namoro nos próximos capítulos. Por agora, você precisa entender que quanto mais definidos vocês estiverem na questão profissional e financeira antes de começar o namoro, mais estável será a relação de vocês em todos os sentidos durante o namoro e no eventual casamento.

Normalmente, você precisa primeiro se definir com respeito à sua profissão para então ter uma definição no financeiro. Uma breve explicação sobre o que queremos dizer com "definição" nesta área.

Estar definido significa saber de onde você vem, onde está e para onde está indo na questão de trabalho e dinheiro.

Ainda que sua postura seja "não trabalho fora, nunca trabalhei e nunca vou trabalhar" — porque você quer ser uma esposa e mãe tradicional, rainha do lar — você precisa estar certa disso para que seu futuro marido não espere casar com uma mulher de carreira. (E entender que, para bem ou para mal, homem que não quer uma esposa que trabalhe fora está tão em extinção quanto mulher que quer ser apenas dona de casa.)

Se você é homem, apesar dos avanços da mulher nas últimas décadas, a maioria delas ainda não se sente confortável em sustentar o marido enquanto ele fica jogando videogame em casa e perseguindo seus hobbies e sonhos de criança. Portanto, é praticamente garantido que você precisará estar bem definido quanto à sua situação de trabalho também. Exceto se você herdou uma fortuna do seu tio Eurípedes, você precisará de um plano que ofereça segurança financeira a você e sua futura esposa.

Ainda que você não tenha muito dinheiro nem algo que possa chamar de profissão no momento, precisa estar definido com respeito ao que está fazendo e onde quer chegar nessa área da sua vida. Seja um plano de carreira ou de negócio, uma visão que você está empenhado em realizar, você precisa no mínimo ter esta certeza de um objetivo e saber o que está fazendo para chegar lá.

Se sua situação é que você mora com seus pais e eles pagam todas as suas despesas; está desempregado ou em emprego temporário; não tem nenhuma perspectiva ou visão de algum negócio ou carreira promissores no horizonte; sabe gastar dinheiro muito bem, mas ganhá-lo muito mal — por favor, não se meta a namorar ninguém até resolver essa parte da sua vida.

Cristiane

Quando o Renato e eu começamos a namorar, éramos ainda bem jovens, mas já bem definidos nesta parte de nossas vidas. Eu estava terminando meu colegial e havia decidido seguir os passos de minha mãe, que era esposa de pastor. E o Renato, aos 18 anos, já era um pastor que se destacava no trabalho dele. Nenhum de nós visava ganhar dinheiro, mas apenas servir às outras pessoas. Esta definição do que queríamos para o nosso futuro e o apoio da igreja na questão de moradia e sustento nos permitiam iniciar um namoro com a visão de casamento.

8. Resolvido interiormente

O que é estar mal resolvido interiormente? Primeiro entenda que tudo o que você vê do lado de fora do relacionamento tem origem do lado de dentro das pessoas que estão nele. É o interior que contamina ou embeleza a pessoa e o relacionamento.

Considere o relacionamento de Helen e Renan, um casal que namora há três anos. Ela é divorciada, tem 42 anos e seu próprio negócio. Divorciou porque cansou de "carregar o marido nas costas" financeiramente. Renan, 34, trabalha esporadicamente como corretor de seguros. Além de renda incerta, quando ganha algum dinheiro, ele volta sua atenção para gastá-lo — um hábito que traz desde criança. Renan cresceu sem pais, passando alguns anos por várias casas de parentes e instituições que abrigam menores. Aprendeu a viver um dia de cada vez, sem nunca se preocupar muito com o futuro, pois sua situação não o permitia pensar em futuro. Era um dia aqui, outro ali. Um sobrevivente.

Helen reclama, além da insegurança que a indefinição financeira dele lhe traz, que Renan tem o costume de "desaparecer" por uns dias logo após ganhar algum dinheiro ou quando os dois têm algum desentendimento. Ele simplesmente some, não liga, não diz para onde foi ou onde ficou, apenas dá a desculpa de que precisava "arejar a cabeça". Helen invariavelmente o perdoa e dá outra chance. Já chegou até a pagar cursos para ele e marcar entrevistas de emprego — às quais, na última hora, ele não comparece.

Quando perguntamos para Helen por que ainda continuava no relacionamento, chegamos a uma descoberta que nem ela sabia sobre si mesma. Ela tem um "complexo de salvadora".

Este complexo faz com que a pessoa se sinta capaz e até responsável por salvar alguém que precisa de ajuda. Pessoas assim veem em parceiros problemáticos um desafio, um projeto de reforma que elas têm de assumir e concluir. Helen sente que o "destino" fez com que ela entrasse na vida de Renan para ajudá-lo a superar seus traumas de infância. Por isso, apesar do relacionamento não ter nenhuma perspectiva de ser saudável, a não ser que ambos mudem radicalmente, Helen não tem coragem de terminar a relação e ser "mais uma pessoa que abandonou" o pobre Renan.

Sim, não há dúvida que a vida foi dura com ele. Ninguém deveria passar pelo que ele passou. Porém, um namoro ou casamento não é o meio nem o lugar para uma pessoa resolver seus traumas do passado.

Nem Renan e nem Helen têm condições de estar em um relacionamento atualmente. Por causa de seu complexo, ela está repetindo o mesmo erro que cometeu com o homem de quem se divorciou. E Renan, apesar de já ser adulto e capaz no que faz, ainda se vê como um órfão errante e sem futuro. E essa situação do interior de cada um deles faz com que seus comportamentos exteriores intoxiquem o relacionamento.

Mas eles não são os únicos. Todos nós trazemos questões do passado dentro de nós que precisam ser resolvidas. Cada um tem sua história repleta de acontecimentos positivos e negativos, independentemente de condição social, familiar ou financeira. O conjunto dessas experiências moldou quem somos, deixando marcas boas e também ruins. Precisamos identificar essas marcas, especialmente as ruins, e aprender como lidar com elas *antes* de entrar em um relacionamento afetivo.

Estar resolvido interiormente significa que você conseguiu identificar suas questões emocionais e psicológicas que podem afetar seu relacionamento amoroso — e as tem bem resolvidas dentro de você.

Abuso sexual, relacionamentos terminados, sentimentos de rejeição, carência de atenção, temperamento difícil, complexos, insegurança, ciúme doentio, raiva, mágoa, orgulho, traumas de infância — a lista é longa demais — são coisas que precisam ser resolvidas para que você esteja preparado para ter um bom relacionamento e não o estragar.

Cristiane

Pergunte-se: estou no tempo ideal para começar a namorar? De nada adianta encontrar a pessoa certa se não for o tempo certo para começar um relacionamento. Será como se aquela pessoa não fosse certa para você. Você poderá estragar tudo.

Quantas não são as jovens que, por odiarem seus pais, veem um relacionamento amoroso como escape? E outras que passaram por abusos emocionais e estão à procura de alguém que possa fazer o papel que a mãe ou o pai não fez?

O tempo ideal para se começar um relacionamento é quando você está bem resolvido com você mesmo e o seu passado.

Infelizmente a maioria das pessoas não se dá conta de que precisa de cura interior. Quando você cai ou bate em alguma quina, se é como eu, logo aparece uma contusão no lugar que machucou. Dá para usar pomadas e evitar de encostar naquele lugar ferido. Às vezes você nem repara que se machucou até que aquela mancha aparece. Já as feridas internas não são tão óbvias como as externas... como identificá-las?

Essas feridas invisíveis se materializam em nossas ações e reações. Por exemplo, quando uma de nós vê uma mulher bonita e com roupas sensuais, é comum ter uma das duas reações típicas: admiração ou condenação. Há quem queira ser igual a ela e ter o que ela tem. Outras a olham como uma ameaça, uma mulher vulgar. O que não conseguem enxergar é o que sua reação realmente está dizendo sobre si mesmas...

Aquela mulher provavelmente pensa que precisa usar roupas sensuais para ter atenção e ser admirada. Ela coloca todo o seu valor no seu físico e, por isso, é escrava dele. As que querem ser iguais a ela também são escravas da aparência e, por não a terem, se acham inferiores e desvalorizadas. Ambas, tanto a mulher bonita quanto a mulher que não se acha tão bonita, têm o mesmo problema interior: o seu valor depende do seu exterior.

Já aquelas que acusam, julgam e condenam mulheres bonitas que se vestem mais sensuais, também mostram um outro problema interior – este um pouco mais disfarçado, mas que ficou bem claro em um episódio envolvendo uma mulher na época de Jesus.

Alguns religiosos flagraram uma mulher cometendo adultério. O costume era apedrejar os adúlteros publicamente até à morte como punição. A fim de testar Jesus, os religiosos levaram a mulher até Ele, mas a resposta serviu e ainda serve de lição para quem se coloca no lugar de acusador:

> *Aquele que de entre vós está sem pecado seja o primeiro que atire pedra contra ela.*[3]

Toda vez que você condena, julga, ou maltrata alguém, mesmo que aquela pessoa tenha feito algo de errado, você está mostrando o quão cego é consigo mesmo.

O que Jesus falou para aquela mulher mostra o quanto Ele era bem resolvido dentro de Si:

> *Mulher, onde estão aqueles teus acusadores? Ninguém te condenou? E ela disse: Ninguém, Senhor. E disse-lhe Jesus: Nem Eu também te condeno; vai-te, e não peques mais.*[4]

Se Jesus tivesse visto essa mulher bonita e sensual, Ele só iria lhe dar bom dia. Ele não iria cobiçar nem condenar.

A pessoa que tem um interior limpo transmite o que é justo e bom no seu exterior e para as demais pessoas ao seu redor.

A melhor maneira de realizar isso é entender que um relacionamento amoroso só pode ser o seu terceiro relacionamento em ordem de prioridade. Vamos entender mais sobre isso no próximo capítulo.

---

[3] João 8:7

[4] João 8:10-11

Vai cair na prova!

1. Teste a si mesmo em relação aos oito critérios que indicam que está pronto para começar um namoro blindado. Há algum deles em que você precisa trabalhar?

2. Você detectou deficiência em alguma qualidade de caráter – sua ou de seu namorado(a)? O que vai fazer a respeito?

Poste em nosso Facebook (fb.com/livronamoroblindado) ou em sua rede social preferida:

Já sei quais são os oito critérios para iniciar um #namoroblindado.

CAPÍTULO 4

O TERCEIRO AMOR da sua vida

Cristiane

Muitas pessoas não sabem que o seu relacionamento amoroso, para ser bem-sucedido, tem de ser apenas o terceiro relacionamento mais importante em suas vidas. Há outros dois relacionamentos que precisam ser bem cultivados antes de se ter um namoro blindado. Por ignorarem isso, muitos não conseguem fazer uma boa escolha da pessoa para namorar ou acabam perdendo a pessoa amada. Seus três relacionamentos não estão na ordem certa ou estão sendo negligenciados.

Vou contar como e por quê.

Eu quase perdi o Renato por não saber disso. Eu tinha esses três relacionamentos todos bagunçados em minha vida. E isso quase trouxe um desastre para o meu casamento.

Mas primeiro, deixe-me explicar quais são esses dois primeiros relacionamentos e por que eles podem influenciar tanto o terceiro, sua vida amorosa. Para entender isso, vamos analisar uma das declarações mais transformadoras de sempre sobre relacionamentos. Uma vez, alguém perguntou ao Mestre:

– Mestre, qual é o mais importante de todos os mandamentos da Lei?

Jesus respondeu:

– Ame o Senhor, seu Deus, com todo o seu coração, com toda a sua alma e com toda a sua mente. Este é o maior mandamento e o mais importante. E o segundo mais importante é parecido com o primeiro: Ame os outros como você ama a você mesmo. Toda a Bíblia se resume nesses dois mandamentos[1].

[1] Mateus 22:36-39

Repare que o verbo "amar" aparece nos dois mandamentos mais importantes. E note também que há uma ordem nesse amar: Deus em primeiro lugar, depois você e, então, os outros. Bagunce essa ordem e você terá sérios problemas em sua vida e relacionamentos. Então lembre-se, os três primeiros relacionamentos, em perfeita ordem, são:

1. Você e Deus
2. Você e você mesmo
3. Você e a pessoa amada e outras pessoas

Outro ponto revelador que surge desses dois mandamentos: se Deus teve de dar ordens explícitas sobre essa disciplina no amar, claramente é porque não é natural ao ser humano seguir essa ordem. É algo que precisamos fazer um esforço consciente para alcançar. E temos visto essa falha diariamente em nosso trabalho com casais e solteiros.

Toda vez que sentamos para aconselhar alguém ou lemos um e-mail para responder em nossos programas, este é um dos diagnósticos principais:

A desordem nos relacionamentos causa a infelicidade pessoal e amorosa.

No mundo ideal, onde a ordem divina de relacionamentos é seguida, nossos relacionamentos fluem de forma saudável, naturalmente nos conduzindo ao Autor do Amor:

1. Você nasce e vai desenvolvendo relacionamentos saudáveis ao longo da vida com familiares e amigos
2. Essas pessoas o valorizam tanto que você cresce, descobre e desenvolve o seu senso de valor próprio cada vez mais
3. Essa harmonia o leva a conhecer o Autor por trás desse amor maravilhoso: Deus. E isso faz você continuar o ciclo, amando mais a si mesmo e às outras pessoas.

No mundo real, porém, normalmente não é bem assim.

Você nasce e ao longo da vida encontra pessoas que o desvalorizam. Você sofre críticas e rejeições constantes; é vítima de preconceitos e de todo tipo de negatividade alheia. O seu senso de valor próprio sofre altos e baixos e dá lugar a sentimentos de dúvida, medo e raiva das pessoas. Você acaba se decepcionando tanto com o desamor no mundo que isso o leva a questionar até a existência de Deus.

Tudo fruto da desordem nos três relacionamentos.

Infelizmente, esse é o mundo real em que vivemos. Um mundo egoísta, de cada um por si, de traições e desconfianças. Os filhos crescem culpando seus pais por suas infelicidades, mas repetem os erros deles, senão piores. E os netos errarão ainda mais – sempre culpando a geração anterior.

Essa desordem total gera relacionamentos doentios. A carência e o conflito pessoal levam as pessoas a buscar o seu valor nos relacionamentos, nos estudos, nos bens materiais e na própria aparência, mas nada disso consegue preenchê-las. Elas se tornam facilmente influenciáveis e qualquer pessoa consegue ditar o que devem ou não fazer.

Quantas mulheres são escravas da moda e às vezes chegam até a morrer por causa de uma cirurgia plástica para "melhorar" sua aparência? Na busca por um pouquinho de valor, se entregam por migalhas de atenção.

Portanto, é inteligente seguir a ordem correta nos relacionamentos. Não é à toa que os dois mandamentos mais importantes de toda a Bíblia trazem em si essa dica.

Vamos então entender mais sobre cada um desses três relacionamentos e como eles interagem entre si. Vou falar um pouco de minha experiência pois essa desordem afetou muito minha vida amorosa. E pelo que tenho visto, minha experiência tem sido a de muitas pessoas.

O PRIMEIRO RELACIONAMENTO

Eu cresci em um lar feliz. Mesmo com problemas e lutas, meus pais viviam bem e, por isso, eu tinha a sensação de que éramos uma família inabalável. Eu tinha meus pais como o meu porto seguro. Quando cheguei à idade escolar, vi que muitas de minhas amigas tinham problemas com seus pais. Algumas só tinham mãe, outras tinham pais separados. Não demorou muito para eu questionar:

O que meus pais tinham que os pais de minhas colegas da escola não tinham?

A resposta me apresentou o meu primeiro relacionamento, pois meus pais sempre me falavam de sua fé, de como um relacionamento com Deus poderia me dar tudo que eu precisava na vida. E eu via a diferença que isso fazia em nossa casa.

As pessoas às vezes pensam que a fé tem a ver com religião e, por isso, querem distância do assunto. E realmente, uma das pragas de nossa sociedade são as religiões, pois elas são divisoras. Nunca fui uma religiosa e nunca serei. As religiões podem falar de amor, mas não promovem o amor na prática.

A fé é totalmente diferente. É algo inteligente, que promove o seu relacionamento com Deus e com outras pessoas. Esse relacionamento lhe dá direção e força para fazer o que é certo; sabedoria para tomar decisões importantes na vida; e visão geral da vida. Você fala com Deus e Ele responde – e isso faz com que você se conheça melhor.

Uma pessoa que não tem esse primeiro relacionamento tem muita dificuldade nestes pontos:

- Ela não tem um senso definitivo de certo e errado, por exemplo: é certo ou errado mentir para evitar um problema maior?
- Por não ter uma referência definitiva de certo e errado, ela faz suas próprias regras. E mesmo quando tem clareza sobre o que é certo, muitas vezes lhe falta força para fazê-lo. Por exemplo, a maioria das pessoas concorda que é errado se relacionar com uma pessoa casada. Mas muitas, quando estão tomadas de uma paixão, não conseguem resistir.
- A pessoa acaba tomando decisões pelo coração, fica sem rumo na vida amorosa e, pior: não consegue entender o porquê de tudo aquilo, pois não se conhece a fundo. Não entende por que faz as coisas que faz.

Sem um relacionamento com Deus, que é o primeiro relacionamento, não há como ter o segundo: com nós mesmos.

Dentre os três relacionamentos, o primeiro é o mais transformador. É por isso que você vê pessoas que tiveram uma transformação de vida radical depois que descobriram a fé em Deus. Você vê casos de pessoas que deixaram de ser criminosas, promíscuas, tresloucadas depois que tiveram um encontro pessoal com Deus. Nenhum outro poder no mundo tem essa capacidade de transformar pessoas tão profundamente e com tamanha consistência. É o único relacionamento com o poder de realmente mudar uma pessoa.

O poder de mudar por força de vontade própria ou determinação humana existe, mas é limitado. Com muito esforço você consegue mudar algumas coisas, mas não conseguirá mudar tudo que gostaria.

E quando se trata de mudar outras pessoas, é mais difícil ainda. Sua força de vontade surte praticamente zero de efeito, senão o contrário. Eu e Renato tentamos, em vão, mudar um ao outro por 12 anos! Mas foi quando deixamos o nosso relacionamento com Deus permear totalmente os nossos relacionamentos com nós mesmos e um com o outro que a mudança aconteceu.

É por isso que esse primeiro relacionamento é extremamente importante. Ele tem o poder de mudar o segundo e terceiro para melhor.

Como desenvolver o seu relacionamento com Deus? Como conhecê-Lo? Entendemos que "relacionamento" envolve um ir e vir, comunicação, troca e envolvimento. É impossível ter um relacionamento com quem quer que seja sem essa interação.

Se você ainda não tem um relacionamento com Deus, provavelmente é porque não tem se comunicado, interagido com Ele. Talvez não saiba como fazê-lo.

Você quer mesmo conhecê-Lo?

Fale com Deus como se estivesse falando com o seu melhor amigo. Sem rodeios. Sem palavras bonitas, sem rituais, sem assumir posturas. Seja sincero e aberto. Dica: Ele atende no primeiro toque quando você O chama em nome do Filho dEle, Jesus.

Fale mesmo, abra a boca. Não apenas esboce algumas palavras na sua mente. No seu quarto, sozinho, fale com Deus e diga o que está passando na sua cabeça, no mais íntimo do seu coração. Pode parecer estranho para você falar com alguém que você não vê, mas este é o papel da fé. Nós falamos com pessoas que não vemos o tempo todo... Quando você liga para o serviço de atendimento ao cliente de uma empresa, por exemplo. Você não vê a pessoa, mas sua crença de que ela fala pela empresa, tem os detalhes da sua conta etc. faz você falar livremente com aquela pessoa estranha. Não é diferente quando você fala com Deus. Você não O vê, mas sua fé o conecta a Ele.

Deixe-O falar com você também. É algo interativo. Ele não vai falar com você com uma voz audível, mas fique atento às maneiras pelas quais Ele lhe responderá após sua conversa. Se você estiver sintonizado, irá ouvir e entender a voz dEle. Quando Ele fala, não deixa dúvidas, mas certeza.

Procure conhecer a Deus pessoalmente. Mas como conhecer alguém que você não vê? Pensando nessa dificuldade, Deus decidiu se materializar para que as pessoas pudessem conhecê-Lo. Ele fez isso através da pessoa de Jesus Cristo. Ele disse uma vez: "Quem Me vê, vê também o Pai[2]". Então, você pode conhecer melhor a Deus quando olha para a pessoa de Jesus — quem Ele foi, o que fez, o que ensinou. E como saber se Ele é mesmo quem disse ser? Colocando à prova o que Ele disse.

O fato de as pessoas que conhecem a Jesus, o que chamamos de o primeiro relacionamento, passarem por tamanha transformação, é prova de que

---

[2] João 14.9

Ele é real e Suas palavras verdadeiras. Ninguém, em toda história da humanidade, conseguiu através de seus ensinamentos, exemplo e obras ter tanto impacto sobre tantas pessoas em diferentes lugares e culturas ao longo do tempo como Ele.

Conhecer a Deus revela a você o quanto é importante e amado.

Essa revelação produz em você o verdadeiro amor próprio, que é o nosso segundo relacionamento.

O SEGUNDO RELACIONAMENTO

Cristiane

O segundo relacionamento é o seu relacionamento com você mesmo. Isso vai muito além de se arrumar, se cuidar ou investir em si mesmo. Muitos se enganam pensando que estudar ou tirar um tempo para coisas pessoais significa que estão tendo um relacionamento com eles próprios. Isso é muito superficial.

O bom relacionamento consigo mesmo começa quando toma consciência de quem você é. Não é uma tarefa fácil, porque a pessoa que achamos que somos e nos tornamos, quase sempre foi formada por aquelas pessoas com quem tivemos contato em nossos primeiros anos de vida. Elas foram o molde de nossa personalidade.

Vários estudos concordam que a personalidade de uma criança é formada até os 12 anos de idade. De uma forma natural, vamos formando nossas ideias de quem somos através dos relacionamentos com os outros. Absorvemos o que as pessoas acham e falam de nós e deixamos que aquilo defina nossa identidade. Afinal, elas são nossos pais, irmãos, parentes, professores e colegas. Como não acreditar nelas?

Se crescemos em uma família muito positiva, se recebemos muito apoio e crescemos em um lar feliz, isso tem um impacto muito positivo em nós. Desenvolvemos uma boa autoimagem e uma autoconfiança muito grande. Mas se crescemos em um lar contrário a esse, entre pessoas abusivas ou negativas, então desenvolvemos uma ideia negativa a nosso respeito.

Definimos nossa identidade pela forma como os outros nos tratam ou trataram – pelo menos até que nos conheçamos melhor. Mas até que isso aconteça, se acontecer, pode levar anos. A maioria das pessoas passa a vida inteira sem se conhecer de fato. E mesmo aquelas que se dão conta do mal psicológico e emocional que sofreram ao longo da vida, muitas vezes não conseguem desativar o programa negativo que foi instalado em suas mentes e corações. (É por isso que o primeiro relacionamento, com Deus, se torna tão crucial, pois tem o poder de transformar a pessoa a partir do mais profundo do seu ser. Este primeiro relacionamento triunfa sobre todos os outros.)

Erramos muito na vida por causa dessa identidade imposta sobre nós por outras pessoas. Porém, apoiados na desculpa de que "todo mundo erra", muitos não procuram entender por que erram – por que se deixaram levar pela lábia do ex, por que são tão viciadas em redes sociais, por que não conseguem ter uma vida social normal...

Tudo tem um porquê e se você não se conhece, não entende por que faz o que faz. Suas raízes ficam ocultas. Há uma falha dentro de você e enquanto não se conhecer, essa falha vai continuar atrapalhando. Conhecer a si mesmo é o começo da mudança pessoal. Se não se conhece, dificilmente entenderá seus vícios e virtudes – e assim não conseguirá se valorizar nem melhorar.

BUSCANDO NÃO SABE O QUÊ

Em nosso consultório de atendimento, dois jovens com sérios problemas de relacionamento vieram pedir ajuda. Ela nunca conheceu o pai; foi criada pelos avós porque a mãe vivia trocando de namorado. Ele, saiu da casa de sua família destruída, entrou nas drogas e logo depois a conheceu, aos 15 anos. Pouco depois, ela engravidou e foram morar juntos há cinco anos. Como poderiam ser marido e esposa, pai e mãe, se nunca tiveram referência desses papéis?

Às vezes as pessoas entram em um relacionamento para suprir uma carência que sofreram na infância ou adolescência. A falta de carinho, atenção e tantos outros problemas roubaram delas os conceitos mais básicos de família. E assim muitos chegam à fase adulta buscando o que nunca tiveram na infância e adolescência: amor.

Querem amar e ser amados, então buscam um preenchimento através da vida amorosa. "Vou achar alguém que me ame", pensam. Mas com tão vaga ideia do que é o amor, como saber o que estão procurando? O mais provável é que se unam a alguém que entende tanto de amor quanto eles e assim desenvolvam um relacionamento doentio, como o casal acima.

Uma outra pessoa nunca poderá consertar o seu passado nem curar uma ferida em seu interior.

Primeiramente, temos que saber de onde estamos vindo e quem nos tornamos, para então entendermos por que fazemos as coisas que fazemos.

O erro de muitas pessoas é querer consertar algo que já aconteceu. Ficam se remoendo, perguntando "por quê?", tentando de alguma forma achar uma explicação para tudo ou alguém para culpar. Na verdade, o que você deve fazer é entender que a vida acontece. Ao contrário do que pensamos e gostaríamos, não temos controle de muitas coisas que acontecem conosco – começando com nosso nascimento e a família em que nascemos. Daí em diante, durante toda infância e grande parte da adolescência, a vida vai lançando coisas sobre nós, experiências, ensinamentos, pessoas boas e ruins, até que na fase adulta somos o resultado de tudo isso.

A boa notícia é que temos uma inteligência capaz de usar tudo que nos aconteceu, bem e mal, e transformar em algo positivo. E o começo desse processo é usar essa inteligência para iniciar um relacionamento com nós mesmos.

VOLTANDO AO PASSADO

Um dos meus primeiros passos para começar um relacionamento comigo mesma, depois de ter conhecido Deus, foi entender o que se passou na minha infância.

Apesar de ter crescido em uma família exemplar, tido pais presentes e unidos que me deram o melhor de si, eles não puderam me proteger de meus problemas internos.

No meu segundo ano de vida, minha irmã Vivi nasceu com um defeito físico e, consequentemente, toda atenção em casa se voltou para ela. Cresci assim, à sombra dela. Eu me culpava de ter nascido perfeita e ela não. Ela precisava de mais atenção, mais compreensão que eu e, nisso, fui me apagando aos poucos. Me tornei uma "sem graça", pois a graça tinha que ser dela e não minha. Tive de protegê-la do *bullying* que ela passava na escola por causa de seu defeito físico e, como irmã mais velha, desenvolvi uma certa maturidade de mãe. Tomei para mim o dever de cuidar da minha irmã e resolver todos os seus problemas.

Quando penso na minha infância, me lembro dela, não de mim. Ela era o centro das atenções. Que culpa eu, ou qualquer pessoa, tinha de ela ter nascido com aquele problema? Mas as circunstâncias da vida me fizeram crescer me sentindo culpada. Querendo compensar essa sensação de culpa, passei a fazer as outras pessoas mais importantes que eu.

A Cristiane desenvolveu o que chamamos de complexo de "quem sou eu". Esse complexo faz suas vítimas pensarem que não são importantes, capazes ou boas o suficiente comparadas às outras. Elas estão sempre duvidando de si mesmas e se perguntando:

- Quem sou eu para ela gostar de mim?
- Quem sou eu para pedir isso?
- Quem sou eu para dar a minha opinião?
- Quem sou eu para incomodar?
- Quem sou eu nesta sala no meio de tanta gente mais importante?
- Quem sou eu diante do meu passado que me condena?
- Quem sou eu para ele me atender?
- Quem sou eu para comprar isso?
- Quem sou eu para vestir aquela roupa?
- Quem sou eu para aprender essa profissão tão importante?
- Quem sou eu para ganhar um salário como o dela?
- Quem sou eu para falar algo interessante?
- Quem sou eu para ensinar alguém?
- Quem sou eu nesta empresa, se acabo de chegar?
- Quem sou eu... quem sou eu... quem sou eu?

A resposta na mente é automática e invariável: "Você não é nada. Você não é ninguém. Você não merece. Enxergue-se. É melhor ficar na sua".

O complexo do "quem sou eu" prejudica extremamente a vida amorosa da pessoa. Desde a timidez que a impede de chegar a alguém de quem gosta, até a autocrítica demasiada à aparência, a linguagem corporal ou aceitar um relacionamento abusivo porque pensa que não vai achar ninguém melhor — esse complexo é responsável por muita infelicidade no amor. Mas de onde ele vem?

Ele nasce exatamente da falta de conhecimento próprio, da ausência de uma autoimagem saudável e equilibrada de si mesmo. Provém de um sentimento de rejeição a si próprio.

Se você não se ama, você se rejeita.

Quando baliza sua opinião de si mesmo pelo que as outras pessoas pensam de você, você fica à mercê delas. Por isso enfatizamos que o seu primeiro relacionamento é tão importante para ajudá-lo a formar o seu segundo. Uma vez conhecendo o que Deus pensa a seu respeito, você pode concluir que:

1. A opinião dEle é correta porque Ele é perfeito e nunca erra
2. Como Ele é superior, o que pensa sobre você é mais importante do que os pensamentos dos outros ou os seus
3. Portanto, você pode seguramente basear sua visão de si mesmo na visão que Ele tem de você

Toda vez que a voz do "quem sou eu" me faz questionar meus méritos ou valor próprio, eu a respondo usando as palavras do próprio Deus a meu respeito, tais como:

> *Pois Eu sou o Eterno, o seu Deus... seu Salvador. Dei como pagamento o Egito, a Etiópia e Seba a fim de que você fosse Meu. Para libertá-lo, entrego nações inteiras como o preço do resgate, pois para Mim você vale muito. Você é o povo que Eu amo, um povo que merece muita honra. Não tenha medo, pois Eu estou com você.*[3]

Quem é você? Segundo o próprio Deus, você é alguém que vale muito aos olhos dEle, amado por Ele, digno de honra, escolhido, cuja vida para Ele vale muitas, incluindo a do próprio Filho; você é alguém que não tem razão para temer nada nem ninguém, pois tem Deus do lado todo o tempo. Ele é com você. Segundo Ele, é "só" isso que você é.

Não deixe que ninguém lhe diga o contrário.

Cristiane

Realmente, quando conheci a Deus, me tornei uma jovem mais autoconfiante e independente das circunstâncias e opiniões que me rodeavam. Pouco tempo depois, conheci o Renato.

Começamos a namorar. Tínhamos muita coisa em comum: nossa fé, nossos objetivos, valores, temor a Deus e caráter. Ele era o galã na igreja e eu, a filha do líder dela. Entre tantas jovens apaixonadas pelo Renato, foi a mim que ele escolheu e isso me fez sentir muito valorizada. O fato de ele ter enfrentado o desafio de me pedir em namoro publicamente e sofrido certos preconceitos pela iniciativa, só contribuiu para que eu me sentisse a jovem mais feliz do mundo.

Foram 10 meses em que tudo estava dando certo. O sonho de me casar com o primeiro namorado se realizando. O namorado dos meus sonhos. E o futuro que tanto planejei ter: me casar com um pastor e, ao seu lado, fazer a Obra de Deus.

Essa foi uma das épocas em que mais me valorizei, pois toda aquela atenção fortaleceu ainda mais minha autoestima (mais uma prova de que nosso senso de identidade é influenciado por como os outros nos veem e tratam). Se até conhecer o Renato eu era a filha mais sem graça, ao conhecê-lo, me tornei a filha que iria se casar em breve. Toda a atenção da família se voltou para mim.

---

[3] Isaías 43.3-5

Nos casamos, passamos nossa lua de mel na Bahia e logo o Renato foi transferido para Nova Iorque por razões de trabalho. Eu ainda não tinha consciência das bagagens que carregava desde minha infância. Com o foco dele se voltando totalmente para o trabalho, aprender o inglês e enfrentar um desafio muito grande em um país totalmente estranho, não sobrou muita atenção para mim.

Minhas bagagens vieram à tona e eu me perdi de novo. O Renato tomou o lugar da minha irmã. Se tornou mais importante que eu. E foi aí o início de nossas lutas no casamento.

A verdade é que eu tinha acertado o meu relacionamento com Deus, mas ainda não havia resolvido o meu relacionamento comigo mesma. Logo, os meus relacionamentos com outras pessoas, especialmente com o Renato, começaram a sofrer.

Um dos sinais disso foi que comecei a amar o Renato mais que a mim mesma, fazer dele a pessoa mais importante para mim depois de Deus. Eu dependia dele para tudo. Lembro-me de um dia em que o Renato e eu estávamos brigando e ele me perguntou: *Cadê aquela Cristiane que eu conheci durante o namoro?* Aquilo na época arrasou comigo, mas foi bom porque me levou a pensar. Eu sabia que eu tinha mudado, mas o pior é que não sabia por quê; e só entendi o porquê quando aprendi a ter um relacionamento comigo mesma.

Quando o relacionamento com você mesmo é ruim, você automaticamente se coloca por último em tudo. Outros tomam o seu lugar em sua vida. Mesmo tendo um relacionamento com Deus, me tornei uma mulher ciumenta, insegura, carente, emotiva e tudo o que eu não era antes de me casar.

Quando amamos alguém mais que a nós mesmos, deixamos de fazer por nós o que só nós podemos fazer: nos cuidar, amar, preservar e valorizar. E pior: queremos que o parceiro faça isso por nós. E aí começam os sentimentos loucos em nossa cabeça: "Ele não me ama mais", "Não sou tão bonita quanto aquela moça para quem ele olhou", "Por que ele não me dá atenção?" e outros mais. Daí para as cobranças, é um piscar de olhos. E você vira a pessoa chatinha do relacionamento.

Antes de procurar um namorado, você precisa se procurar. Até que você saiba se amar, não saberá amar ninguém.

Você nunca poderá amar alguém que não conhece. Por isso, para se amar, precisa se conhecer. Conhecer suas raízes, seus defeitos e virtudes, entender seus comportamentos, por que você faz as coisas que faz – e então fazer as pazes com você mesmo. Fazer as pazes significa se aceitar, entender que você tem valor independentemente dos seus defeitos. Seu valor está em quem você é, não no que você faz ou no que tem. Quando entende que tem valor como pessoa, você passa a trabalhar em si mesmo para eliminar maus hábitos, comportamentos ruins e pensamentos errados a seu respeito. E isso vai aumentando o seu valor com o tempo.

Antes de me conhecer, eu me achava bobona diante da minha irmã, sem graça diante dos meus pais e burra diante do Renato. Mas depois que finalmente me descobri, me entendi e passei a me amar, não apenas me vejo sem limites como mulher, mas também resolvi o meu relacionamento com meu marido e com as outras pessoas.

O que você acha de você mesmo? Você gosta de si mesmo?

Sua resposta sincera poderá revelar as razões por trás de muitos de seus comportamentos na vida amorosa.

O problema é que quando você não gosta de você, você se torna uma pessoa insuportável:

- Carente
- Insegura
- Possessiva
- Exibe comportamentos autodestrutivos
- Excessivamente autocrítica
- Demonstra instabilidade emocional
- Usa chantagens emocionais para conseguir o que quer
- Manipuladora
- Se isola das pessoas
- Tem dificuldade de manter amizades
- Fala demais ou se fecha demais
- Sente inveja dos outros
- Não sabe se comportar em situações sociais (por isso as evita ou não se sente bem-vinda quando está nelas)

Não é difícil entender o porquê: nem você se gosta! Quantos dos itens acima se assemelham a você? É difícil amar quem não se ama[4]. As pessoas

[4] Tão difícil quanto amar quem não se ama é o outro extremo: amar quem é cheio de si. O narcisismo — quando a pessoa se ama demais, é orgulhosa, extremamente vaidosa, pisa nas outras, se acha — torna impossível o relacionamento com outra pessoa, pois o narcisista só se relaciona consigo mesmo.

boas olham e sentem pena de você. As pessoas más tiram vantagem de você. Quer dizer, você não se sente querido por ninguém — nem por quem é bom, nem por quem é ruim. E isso só reforça sua opinião sobre si mesmo: "Eu não sou uma pessoa gostável".

Se você não se gosta, nunca terá uma vida amorosa feliz. Você precisa resolver esse problema. Como?

Primeiro, descubra: por que você não se gosta? O que em você lhe desagrada? Ou será o contrário — por que você é cheio de si? Pense muito bem sobre isso, por mais doloroso que seja. Anote essas coisas em um papel.

Segundo, identifique quais dessas coisas são reais e quais são apenas pensamentos negativos plantados em sua mente por outras pessoas. Por exemplo, talvez você realmente seja uma pessoa ciumenta e precise mudar isso. É um problema real. Trabalhe nele e entenda que todo mundo, não só você, precisa melhorar em algo. Faça as pazes com você mesmo sobre isso. E aja para mudar. Mas talvez seu desgosto com uma parte do seu corpo, por exemplo, esteja apenas em sua mente, plantado pela opinião de terceiros segundo os padrões de beleza das revistas de moda. É um problema que precisa apenas de um ajuste na sua maneira de pensar, e não necessariamente de uma cirurgia plástica.

Terceiro, você precisa acreditar em quem realmente gosta de você. Há pessoas ao seu redor que veem sua beleza e potencial. Seja seu pai ou mãe, irmão, namorado, avós, professor, filho, amiga — essas pessoas existem em sua vida e já expressaram coisas positivas a seu respeito. Talvez você tenha preferido ouvir quem o criticou, mas isso não invalida a opinião positiva de quem o admira. Decida ouvir e acreditar em quem gosta de você — dos quais o principal é Deus.

É aí que o seu primeiro relacionamento o ajuda a resolver o seu segundo. Desde o dia em que descobri o que Ele pensa de mim e como me vê, eu nunca mais duvidei do meu valor. Nunca mais me deixei levar pelo que os outros pensam de mim.

Para acertar sua vida com alguém, comece se acertando consigo mesmo. Pare de errar. Pare de se desgostar. Pare de sentir ciúme de alguém só porque ele não faz de você o centro das atenções. Resolva seu relacionamento consigo mesmo. Afinal, já que você nunca irá conseguir se separar de si mesmo, é melhor aprenderem a viver juntos...

O TERCEIRO RELACIONAMENTO

Agora sim você pode pensar no seu relacionamento amoroso. Tendo construído um relacionamento com Deus e também consigo mesmo, você terá uma base sólida para construir um relacionamento com alguém sem errar na escolha, sem colocar tudo a perder e sem se perder dentro do relacionamento.

Você saberá também que sua melhor chance de ter um namoro e futuramente um casamento blindado está em escolher uma pessoa que também tem esses três relacionamentos saudáveis e em perfeita ordem. Depois de tanto trabalho acertando sua própria vida, não vá errar se unindo a alguém que não tem nada de Deus nem tampouco uma relação sadia consigo mesmo. Isso seria uma grande burrice. Jamais permita que alguém o desvalorize ou faça você perder o seu senso de valor só para ter um relacionamento. Se valorizar é o segredo para ter um relacionamento de valor.

Vai cair na prova!

Não deixe de fazer a tarefa na página anterior – os três passos.
Faça suas anotações:

____
____
____
____
____
____

Poste em nosso Facebook (fb.com/livronamoroblindado) ou em sua rede social preferida:

Agora já sei por que o namoro é apenas o terceiro relacionamento em minha vida #namoroblindado

CAPÍTULO 5

Como se VALORIZAR?

O PROCESSO DE AUTOVALORIZAÇÃO não acontece da noite para o dia. Há cinco etapas e a primeira é justamente entender o que é ter valor.

Cristiane

Por muito tempo eu ia ao shopping e nunca – jamais – pisava em lojas de marcas caras. Primeiro, porque não tinha as condições financeiras para comprar seus produtos. E segundo, porque, no fundo, não me achava digna de entrar nelas. Até o dia em que entendi que a marca não tinha mais valor que eu e que o meu valor estava acima do que eu tinha no meu guarda-roupa.

Quando valoriza algo acima de si mesmo, você diminui o seu valor, pois ele depende do valor que você se dá. Por mais valiosa que a pessoa seja, de nada adianta se ela própria não se valoriza. Aquelas lojas de marca valorizam seus produtos – às vezes até demais, na minha opinião. Mas aí está o segredo: é você quem determina o seu valor. Você sabia que há pessoas que só gostam de comprar o mais caro? Sabendo da existência dessas pessoas, muitas marcas propositalmente aumentam seus preços para que sejam cobiçadas por elas e, assim, lucram alto. Note: primeiro a marca define seu valor. Depois, por causa daquele valor, clientes valiosos vão atrás daquela marca.

Da mesma forma, se você quer atrair uma pessoa que a valorize, primeiro deve determinar o seu próprio valor. Eu não me dava valor, por isso me achava indigna de possuir um objeto mais caro. Mas quando comecei a me valorizar acima daquelas marcas, não tive mais receio de entrar em loja nenhuma, mesmo se fosse para não comprar nada. Eu me tornei mais valiosa do que elas e não precisei delas para me sentir assim.

Quando uma mulher diz “Meu namorado me largou e o meu mundo desabou”, o que ela realmente está dizendo é que o seu valor dependia totalmente dele – e agora que ele se foi, ela não vale mais nada. Quando o namorado diz para a namorada "Se você me deixar, eu me mato", ele está determinando que o valor da sua vida está naquela pessoa.

Horrível pensar assim, não é mesmo? Tenho certeza de que essas pessoas não têm noção de que estão reduzindo seu valor ao preço de uma banana que se acha em fim de feira. Se tivessem, talvez fizessem algo para mudar.

Como solteiro, você precisa se blindar para que o seu valor não dependa da pessoa que está ou não ao seu lado; entender que seu valor não é determinado pelo seu passado, pelo lugar de onde você veio, pelo que você já fez ou não fez, pelo que tem ou não, ou por sua aparência. Seu valor está acima de tudo isso. Ele está no simples fato de você existir. Você existe, portanto, tem valor. Ele está na sua capacidade de pensar. Você pensa, portanto, pode determinar ser e fazer o que você quiser. E por isso, pode fazer tudo diferente a partir de hoje, se quiser – ou continuar sendo exatamente quem você já é. É você quem determina isso.

O namorado a largou? Ele não era digno de você. Aquela mulher o rejeitou? Ela apenas abriu o caminho para alguém muito melhor entrar na sua vida. É assim que pensa uma pessoa que se valoriza.

AUTOVALOR É AUTODENOMINADO

Se tenho uma joia e sei que ela vale um milhão de dólares, naturalmente vou guardá-la com cuidado. Vou mantê-la polida, usá-la raramente, porque não devo fazer dela uma joia comum, afinal, ela vale um milhão... Falando de valor pessoal, quando sei que tenho um alto valor, meu comportamento e minhas atitudes serão à altura. Eu vou me cuidar e agir como uma pessoa rara ao invés de comum. Não vou me expor para todo mundo. Não vou ficar desesperada por atenção quando eu sei que já tenho a minha própria atenção. Já sei do meu valor, por isso não preciso que ninguém mais o confirme para mim. Essa foi a segunda etapa no meu processo de autovalorização.

Quando comecei essa etapa da minha vida, parei de pedir ao Renato que saísse comigo, falasse que me ama três vezes ao dia... E por quê? Porque me dei conta de que não precisava daquelas coisas para ter valor. Eu havia descoberto o meu valor. Não dependia mais da atenção dele porque eu já tinha a minha própria atenção.

Quando tem sua atenção, você foca mais em si mesmo. Começa a pensar: "Eu posso fazer isso, aquilo... Eu posso mais". Você começa a melhorar, se desafia a fazer coisas maiores. Se antes pensava "Eu não posso, não tenho capacidade", agora pensa "Eu tenho potencial, eu vou aprender isso, fazer aquilo...". Então, começa a se desenvolver como pessoa, a desenvolver seus talentos.

Quando começa a desenvolver talentos, vem a próxima etapa: passa a receber o feedback positivo das outras pessoas. "Eu gostei do que você falou... Achei o máximo aquilo que você fez..." Esse feedback positivo reforça aquele seu senso de capacidade e valor – "Está vendo, eu posso sim, vou fazer mais isso".

Essas cinco etapas vão acontecendo progressivamente, não da noite para o dia. Cada uma é construída sobre a anterior. Você não vai receber feedback positivo antes de fazer alguma coisa de valor. E você não vai fazer nada de valor antes de saber qual o seu valor. Você não saberá seu valor se não o determinar. E nunca o determinará se não souber o que é valor. Veja como funciona este *loop*:

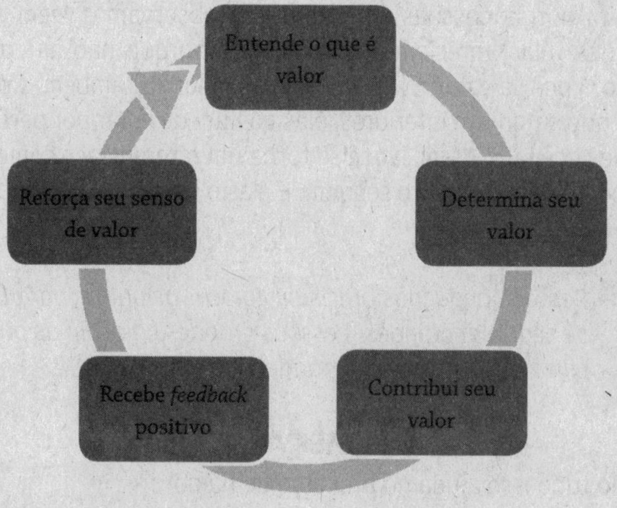

As cinco etapas da autovalorização

1. Você entende que valor próprio é você quem determina. Isso tira das mãos dos outros o poder de determinar o seu valor e o coloca nas suas.
2. Você age esse poder e determina seu valor – portanto, sabe o valor que tem.
3. Quando você sabe seu valor, você acredita que pode contribuir com algo positivo para as pessoas e para o mundo ao seu redor.
4. Suas valiosas contribuições recebem apreciação e feedback positivo de cada vez mais pessoas.
5. Seu senso de valor próprio é reforçado e você conclui que está no caminho certo.

VALORIZAR-SE REVELA O VALOR DE OUTROS

Um subproduto interessante da descoberta do seu valor é que você também começa a ver o valor das outras pessoas. Hoje, quando olho para outras mulheres, vejo potencial, porque sei o valor delas. Não tenho inveja nem raiva delas. Assim como aprendi o meu valor, eu sei que elas são valiosas também. Não as vejo mais como concorrência ou ameaça – como acontece com pessoas que não se valorizam. Elas olham para as outras e as veem como veem a si mesmas – com preconceito, sentimento de inferioridade, olhos críticos etc. Infelizmente, a maioria não conhece o próprio valor.

Mas quando descobre seu valor, você deixa de ser uma pessoa problemática e se torna um ser humano melhor. E aí, o que acontece? Inspira outras pessoas, porque elas o observam e veem que você se valoriza. Elas apreciam suas palavras, porque não as colocam para baixo. Você se valoriza e, por isso, as valoriza também. Como não faz com que se sintam inferiores, elas gostam de estar por perto e de ouvir o que você fala. Assim, você se torna um referencial e começa a ter um grupo de pessoas que o seguem. E elas o seguem porque você as ajuda a se valorizar.

Pessoas pequenas precisam colocar as outras para baixo para se sentirem grandes. Pessoas grandes colocam as outras para cima – e por isso são grandes.

AQUI COMEÇA A BELEZA

Como tudo isso ajuda no processo de namoro?

Quando pratica essa autovalorização, você tem uma energia interior, uma beleza que flui de dentro para fora. É uma energia positiva que está dentro de você e se externa no seu semblante, na sua maneira de andar, de falar, de se comportar, de vestir – em tudo. E isso é extremamente atraente para o sexo oposto.

A beleza de uma pessoa começa no momento em que ela decide ser ela mesma. Mas como você pode ser você mesmo? Somente quando se valoriza. Do contrário, vai tentar ser outra pessoa e, é claro, fracassar vergonhosamente. O resultado será que nem você vai gostar da pessoa que se tornou.

A autovalorização é um processo que envolve tudo – e começa dentro de você. O exterior é apenas consequência. Muitos não conseguem se resolver interiormente, pois querem que seu interior seja consequência do seu exterior; vestem uma roupa bonita e muito cara, cultuam seu corpo, investem em suas conquistas materiais..., mas o interior não consegue acompanhar o que está acontecendo do lado de fora. A pessoa até recebe atenção externa, mas, por dentro, não tem a atenção dela mesma. Tem as roupas caras do lado de fora, mas, por dentro, se sente pobre. Há uma disparidade emocional e ela não consegue conciliar uma coisa com a outra.

É um tanto difícil explicar isso... As pessoas perguntam: "Cristiane, como se valorizar?". Explicar isso, para mim, é como abrir um computador, desmontá-lo e explicar como funciona e o porquê de cada peça... Não dá para explicar em uma frase. São tantas coisas que trabalham juntas... A boa notícia é que o primeiro – e principal – passo é bem fácil: entender o que é ter valor.

O que, por exemplo, as mulheres que seguem a Angelina Jolie (e se espelham nela) entendem por valor? Elas acham que valor é ter um homem como o Brad Pitt, ser uma mulher com uma carreira de sucesso, ser bonita, magra etc. Como associam valor a essas coisas, acreditam que é disso que precisam para terem valor. Mas isso não é culpa da Angelina Jolie, e sim da falta de entendimento das pessoas sobre o que é ter valor. Tem gente que me segue e acha que ter valor é ter um blog com muitos seguidores, ser escritora, ser casada com um homem de Deus. Mas também não é isso. **Ter valor está em quem você é**, não no que você tem ou faz.

Quando associa seu valor ao que você tem ou faz, vive numa busca sem fim de coisas, pessoas ou realizações para se sentir valorizado. Por isso muitos se cansam de um emprego e passam para outro. Compram belas roupas e logo vão ao shopping comprar outras para superar aquelas. Entram em um relacionamento que não tem nenhum futuro, mas mesmo assim vão para a cama com aquela pessoa só para se sentirem desejados. E, ao fim de um relacionamento, logo procuram outro para não ficarem muito tempo na categoria de solteiro ou divorciado. Aquela sensação de rejeição ou de fracasso, especialmente após o término de um relacionamento ou um divórcio, pode ser cruel para quem desconhece seu próprio valor.

Em vez de buscar valor nessas coisas, você precisa se aprofundar em você mesmo. Não se limite a um conhecimento superficial de quem você é. Mergulhe dentro da sua pessoa. Conheça-se, identifique suas qualidades, reconheça seus defeitos e o que vai fazer sobre eles. Essa busca, sim, resultará na descoberta do seu valor e da riqueza que há em você.

Quando você descobre isso, uma outra pessoa nunca será a razão da sua vida ou alguém que o "completa". Não, você já será uma pessoa completa. Aquela outra vem apenas para acrescentar na sua vida, não para ser o seu oxigênio.

Se você não quer sofrer[1] ou ter a luz do seu eu apagada por outra pessoa, então nunca, jamais comece um relacionamento sem ter um alto senso de valor próprio.

Vai cair na prova!

Escreva pelo menos dez qualidades que você tem. O que as pessoas costumam elogiar a seu respeito? É difícil se valorizar se você não vê qualidades em você. Por isso, se não conseguir fazer essa tarefa sozinho, pergunte a amigos e familiares quais qualidades eles veem em você e anote-as abaixo. Não se limite a dez, escreva mais se quiser. Em seguida, contemple esta lista. Veja o seu valor. E nunca mais se sinta ou aja como alguém que não vale nada.

1. __________
2. __________
3. __________
4. __________
5. __________
6. __________
7. __________
8. __________
9. __________
10. __________

Poste em nosso Facebook (fb.com/livronamoroblindado) ou em sua rede social preferida:

Aprendi como me valorizar. #namoroblindado

[1] É claro, ninguém quer sofrer. Por isso, aqui vai o segundo e último alerta antitédio do livro: se você não é divorciado, viúvo nem saiu de um longo relacionamento, achará que o próximo capítulo não é para você. Pular esse capítulo, porém, seria um erro elementar para quem não quer sofrer, meu caro Watson. Os primeiros parágrafos explicarão por quê.

CAPÍTULO 6

Namoro após DIVÓRCIO, VIUVEZ ou longo relacionamento

ANTES DE PULAR este capítulo porque pensa "ah, eu não sou divorciada, nunca me casei", considere isto: "divórcio" não acontece apenas com pessoas legalmente casadas. Emocionalmente falando, o rompimento de um longo namoro, ou de um relacionamento em que praticamente se vivia como marido e mulher, pode ter os mesmos efeitos de um divórcio.

Então, sugerimos que você leia este capítulo mesmo que nunca tenha sequer namorado alguém. No mínimo, nossa esperança é que fique tão alerta sobre o que poderá acontecer com você se o seu primeiro casamento não funcionar, que ficará ainda mais cauteloso para construir um namoro e um futuro casamento verdadeiramente blindados. Sim, porque você não verá um livro "Divórcio Blindado" por aí. Pelo menos não de nossa autoria.

Vamos considerar também como agir quando há filhos de um relacionamento anterior e, no final deste capítulo, algumas peculiaridades sobre o início de um novo relacionamento após a morte do cônjuge.

Então, vamos inicialmente considerar o caso dos divorciados.

ATENÇÃO DOBRADA

Se a maioria dos divórcios começa no namoro, a maioria dos namoros após um divórcio também é fadada ao fracasso. É fácil imaginar que depois de errar uma vez você saberá fazer melhor da próxima. Mas as estatísticas comprovam que as pessoas que se divorciam e casam novamente erram ainda mais. O índice de divórcio para quem casa pela segunda vez é quase 30% maior que para a primeira; e pela terceira vez, aumenta outros 10%. Por isso, se você é divorciado e está pensando em começar um novo relacionamento, atenção dobrada! Além de todos os cuidados e critérios que explicamos aqui sobre um namoro blindado, o divorciado enfrenta alguns perigos e riscos extras na busca por um novo amor.

Quais alguns perigos que o divorciado corre ao considerar um novo relacionamento?

- Feridas e traumas não superados do casamento anterior.
- Medo de casar de novo e fracassar, achando que o problema está no casamento como instituição.
- Não ter compreendido ainda as verdadeiras razões por que o divórcio aconteceu.
- Querer um relacionamento apenas para mostrar ao ex que não ficou só.
- Buscar alguém com características opostas às do ex se torna tão importante que o divorciado supervaloriza essas características e se torna cego para outros fatores importantes no caráter da nova pessoa.
- Havendo filhos do relacionamento anterior, a possível rejeição deles à ideia de um padrasto ou madrasta.
- Rejeitar a si mesmo por já ter filhos e achar que não será aceito por um novo parceiro.
- Ter uma percepção exagerada dos erros do ex e não perceber os próprios erros que contribuíram para o divórcio; isso impede a mudança de comportamentos nocivos que, portanto, podem se repetir no novo relacionamento.
- Dependendo de quão dolorosa foi a experiência do divórcio, a sensação de rejeição e fracasso pode ser um golpe duro na autoestima. Na busca de resgatar essa autoestima, a pessoa pode baixar seus padrões apenas para ter alguém que a faça se sentir querida novamente, ainda que esse alguém não seja adequado para ela.
- Projetar os problemas do casamento anterior no novo parceiro toda vez que ele fizer alguma coisa que faça você lembrar do seu ex. Por exemplo, uma esposa que foi traída pelo ex pode ter muita dificuldade de confiar no novo marido, mesmo que ele não dê nenhuma razão. Se ele chegar um pouco mais tarde que de costume, por perfeitas razões, isso pode trazer memórias de um ex que mentia sobre onde estava para encobrir suas traições.
- Depois do primeiro divórcio, o segundo, terceiro etc. são muito mais fáceis de acontecer, pois ao sair do casamento anterior o divorciado aprendeu a "resolver" seus problemas conjugais fugindo ou desistindo deles. Aliás, esta é a lição garantida que todo divórcio ensina: se não deu certo, termine o casamento.
- Apesar do divórcio, o ex ainda exerce controle ou influência, emocional e/ou financeira, sobre você; não há uma noção de término definitivo entre vocês; isso obviamente será um fantasma que assombrará a próxima relação, com o qual o novo cônjuge poderá não saber lidar.
- Pessoas divorciadas tendem a ter compromissos financeiros com filhos e também ter mais dificuldade de "juntar as contas" em um novo casamento.
- Não houve desfecho emocional. Apesar da separação e dos problemas que tiveram no casamento, a pessoa pode ainda sentir falta ou saudades do ex pelas coisas boas que passaram juntos.

Se você não quer errar de novo, precisará lidar com cada uma das sequelas e perigos que rodeiam seu próximo namoro e casamento.

Achar que seu próximo casamento vai dar certo sem entender o que deu errado no primeiro e corrigi-lo é como seu time perder o último jogo e achar que vai ganhar o próximo só porque você acha que vai ganhar. Você pode até ganhar o próximo jogo, mas somente se aprender algumas jogadas novas primeiro e evitar cometer os erros do jogo anterior.

POR QUE O DIVÓRCIO ACONTECEU?

Por mais doloroso que seja passar por essa experiência, um divórcio pode ser rico em detalhes reveladores sobre você mesmo e a outra pessoa. Analisar as verdadeiras razões, especialmente as mais profundas, por que o relacionamento não deu certo é um aprendizado crucial que você precisa ter. "Quem não conhece a história está fadada a repeti-la" — e isso também se aplica aos que casam novamente após um divórcio.

Cada divórcio é único e as razões variam, mas algumas são muito comuns. Foi uma incompatibilidade que havia desde o início, à qual você se fez de cega? Você se casou por causa da beleza e atração sexual que sentia por sua esposa, por ela ser a moça mais bonita do seu círculo social? Você idealizou um marido perfeito, um padrão que ele nunca conseguiu alcançar? Algum dos dois nunca conseguiu cortar o cordão umbilical e colocava a família de origem acima do cônjuge? Vocês não conseguiram acompanhar e se adaptar às mudanças pessoais e do casamento, como sua maturidade como pessoa e a chegada dos filhos? Houve traição? Como e por que chegou a isso?

Você precisa ter um entendimento real do que aconteceu e qual sua contribuição ao problema. Quanto melhor você entender onde errou, ainda que ache que a maior culpa foi do outro, mais preparado estará para desenvolver novas habilidades e não errar de novo.

Por isso enfatizamos que você não deve se apressar e querer casar novamente logo após um divórcio. Casamentos feitos no rebote de um divórcio tendem a fracassar mais facilmente. Homens são particularmente propensos a cometer esse erro, pois sentem muita dificuldade de se acostumar a viver sozinhos depois de um casamento. Na busca de preencher aquela falta de uma companheira, de alguém que cuide deles, casam logo com outra. Mulheres também fazem isso, mas normalmente por questões financeiras ou por carência afetiva. Alguém que apareceu na vida dela, a ouviu e tratou bem no momento de maior dor e rejeição, pode ser erroneamente projetado como um ótimo e muito melhor substituto do ex. Cuidado. É prudente esperar no mínimo de um a dois anos após um divórcio antes de considerar um novo relacionamento.

Entrar em um novo casamento sem analisar com cuidado não é cura para um divórcio. Pode ser um erro pior que o primeiro.

Mas entenda que "esperar" não significa cruzar os braços e esperar o tempo passar. Faça sua tarefa de casa. Aprenda as lições. E não se apresse — principalmente se esse divórcio deixou filhos.

QUANDO HÁ FILHOS DO RELACIONAMENTO ANTERIOR

Filhos de pais divorciados, principalmente pré-adolescentes ou adolescentes, podem enfrentar grandes conflitos internos por causa da separação dos pais. Sentimentos de culpa, raiva, rejeição e perda são comuns. A entrada de uma nova pessoa no lugar do pai ou mãe que deixou a família costuma ser muito delicada, até para filhos mais adultos. Mesmo quando os filhos já são casados e não moram perto, eles costumam resistir à ideia de um novo casamento de seus pais divorciados, se não por razões emocionais, muitas vezes por financeiras. Quando os pais têm bens ou dinheiro, eles poderão temer a perda da herança ou mesmo se incomodar de ver o pai gastar "mais do que devia" com a nova pessoa. Essa interferência dos filhos pode ser real e muito conflitiva.

Mas as fases mais críticas emocionalmente são, de fato, a adolescência e a pré-adolescência. Aceitar o divórcio dos pais já é um grande desafio para eles; aceitar uma nova pessoa no lugar do pai ou da mãe dobra a dificuldade. Mais uma razão por que o divorciado, especialmente com filhos, não deve se apressar para entrar em um novo relacionamento. Permita que seus filhos tenham um período suficiente de cura e aceitação do que aconteceu.

Filhos pequenos costumam se adaptar mais rapidamente à entrada de uma nova pessoa na família. Nesses casos, a transição costuma ser menos problemática. Quanto mais idade o filho tiver na altura da separação, maior o desejo dele de ver os pais juntos novamente. Quando a reconciliação não é possível, é comum os filhos preferirem que os pais não comecem um relacionamento com outra pessoa. Não quer dizer que a vontade dos filhos prevalecerá, mas essa resistência não deve ser ignorada. Avalie como irá administrá-la.

Eu me lembro que, quando era adolescente e meus pais se separaram, minha mãe ficou sozinha por muitos anos. Os quatro filhos cresceram, quase todos estavam casados, e a solidão dela me preocupava. Mas ao mesmo tempo, eu não gostava nem de pensar em minha mãe com outro homem! É uma confusão na cabeça do jovem que é difícil de explicar e entender.

Por isso, pode ser bom o pai ou a mãe de filhos já adolescentes considerar a opção de esperar que eles cheguem à maioridade para, então, começar um novo relacionamento. Ou seja, priorizar os filhos. Sua primeira responsabilidade agora não é ser feliz no amor, mas terminar de criar os seus filhos e protegê-los de uma nova situação potencialmente traumática, se eles não estiverem preparados. É claro, isso não é uma regra, cada um deve avaliar o seu caso.

Quando perceber que o momento de começar um novo relacionamento chegou, você precisa ter uma conversa com eles para que não se sintam ignorados na sua decisão. Mostre que está consciente de que sua escolha os afetará e, por isso, reconhece que precisa explicar suas razões e ouvir suas ansiedades também. Lide com elas. Na maioria das vezes, seus medos e razões são emocionais. Entenda, mas não fique refém delas. Você tem o direito de recomeçar sua vida amorosa após cumprir seu papel parental.

A todo momento, deve assegurá-los de que não irão perdê-lo para essa nova pessoa. Seus filhos precisam de segurança. Por isso, não é bom que você apareça em casa a cada semana com um novo namorado e diga: "Joãozinho, este é o Astrobaldo, o novo amigo da mamãe. Seja bonzinho com ele, tá?". Esteja bem certa da pessoa antes de apresentá-la aos filhos, pois não há nada mais desmoralizante para uma criança ou jovem do que ver o pai ou mãe com uma pessoa diferente a cada poucos meses. Não os exponha a isso. E pelo amor que as abelhas têm às flores, não vá para a cama com seu namorado — nem perto nem longe dos seus filhos!

Tratamos dos porquês disso em outro capítulo, como o sexo antes do casamento pode bagunçar seu bom juízo, mas a ênfase aqui é intencional. Afinal, vocês já foram sexualmente ativos em seus relacionamentos anteriores e pular para a cama pode parecer algo natural. Não caia nessa. Guarde-se.

A entrada da nova pessoa nessa família anteriormente fracionada precisará ser gradual e suave, dando tempo para que os filhos desenvolvam confiança e respeito por ela naturalmente. Nada deve ser forçado. Se você é essa pessoa, lembre-se de que terá de conquistar, além do amor do seu futuro cônjuge, o dos filhos dele também. E que, por melhores que sejam seus esforços, isso pode demorar anos e nunca de fato acontecer totalmente. Que não seja, porém, por sua falta de esforço nem por desinteresse. Você deve priorizar essa conquista, porque o conflito com os filhos anteriores é uma das razões principais por trás do fracasso no casamento de pessoas previamente divorciadas.

> *Uma das primeiras coisas que os filhos precisam ver para começar a respeitar o futuro padrasto ou madrasta é o bem que essa pessoa faz ao seu pai ou mãe.*

Não adianta tentar conquistar os filhos do outro com presentes ou passeios e depois fazer a mãe ou pai deles sofrer.

Não queira assumir o papel de disciplinar seus enteados como se fossem seus filhos — pelo menos até que você tenha conquistado o respeito deles. Esse papel é conferido a você por eles, não pelo pai ou mãe biológicos. Se não os conquistou ainda, o papel de disciplinar cai principalmente sobre o pai ou mãe biológicos, mesmo depois do casamento.

Quando os filhos vivem com o ex e vêm visitar o outro pai periodicamente, aquele período de visita tem de ser respeitado. É comum o pai visitado cobrir os filhos de mimos e atenção — e não é difícil entender o porquê. Se o novo companheiro não compreender isso, poderá se sentir deixado de lado, ou achar que o outro está exagerando na atenção que dá aos filhos. É preciso prestar bastante atenção nessa dinâmica, pois essa prática poderá ser algo do qual seu futuro cônjuge não estará preparado para abrir mão.

O ideal é que essas visitações sejam claramente definidas em termos de periodicidade, tempo juntos, locais de visita, participação ou não do novo parceiro e como a interação com o ex será feita. Transparência, regras e compreensão são as palavras-chave para evitar ciúmes e desconfiança. Isso tudo deve ser bem conversado e concordado ainda durante o namoro.

Um cuidadoso equilíbrio é o alvo aqui: não deixar os filhos nem o novo parceiro se sentirem abandonados por culpa um do outro. Certifique-se de que seu pretendente está preparado para assumir a posição não apenas de marido ou esposa, mas de padrasto ou madrasta também. A pessoa tem de estar preparada para casar com seus filhos também, não só com você. Atenção às atitudes, muito mais do que às palavras. Não adianta dizer que sim se as atitudes mostram o contrário.

Se vai namorar uma pessoa que já tem filho, é comum sentir que a criança sempre vem antes de você na vida do parceiro. Achar que para ele tudo gira em torno do filho e você vem em segundo plano. E a princípio, deve ser assim mesmo, pois vocês são apenas namorados. Com a progressão do namoro, o alvo é que você conquiste o seu lugar naquela família e finalmente ocupe o lugar de cônjuge, com o respeito que merece. Por isso, não fique inseguro, especialmente pelo contato necessário do parceiro com a mãe ou pai da criança — desde que haja transparência e propriedade em tudo.

Aproveite e observe bem quão envolvido seu novo pretendente é com sua família anterior e parentes. Não é justo esperar uma mudança radical dele nesse quesito depois de se casarem. O mesmo se aplica a outros comportamentos. Especialmente se vocês já passaram dos 40 anos de idade, seus hábitos e costumes estão bem enraizados e dificilmente mudarão. Considere se vai querer e conseguir conviver com essa pessoa como ela é, sem ficar pressionando-a a mudar. Na dúvida, não prossiga.

NÃO IGNORAR

A maioria das pessoas que casam pela segunda vez já não é criança. O lado bom dessa maturidade é que vocês têm mais experiência de vida e já devem ter clareza do que querem e do que é realmente importante para vocês. (Se seu pretendente tem idade, mas não maturidade, saia fora rápido... Se a vida ainda não o ensinou antes dos 30, 40 ou 50 anos, não é você quem vai ensinar.) Por exemplo:

- Como cada um lida com dinheiro
- Seus valores e práticas devocionais (fé)
- Maneira de disciplinar os filhos
- Expectativa sobre ter mais filhos ou não no novo casamento
- O relacionamento com o ex e também com a família de origem
- Quais as atividades importantes na sua vida
- Quem são os amigos e o que eles representam
- As expectativas do papel de cada um dentro do casamento, especialmente como veem o papel do homem e da mulher
- Preferências e gostos sexuais e frequência esperada
- Estilo de comunicação dentro do relacionamento
- As razões por que o relacionamento anterior não deu certo

Estas são apenas algumas áreas que precisam ser conhecidas e exploradas antes de um recasamento. É claro, dificilmente vocês terão as mesmas preferências, estilos e gostos, mas quanto mais alinhados eles forem, melhores as chances de vocês darem certo. E mais importante: quão tolerantes vocês são a respeito das diferenças e o quanto estão dispostos a ceder e resolver conflitos.

Não ignore algum ponto importante na esperança de que será resolvido depois do casamento só porque, afinal, vocês "se amam". Este é um erro que especialmente as mulheres costumam cometer, achando que conseguirão "consertar" o marido depois.

O uso do dinheiro também merece atenção cuidadosa. A maioria dos casamentos funciona melhor quando o dinheiro de ambos é visto como "nosso" e não como "meu dinheiro" e "seu dinheiro". Quem vai controlar as finanças? Esta é uma área fértil para conflitos. Vocês também já devem saber bem se são do tipo que gasta tudo o que ganha, economiza até a última espremida da pasta de dentes ou é equilibrado com as finanças. Como antecipam que seria uma discussão sobre uma compra importante?

Independentemente de como administram o dinheiro, é preciso que haja fidelidade financeira entre o casal. A traição financeira tem se tornado cada vez mais comum por causa das rendas independentes. Um dos cônjuges faz gastos ou dívidas sem comunicar o outro e não é honesto com as informações. Muitos casamentos hoje têm acabado por isso.

Não ignore tampouco o fato de que as pessoas mudam ao longo das fases e anos de vida. O que é muito importante para você ou seu futuro cônjuge hoje poderá não ser daqui a cinco ou dez anos. Qualquer casal bem-sucedido é atento a essas mudanças e consegue adaptar-se bem a elas. Por isso, uma das qualidades mais importantes que uma pessoa precisa para ter sucesso na convivência amorosa é a flexibilidade. Se você ou seu parceiro é extremamente rígido e irredutível em sua maneira de ser, dificilmente terá êxito em qualquer relacionamento.

Se tiverem essa qualidade, associada à capacidade de discutir abertamente assuntos delicados como os mencionados acima, a probabilidade de vocês terem um bom namoro e casamento é bem alta.

O RECOMEÇO PARA OS VIÚVOS

Muito do que mencionamos até aqui serve também para o recasamento após a viuvez. Mas há uma diferença crucial entre casar com um divorciado e com um viúvo. Normalmente, o viúvo gostaria que o ex estivesse vivo, e o divorciado gostaria que o ex... Bom, vamos deixar isso para lá. Brincadeira à parte, a real diferença para o viúvo é que o casal foi separado pela morte e não porque o casamento não deu certo. Em vez do sentimento de alívio que o divorciado normalmente tem após o fim de um casamento destrutivo, o viúvo tem um sentimento de perda, saudade e tristeza. Por isso muitos escolhem não se casar novamente.

Uma viúva disse após 20 anos de viuvez: "Quando enterrei meu marido, enterrei com ele todos os homens da face da Terra". Ela se fechou para o amor. Mas depois de todos aqueles anos, reconheceu que gostaria de encontrar alguém com quem compartilhar o resto de sua vida.

A morte de um cônjuge, dependendo de quão unidos eles eram e quanto tempo viveram juntos, pode ser uma perda devastadora.

Ao contrário do divorciado, começar um relacionamento com um viúvo tem o benefício de não ter de lidar com o ex[1]. Mesmo sem ex, o relacionamento pode ser um grande desafio por algumas razões:

- A pessoa pode não ter superado totalmente a morte do cônjuge.
- Dependendo se a morte foi inesperada ou por saúde que se deteriorou por um longo período, o tempo que o viúvo precisa para estar pronto para um novo relacionamento pode variar muito. O mínimo de um a dois anos costuma se aplicar à maioria dos casos, mas cada um é diferente.
- Um novo relacionamento não é a melhor maneira de curar a dor da perda de um cônjuge. Cuidado para que você não se torne um psicólogo ou apenas um ombro amigo que poderá não mais ser visto como um parceiro amoroso depois que a dor tiver passado.
- Alguns viúvos podem se sentir culpados por estarem "traindo" o falecido ao começar um novo relacionamento. O próprio Deus designou que o

[1] A não ser que a Cristiane fique viúva e você, sem-vergonha, esteja lendo este livro com esperanças de se casar com ela. Você terá de lidar comigo, sim! Eu vou assombrar sua existência até a sua morte... aviso dado!

viúvo está livre para casar novamente[2] e na Lei de Moisés havia provisões específicas para isso. Não deve restar dúvidas com respeito à permissão e propriedade de se casar de novo, caso a pessoa queira. A decisão permanece com ela.

- Comparações são inevitáveis. O viúvo pode medir o novo companheiro pelas qualidades do anterior; e o atual pode se sentir sempre aquém das expectativas. O ideal é que vocês criem uma nova relação e deixem a anterior onde ela pertence: apenas na memória de algo bom que passou.
- Se o morto costuma fazer suas aparições regularmente nas conversas da viúva, mesmo enquanto vocês namoram, é um sinal de que ela não está pronta para um novo relacionamento. A lembrança e conversa esporádica não é o problema, e sim a incapacidade de deixar de falar no assunto.
- Nunca entre no mérito da questão: "Quem você ama mais, eu ou o falecido?". Além de ser uma pergunta idiota, é recheada de insegurança de sua parte. E lembre-se, insegurança nunca é sexy. Não tente competir ou ser um substituto de quem morreu.
- Ao contrário de muitos divorciados, que podem fazer questão de rasgar o álbum de casamento, jogar fora presentes do ex etc. é comum os viúvos guardarem fotos e outros objetos que lembrem do falecido, ou lembrarem de datas comemorativas que marcaram os dois. O novo companheiro deve compreender, desde que fotos do falecido não estejam espalhadas pela casa depois do casamento. (Que coisa medonha, hein?)
- É comum o viúvo ainda manter contato bem próximo com a família do falecido. Esse fato pode significar que quem casa com um viúvo pode se achar entre três famílias da noite para o dia. Seja compreensivo, pois esse contato pode ser muito importante para seu cônjuge e até saudável.
- Não presuma que o falecido era um santo. Talvez a morte dele nem tenha sido porque ele "do nada, escorregou no banheiro, bateu a cabeça e morreu" (na dúvida, cheque a ficha criminal do viúvo). O fato é que a pessoa pode trazer para o novo relacionamento sequelas de um casamento turbulento. Inteire-se sobre como era o relacionamento dos dois.

Como pode ver, o recomeço de um relacionamento após um divórcio ou viuvez não é tão simples. Mas fazendo as coisas certas, vocês podem superar as complicações.

Esperamos que o recado para você, solteiro, que nunca passou por um divórcio tenha ficado bem claro: faça o seu melhor para acertar da primeira vez!

[2] Romanos 7.2

CAPÍTULO 7

QUASE LÁ

Cristiane

Você já deve ter ouvido o ditado "nadou, nadou, nadou e morreu na praia". Essa é uma realidade na vida amorosa de muitos. Não adianta fazer "quase" tudo certo. E a razão por que muitos não conseguem passar do "quase" é a ansiedade. Por ansiedade, muita gente sabe o que tem de fazer, mas não faz.

ANSIEDADE

Quando a ansiedade toma conta, você para de usar a cabeça e começa a usar as emoções, pois tem medo de ficar encalhado ou de perder a única pessoa que lhe deu um pouco de atenção. Já na perseverança, você é paciente e, por isso, não desiste. Você não cansa de fazer o bem e o tempo não é o seu inimigo, e, sim, seu aliado, já que o permite melhorar como pessoa.

Mas paciência não está na moda.

Tudo é muito rápido. Ninguém quer esperar por nada. Parece que a nossa vida está sendo cronometrada o tempo todo. É a era do *fast food*, do *drive-thru*, do wi-fi rápido, dos *caixas rápidos* nos supermercados, das dietas de 5 dias, dos divórcios em 24 horas, das refeições de micro-ondas, enfim. Tudo isso tem suas vantagens, mas quando essa mentalidade de "quero agora, já" é levada para a vida amorosa, os resultados podem ser desastrosos.

Não sou uma pessoa ansiosa, mas já tive momentos de ansiedade. Lembro-me de uma vez que estava preocupada com o meu filho e vieram mil e um pensamentos horríveis do que poderia estar acontecendo com ele. O meu coração começou a bater forte e eu tive a sensação de que iria desmaiar. Logo me levantei da cama e pedi ajuda ao Renato, que me trouxe um copo d'água para beber. Ele me perguntava o que eu estava sentindo e eu não conseguia nem falar direito, de tão nervosa que estava, até que associei uma coisa à outra. Era a minha preocupação com meu filho! Imediatamente, não aceitei e comecei a dizer "eu não aceito isso!" em voz alta, repetidamente, até a batida do meu coração voltar ao normal. Entreguei a preocupação nas mãos de Deus e fui dormir.

Sim, a ansiedade pode nos adoecer. Está mais do que provado que a ansiedade é grande inimiga do ser humano. Como *kryptonita* para o Super-Homem, ela o enfraquece e acaba desfazendo tudo que você conquistou ou planejou até aqui. Ela mexe tanto com você que, além de ficar emocionalmente vulnerável, a sua saúde física e mental também podem ser afetadas.

Como nasce a ansiedade?

Ela vem de um pensamento ruim, que traz outros pensamentos ruins e, de repente, o seu coração fica desassossegado. O medo toma conta e acaba forçando-o a fazer algo a respeito: chantagear, ameaçar, ser agressivo, jogar sujo, forçar uma barra ou, às vezes, simplesmente jogar a toalha.

Você não consegue esperar que as coisas aconteçam, então quanto mais ansioso fica, mais se precipita e erra.

- É a jovem que engravidou para ficar com o namorado e agora ele a odeia por isso.
- A mulher que passou uma noite com o rapaz e, por nunca mais ter recebido uma ligação dele, virou uma *stalker.* [1]
- É o cara que, por medo de perder a namorada, a afasta de todos seus amigos.

Tudo fruto de ansiedade, tudo prejudicial.

Ela não só atrasa tudo na sua vida como faz de você uma pessoa insuportável. Quantas não são as mulheres, que por medo de ficarem para titia, entram em relacionamentos ridículos? Ela, de trinta e tantos anos, traída pelo marido, fica com o jovem de 21 anos, por pena de si mesma ou para se sentir querida. O rapaz até gostou, mas não o suficiente para se casar. Ele se torna mais um homem em sua vida que a decepcionará lá na frente.

Quando optamos por ser pacientes, não estamos fazendo isso para os outros, e sim por nós mesmos.

---

[1] Alguém, às vezes com traços de psicopata, que assedia uma pessoa persistentemente, não importando quantos foras leve.

COMO VENCER A ANSIEDADE?

1º passo: Entenda que essa sensação vem sobre todos e ninguém está acima dela o tempo todo. Você tem que lidar com ela toda vez que ela vem. Seria ótimo superá-la hoje e nunca mais ter de lidar com ela, mas não é assim. Por isso, esteja atento aos sintomas.

2º passo: A ansiedade é um temor e, para vencer esse temor, você precisa enfrentá-lo. Por exemplo, se vem o pensamento de que você nunca vai achar uma pessoa ideal para você, como bater de frente com ele? Com um pensamento melhor e mais inteligente: "Se eu não achar, ela vai me achar!", "Se eu fizer as coisas certas, não há como não achar ou ser achado". Duvide de suas dúvidas, questione seus medos – toda vez.

3º passo: Evite situações que promovam a ansiedade dentro de você. Se depois de assistir filmes românticos ou ouvir músicas de amor, você fica deprimida, passe a evitá-los. Se certos tipos de amizades, reais ou virtuais, a fazem sentir encalhada ou ansiosa por uma determinada pessoa, ocupe-se com algo diferente. Isso vai evitar que você se compare com outras pessoas da sua idade. E quando os pensamentos de comparação são inevitáveis, lembre-se de que a sua história não é a mesma história daquela outra pessoa.

4º passo: Invista no oposto da ansiedade. Calma, paciência, descanso e confiança. Em vez de ficar triste, consciente de sua solidão sábado à noite, que tal tomar um banho demorado, fazer um tratamento de pele, fazer as unhas, ler um livro e descansar mais cedo?

5º passo: Beba da fonte da cura para toda ansiedade. Um bom relacionamento com Deus lhe proporciona mansidão. Veja só o que o Seu Espírito nos dá gratuitamente:

> *Mas o fruto do Espírito é: amor, alegria, paz, paciência, benignidade, bondade, fé, mansidão e domínio próprio.*[2]

> *Lançando sobre Ele toda a sua ansiedade, porque Ele cuida de vocês.*[3]

Ansiedade não esvazia o seu amanhã de tristezas, mas sim o seu hoje de forças. Forças de que você precisa para criar uma solução e executá-la. Ansiedade o faz viver o mesmo problema mil vezes antes de ele acontecer. Ela o faz temer algo que só existe dentro da sua imaginação.

---

[2] Gálatas 5:22
[3] 1 Pedro 5:7

Por causa da ansiedade, uns ficam paralisados e outros se precipitam. Não tomam nenhuma atitude ou se apressam e provocam um desastre.

Uma coisa você tem que saber sobre ansiedade: quanto mais você age por ela, mais longe o que você quer fica de você.

Rick estava muito ansioso para achar o amor de sua vida e se casar. Mas sem resolver seus dois problemas principais, acumulou muitos erros em sua vida amorosa. Seus dois problemas principais:

1. Carência de atenção
2. Ansiedade

Por esses dois "As" (Atenção e Ansiedade), os relacionamentos de Rick nunca duravam mais que alguns meses. Sua carência o fazia esquecer os critérios. Qualquer mulher que lhe desse atenção, servia: mais velha, mais nova, gordinha, magrinha, com filho, sem filho, na balada, no trabalho, na igreja, fora da igreja, nas redes sociais... Nada era uma barreira. Aos vinte e poucos anos, Rick já tem uma longa lista de ex-namoradas e uma pensão alimentícia que ele vai ter de pagar até perder de vista, por um filho que gerou em um desses relacionamentos.

Na ansiedade de achar alguém, e por não conseguir ficar sozinho por muito tempo, ele literalmente falava com uma pessoa esta semana e com outra na próxima. Pouco a pouco, sua reputação negativa foi aumentando e arrumar uma pessoa séria tem sido cada vez mais difícil para ele.

Guarde isto:

Quanto mais você age pela ansiedade, mais longe o que você quer fica de você.

Pela ansiedade, você pode facilmente casar com a pessoa errada.

Felizmente há um antídoto para isso.

O contrário de ansiedade é calma, tranquilidade com boas doses de confiança e certeza de um resultado positivo. Resumindo em uma palavra: fé.

Fé em quê ou quem?

Em alguém que pode lhe garantir um resultado positivo. Jesus uma vez ensinou sobre ansiedade[4] e disse que para superá-la você tem de parar, observar e pensar.

Parar. Observar. Pensar.

Olhe para um campo ou floresta e se pergunte: Quem alimenta os animais e pássaros que vivem ali? Quem cuida daquelas plantas, flores e borboletas

[4] Mateus 6:25-34.

em seus mínimos e belíssimos detalhes? Quem é o jardineiro delas ou o que lança comida para eles?

A conclusão é que Alguém superior ao ser humano, com poderes infinitamente maiores e um zelo muito grande, cuida de tudo isso.

E a boa notícia? Esse Alguém é nosso Pai! E qual o pai que não sabe o que seu filho precisa? Qual a mãe que já não deixou de ter para si para dar ao filho? Será que esse Pai que cuida tão bem de plantas e animais não cuidará de Seus filhos?

Esta é a base da fé que anula e vence toda ansiedade do seu coração.

Se você está ansioso por qualquer razão, não somente em sua vida amorosa; se uma situação ou evento prestes a acontecer lhe traz medo; se há uma insegurança ou temor de que o pior, ao invés do melhor, pode acontecer com você...

Pare.

Observe. Pense. Eleve sua mente a Deus. Fale com Ele sobre seus temores. Conte para Ele o que o preocupa. Em seguida, cale-se. Ouça no seu íntimo uma calma confirmação de que Ele vai cuidar de você.

Então respire fundo e descanse.

Ele promete não falhar.

Apenas como exemplo: nesse momento, você está preocupado se o Sol irá nascer amanhã de manhã? Provavelmente não. Nem a pessoa mais ansiosa duvida disso. E por que não? Porque sabe que tem sido assim desde que Sol e Terra existem. Ou seja, você confia que Quem governa o curso do Sol e da Terra não falhará amanhã. Logo, você não tem ansiedade por isso. Note, portanto, que ansiedade é uma falta de confiança. Empreste um pouco desta confiança que você tem de que o Sol vai nascer amanhã, para sua vida amorosa. Acredite: ajudá-lo a resolver suas preocupações afetivas é infinitamente mais fácil para Deus do que manter a rota dos astros no Universo.

"SÓ EU QUE NÃO TENHO NAMORADO"

Uma coisa acontece em nossa adolescência e parece se repetir ao longo da vida até que finalmente encontremos o nosso grande amor: a sensação de que todo mundo é feliz no amor exceto nós mesmos.

Normalmente, a primeira vez que nos damos conta da possibilidade de ter alguém especial é na escola. Saímos do mundinho de nossa família, onde todo mundo é, além de chato e irritante, irmão ou irmã, primo ou outro parente — e entramos na escola. Ali encontramos centenas de outras crianças e jovens da nossa idade.

Não demora muito para começarmos a notar alguém que nos chama atenção. E assim, ao longo dos anos escolares, entre as pequenas distrações causadas pelos professores, seus livros e as matérias que eles insistem em querer nos ensinar, nós vamos cada vez mais fixando nossos olhos naquelas pessoas que são como colírio para eles. Sonhamos acordados, paqueramos com o olhar, nos arrumamos de manhã pensando naquela pessoa da 8ª série A (será que ela vai me notar hoje?) — ou algo assim. Vamos tentando de alguma forma lidar com esses sentimentos que não conseguimos desligar dentro de nós.

Quando vemos nossos colegas namorando, saindo com as pessoas mais interessantes da escola, marcando encontros pós-aula ou contando o que fizeram juntos naquela festa do último fim de semana, pensamos: "Será que só eu que não tenho ninguém para sair comigo?".

E não é muito diferente para quem continua solteiro na idade adulta. Parece que não importa para onde você olha, só há casais de mãos dadas, se abraçando ou caminhando lado a lado. Seu círculo de amigos solteiros vai ficando cada vez menor e chega a ficar tão pequeno que você quase pode usá-lo no dedo, como uma aliança... E a danada ansiedade fala alto: "Você tem que arrumar um namorado logo! Dê um jeito".

É nesse momento que você suspende o juízo, esquece de tudo o que já leu até aqui e dá mesmo um jeito. As condições, qualidades e defeitos já não importam. Se ele está esperando o julgamento por homicídio; se ela recusa dar detalhes do passado toda vez que você pergunta. Irrelevante. O que importa é que você finalmente vai poder dar uma satisfação a todos que o conhecem: "Estou namorando!". Não antes, é claro, de mudar seu status no Facebook para "em um relacionamento sério".

É claro que a ansiedade não deixa você ver as falhas e erros que comete. Você não vê que não é o único da escola, família, igreja ou empresa que não namora. Não dá importância às incompatibilidades na outra pessoa. Se ilude ao se envolver com alguém que ainda tem laços com outra. Decide fazer vistas grossas às falhas ou pontos questionáveis que o outro apresenta. E obviamente jamais admite que está começando esse relacionamento movido por uma ansiedade, um desejo de mostrar para os outros que também está namorando.

Namoro que começa pelas motivações erradas dificilmente dá certo.

É o que muitos que começam um relacionamento com uma pessoa que já é comprometida não entendem. A vontade de ter alguém é tanta que não importa se ele é casado.

— Mas ele é casado, amiga!

— Eu sei, mas ele me disse que não ama mais a esposa e que já estão praticamente separados...

A ansiedade não apenas cega suas vítimas, as emburrece, também. Gostar de alguém que já é comprometido (casado ou em um relacionamento) não é apenas um erro, mas também uma grande perda de tempo. Por que investir em alguém que já está envolvido com outra pessoa? Qual a lógica nisso?

Quem está casado não está no mercado. E quando você se envolve com alguém assim, você também se tira do mercado, e por razões tão chulas. Além de queimar o seu filme... Você sempre será conhecida como "a outra". Não se iluda, não há como sair ganhando dessa situação. Mesmo uma suposta "vitória" (ele deixa a esposa por você) seria ruim: você sempre ficará insegura com respeito à fidelidade dele. É estupidez. Não vale a pena. Fuja disso.

Quem dá bola para você enquanto está comprometido com outra pessoa não presta e não serve para você. Quer um namoro blindado? Não arrume um namorado que fecha com uma, mas continua aberto para outras.

ANSIEDADE DENTRO DO NAMORO

Uma pessoa ansiosa não apenas erra na escolha do namorado, mas também se comporta de forma inconveniente dentro de um relacionamento. Um desses comportamentos é o hábito de comparar. Em vez de apreciar o que há de positivo, a pessoa ansiosa fica comparando o seu relacionamento com o da amiga e seu namorado. Ela acha que os outros casais são sempre mais felizes, se divertem mais, conversam mais, são mais atenciosos... Aí começam as cobranças: "ele não me traz flores", "ele põe a mãe antes de mim", "a gente nunca tem dinheiro para nada", "eu queria que ele me levasse para aquele restaurante caro igual o namorado da minha amiga fez com ela"...

Entenda que o exterior dos relacionamentos das pessoas nem sempre reflete seu interior. Um casal jantando à luz de velas em um fino restaurante pode parecer, para uma namorada frustrada que os observa, um exemplo do romantismo que falta no seu namoro. Mas a verdade pode ser que aquele homem levou sua namorada ali para terminar o relacionamento naquela noite...

A ansiedade gera competição, dor de cotovelo, inveja, ciúme e outros sentimentos destrutivos. Em vez de se comparar com os outros, aprecie o que você tem e faça sua parte no relacionamento. Construam a história de vocês.

Uma antiga lenda conta como alguns habitantes de uma pequena aldeia se reuniram em círculo, cada um carregando uma sacola representando seus problemas e tristezas pessoais. Todos eles jogaram as sacolas no meio do círculo e foram instruídos que poderiam deixar a sua e pegar a de qualquer outra pessoa. Eles poderiam abrir mão de todos os seus problemas e tristezas e assumir os de outra pessoa. Depois de uma breve espiada no conteúdo de cada sacola alheia, cada um dos moradores decidiu pegar sua própria sacola de volta, e voltou para casa mais animado para enfrentar seus próprios problemas.

Se comparar com os outros e desejar o que os outros têm são maneiras certas de gerar ansiedade e infelicidade pessoal. Aprecie sua própria vida.

Valorize o que você tem. Esqueça a sacola do vizinho. Por mais bonita que seja por fora, você não sabe o que tem lá dentro.

A ansiedade nunca deixa você viver o agora. Você fica sempre entre a insatisfação com o ontem e a preocupação sobre o amanhã.

Isso é jeito de viver a vida?

Vai cair na prova!

A ansiedade "vem de um pensamento ruim que traz outros pensamentos ruins". Quais pensamentos ruins costumam se repetir em sua mente sobre si mesmo ou sua vida amorosa?

____

____

____

____

____

Como você pode combatê-los usando os cinco passos descritos neste capítulo?

____

____

____

Poste em nosso Facebook (fb.com/livronamoroblindado) ou em sua rede social preferida:

Ansiedade não tem lugar em um #namoroblindado.

PARTE 3

ACHANDO e SENDO ACHADO por "aquela" pessoa

CAPÍTULO 8

O MITO da pessoa certa

EU SEI QUE ESTA AFIRMAÇÃO vai explodir um conceito muito romântico mantido pela maioria das pessoas. Talvez algumas joguem fora este livro depois de lerem isto... Quem sabe até o picotem com a fúria de quem acabou de flagrar o parceiro aos beijos com outra pessoa. Então aqui vai:

Não existe pessoa certa para ninguém.

Pronto, falei. Essa ideia de que existe uma pessoa certa para você, que se encaixa direitinho como uma luva, a tampa da panela, a metade da laranja, sua alma gêmea e outros termos semelhantes é uma grande farsa. Você pode acreditar no mito, se quiser. Ou pode acreditar na verdade. E a verdade é que ninguém é feito sob medida para ninguém. E vou mais longe: não existe *apenas uma* pessoa nesse mundo capaz de satisfazê-lo afetivamente. Há mais que uma. Se você perde um amor, você pode sim encontrar um outro amor tão ou mais satisfatório do que o que perdeu. (Agora a cabeça de alguns deve ter começado a fundir...) E isso é um fato, não um mito.

Mas antes de descartar minha tese, raciocine comigo. Essa ideia de cara-metade não é plausível nem matematicamente, nem logicamente, nem espiritualmente.

Como já comentamos, matematicamente, os números não batem. Para todo solteiro ter sua "metade", precisaríamos de um número exato de homens e mulheres solteiras disponíveis. Nenhum país tem um número igual de homens e mulheres disponíveis para um relacionamento. Presumindo que a "outra metade" desses homens solteiros está entre as mulheres solteiras por aí em algum lugar, simplesmente não há par para todo mundo. Alguém vai acabar sozinho. Tipo dança das cadeiras.

Logicamente, tampouco faz sentido. Por exemplo, se uma jovem recém-casada perde o seu marido em um acidente e fica viúva, quer dizer que agora não adianta mais ela procurar ninguém para se casar no futuro porque a "pessoa certa", a única no mundo que a faria feliz, já morreu? Bastaria apenas uma viúva que era feliz com seu falecido e depois conseguiu casar novamente e ser feliz com outro homem para desbancar esse mito. Só eu, conheço vários viúvos e viúvas assim.

E espiritualmente, também não há base bíblica para isso. Se Eva era a "pessoa certa" para Adão, então Deus errou gravemente. Afinal, foi Ele quem a criou para Adão — e todos nós sabemos no que deu. O fato, porém, é que quando Deus falou em criar a mulher, a descreveu como "uma auxiliadora que seja adequada" para o homem. Note: adequada, não "certa". (Mais sobre isso daqui a pouco). E, mesmo sendo adequada, as escolhas dela trouxeram sérias dores de cabeça para os dois.

O trabalho de encontrar um parceiro é fruto de nossas escolhas. Permanecer casado e solucionar os problemas da vida a dois também é fruto de nossas escolhas.

O apóstolo Paulo, ao falar sobre a mulher cristã que ficou viúva, disse que ela "fica livre para casar *com quem quiser*, mas somente no Senhor"[1]. Quer dizer, não somente ela tem uma segunda chance de se casar, como também fica livre e responsável para fazer sua própria escolha, "com quem quiser" — desde que a pessoa seja da mesma fé. Onde fica então a ideia da única pessoa certa no mundo? E aquela fantasia de que Deus é quem escolhe a pessoa com quem você vai se casar?

A verdade é que nós somos responsáveis por nossas escolhas. O que Deus nos dá é a inteligência para identificar quem é adequado e quem não é para um relacionamento amoroso. E também institui regras que regem um relacionamento feliz. Quebre-as e não há pessoa certa nesse mundo que dará certo com você. A chave para um casamento feliz não é achar a pessoa certa; é fazer as coisas certas.

Faça o que é certo para achar uma pessoa adequada para você.

UM PRÍNCIPE QUE NÃO VAI AO BANHEIRO

Cristiane e eu cremos em Deus, mas um dia ela falou que queria se separar de mim. Se alma gêmea existe, eu não sou a da Cristiane nem ela a minha, pois, por 12 longos anos, havia muitas brechas e arestas em nossa relação exatamente porque nós não completávamos um ao outro perfeitamente. Nosso casamento estava indo para o brejo.

As coisas só mudaram quando entendemos que para nosso casamento funcionar, teria de ser com nossas próprias escolhas e esforços.

[1] 1 Coríntios 7.39

Muda isso, deixa de ser egoísta naquilo, reconhece que precisa mudar aqui, faz um esforço para ser diferente ali, usa a inteligência acima da emoção, busca a Deus, mas faz a sua parte também — foi assim, resumidamente, que tudo mudou.

E não foi algo que fizemos naquela altura, para resolver os problemas de então, e depois deixamos de fazer. Até hoje, todos os dias, nós continuamos trabalhando em nossa relação. Temos de prestar atenção um no outro. Temos de ser vigilantes com a cultura anticasamento ao nosso redor. E temos de manter nosso relacionamento com Deus em dia, pois disso vem a habilidade para praticarmos o que sabemos.

É assim que você vai se adequando à outra pessoa e ela a você. Por isso, uma das características mais importantes que você deve procurar em alguém para se casar é a flexibilidade da pessoa na convivência e também a inteligência de saber apreciar diferentes pontos de vista. Vou repetir isso pois é muito importante você gravar. Uma das características mais importantes que você deve procurar em alguém para se casar é:

> *A flexibilidade da pessoa na convivência e também a inteligência de saber apreciar diferentes pontos de vista.*

Somos muito abençoados pelo fato de termos essas duas qualidades em nós. Sem elas, não estaríamos mais juntos.

Ainda hoje, Cristiane e eu não somos "certos" um para o outro e nunca seremos. Se ela fosse "certa" para mim, ela comeria mais vegetais verdes; não se chatearia quando eu coloco uma ervilha no prato dela quando ela não está olhando, só para irritá-la; ela se divertiria comigo em algumas brincadeiras mais físicas, como rolar no chão, empurrá-la da cama e coisas do tipo (tudo isso eu já tentei, com resultados desastrosos, como você pode imaginar); ela desestressaria lendo um livro comigo ou estudando alguma coisa nova em vez de assistindo a um filme; e gostaria dos meus gostos musicais, alguns dos quais ela simplesmente despreza... Entre outras coisas.

Cristiane

E se o Renato fosse "certo" para mim, não apenas ele não gostaria dessas coisas, mas também não soltaria pum debaixo dos lençóis quando estamos na cama... Entre outras coisinhas.

Quem nunca o fez, que atire a primeira pedra! E deixe-me avisar as solteiras românticas que idealizam um príncipe que não vai nem ao banheiro que dirá soltar gases: em uma recente pesquisa[2], 9 de cada 10 homens casados admitiram, anonimamente, soltar pum debaixo dos lençóis. O estudo indicou que o décimo também solta, com uma diferença: tem a coragem, como eu, de admitir publicamente. Portanto, meninas, não se esqueçam de incluir uma máscara de gás no enxoval. (Sinto muito, não há blindagem contra isso.)

Não existe pessoa certa para ninguém. A ideia de que só há uma pessoa nesse mundo que se encaixará perfeitamente com outra é a razão por que muitos continuam solteiros e outros tantos infelizes no casamento. Veja se este diálogo lhe soa familiar:

— E aí, ainda está solteiro?

— Pois é, eu ainda não encontrei a pessoa certa.

Solteiros sonham com a pessoa que preencherá todos os requisitos na lista que idealizaram.

Casados que vivem com problemas no relacionamento batalham com a dúvida em suas mentes: "Será que me casei com a pessoa errada?".

Vida amorosa feliz, pura e simplesmente, é fruto de trabalho. Casamento feliz é possível sim, e muito bom, mas dá trabalho. Não é fruto do acaso. Não é automático. Não é consequência de sorte, nem de cupido, nem de achar a pessoa certa, nem de crer em Deus.

Quem acha que é fruto de sorte tem que primeiro crer na sorte. Quem crê na sorte, crê no azar. E como em qualquer jogo de azar, a chance de dar sorte é muito menor do que a de dar azar. A chance de perder na loteria é infinitamente maior do que a de ganhar. A chance de perder no dominó, no baralho, no bingo etc. — sempre é maior que a de ganhar. Você tem certeza de que quer basear sua vida amorosa na sorte?

Quem acha que casamento feliz depende de achar a pessoa certa realmente precisa de toda sorte do mundo.

E quem acha que crer em Deus é o suficiente para ser feliz no amor explique, por favor, tantos crentes divorciados ou vivendo em casamentos de fachada.

Cristiane

Não existe um parceiro ideal, porque todos temos falhas, defeitos e fraquezas. Então, se ficar procurando uma pessoa perfeita, nunca vai achar. O certo é saber se ajustar ao outro. Se você começa um relacionamento pelas razões certas, já entra sabendo que terá de fazer ajustes. Porém, se começa com o egoísmo, não irá aguentar a outra

[2] Não tenho a fonte, mas o fato é facilmente constatável em qualquer roda de amigos casados do sexo masculino.

pessoa. Você só vai pensar em você, nas suas necessidades. Por isso dá errado.

Quando entra em um relacionamento querendo fazer a outra pessoa feliz, você releva muita coisa. E não cria resistência à ideia de mudar para se adequar àquela pessoa – ideia que, hoje em dia, muita gente vê como um problemão. Muitos ficam com raiva quando falamos que têm que mudar. Não querem e insistem que o outro é que deveria mudar, o outro é que está errado. Esse ponto de vista é egoísta.

Quando amo, quando quero fazer o meu marido feliz, se eu sei que há certas atitudes minhas que prejudicam o nosso relacionamento, vou mudar o meu jeito. E isso não será um problema, porque se amo, vou fazê-lo. E ele fará a mesma coisa. Então a "pessoa certa" é esta: você não ser egoísta, querer realmente fazer a outra pessoa feliz. Aí sim, você tem o perfil para estar em um casamento.

Pessoa certa é fantasia, porque se você tivesse o poder de desenhar o parceiro ideal para você, dentro de três ou seis meses com certeza iria enjoar dele. Iria achar defeitos no parceiro que você mesmo desenhou. Isso porque você é falho e também porque o ser humano muda com o tempo, a idade, as circunstâncias e as experiências que passa na vida. Ninguém é estático. Logo, não existe parceiro perfeito. O que existe são pessoas reais, que evolvem, com qualidades e defeitos aos quais você tem de aprender a se adaptar. E é isso que chamamos de pessoa "adequada".

ADEQUADA, NÃO CERTA

Como mencionei anteriormente, quando Deus decidiu criar uma companheira para o homem, as palavras que usou para se referir a ela foram "auxiliadora" e "adequada"[3].

Uma coisa adequada é bem diferente de uma coisa certa. "Certo" exprime exatidão, algo que atinge a medida correta. Para entender a diferença entre certo e adequado, basta consultar o dicionário:

> *Adequado: (adjetivo) que é bom ou próprio para determinado efeito, lugar ou objetivo. Apropriado, conveniente. Adequar (verbo): modificar ou modificar-se para determinado uso o que estava feito para outro uso. Adaptar, moldar. Fazer ou sofrer adaptação ou ajustamento consoante a situação. Ajustar.*

---

[3] Gênesis 2.18 – Nas traduções mais antigas da Bíblia em português, a palavra usada é "idônea", que carrega o mesmo sentido de algo "adequado, apto para, próprio para, útil, conveniente, favorável".

Isso sim faz muito mais sentido e está bem mais próximo da realidade do que deve acontecer em um relacionamento. O melhor que podemos achar para um bom casamento é uma pessoa adequada e que nos ajude na longa caminhada da vida. E os críticos da fé em Deus ainda a julgam irracional e insensata. Mas eu vejo muito mais juízo e lógica no que Deus ensina do que nas mirabolantes invenções humanas, como a ideia da pessoa certa, por exemplo.

Veja outro exemplo. Como é um típico dia de casamento sonhado pela maioria dos noivos de hoje? Um gasto altíssimo para o grande dia, para eternizar o momento, render boas fotos e um bom vídeo. A igreja impecavelmente decorada com flores da entrada ao altar. Orquestra e cantores clássicos provendo os momentos musicais da cerimônia. O singular vestido da noiva, o terno do noivo, a dama de honra e o pajem, os trajes dos padrinhos... tudo em perfeita harmonia visual. As mesas para os convidados. O jantar de três pratos. O DJ animando a festa. O filme com a história romântica do casal. A limusine esperando na porta. A lua de mel em um lugar exótico.

É o sonho dos noivos, especialmente da noiva (desculpem, mulheres), de que casamento é aquilo que dizem os cartões que acompanham os presentes. "Vocês nasceram um para o outro." "Que todos os dias sejam cheios de amor, paz e harmonia." Tudo esbanjando romantismo.

A dura realidade, porém, pode começar já na primeira noite da lua de mel.

O que me intriga é que quase não se fala por aí dos dias difíceis do casamento. Casamento dá trabalho e haverá dias — semanas, meses, ou anos — de dificuldades. Você tem que saber disso de antemão, porque quem entra no casamento pensando nas historinhas da Disney vai acordar um dia ao lado de um sapo.

Pergunte a qualquer casal maduro, que hoje vive feliz e bem ajustado, se não tiveram seus anos de deserto. Cristiane e eu finalmente só nos ajustamos depois de 12 anos de casados! Fico pensando nos casais que desistiram nos primeiros cinco, sete, dez anos de casamento — ou que ainda estão casados, mas pensando no divórcio. Abandonaram o barco na primeira tempestade porque só esperavam brisa e dias de sol.

"Ele não me ama mais." "Ela não é mais a mesma." "Eu o amo, mas não sinto mais nada por ele." (Difícil de explicar este último, mas ouvimos isso demais.)

Mulheres, sabem aqueles votos que os casais trocam no altar quando dizem "na alegria e na tristeza"? O que vocês acham que "tristeza" quer dizer?

Homens, o que adianta zerar a conta bancária para alegrar a mulher no dia do casamento e depois investir zero de tempo e esforço nos anos a seguir?

Saiam do mito. Entrem na realidade. Casamento feliz existe, sim — para quem escolhe com inteligência e trabalha para construí-lo.

POR QUE OS CASAMENTOS FRACASSAM?

Por que muitos casamentos de hoje não têm dado certo?

Por várias razões. Temos visto que, principalmente, não têm dado certo porque em geral já começam errado. As pessoas têm começado o relacionamento por todas as razões erradas:

- Para sair da casa dos pais — por conflito ou busca de independência
- Para ter uma vida estável, estabilizada
- Para ser feliz
- Porque se apaixonou
- Porque engravidou
- Para fazer sexo

Enfim, as pessoas usam as razões erradas para se casar. Então, quando chega o convívio do dia a dia de um casamento, elas constatam que aquelas razões pelas quais se casaram não sustentam a relação. E por isso fracassam.

A pergunta que precisa ser feita é: enquanto uns fracassam, por que outros são bem-sucedidos?

Não é bom que um casamento comece mal. Ao começar errado, as chances de não dar certo são muito grandes.

Entre outras qualidades, casamentos bem-sucedidos costumam ser frutos de:

1. Decisões feitas com inteligência, não com emoção (ex: na escolha do parceiro, na hora das brigas etc.).
2. Empenho em cumprir a palavra de compromisso dada no dia dos votos de casamento (aquele velho princípio, "minha palavra é minha honra").
3. Fé em Deus e obediência aos Seus conselhos.
4. Paciência e tolerância com as falhas um do outro.
5. Ter padrões altos para si mesmo e para o parceiro.
6. Observação de certos limites em respeito ao parceiro (ex: não ter amizade íntima com pessoas do sexo oposto).
7. Esforço constante para agradar o outro.
8. Colocar o casamento acima dos egos.
9. Perseverar, por saber que os dias ruins passarão.
10. Adaptabilidade do casal, que é a capacidade de se adequarem um ao outro.

Note a ausência da palavra "amor" na lista acima. Não foi proposital, mas notei isso depois que escrevi. Sabe por quê? Porque amor é **praticar** essa lista. Não é *sentir* isso ou aquilo, mas sim *fazer* o certo e fazer o bem pelo seu cônjuge — mesmo quando não se sente vontade.

Da lista acima, o que está faltando você praticar?

Encontrar e ser uma pessoa adequada é o que você precisa para ter um relacionamento feliz.

SERVE?

Uma maneira bem simples de pensar sobre a pessoa adequada é responder à pergunta: "Ela me serve?". (É claro, servir no sentido de ser compatível, não de ser serviçal.)

Você deve se perguntar se aquela pessoa serve para você, e vice-versa.

Em nosso casamento nós não somos perfeitos um para o outro, mas servimos um para o outro muito bem. Por exemplo, a Cristiane tem uma personalidade mais impulsiva, de fazer as coisas na hora, quando lhe vêm à cabeça. Eu já sou mais pensativo, cauteloso, penso sempre nas consequências antes de agir. São qualidades diferentes, com seus prós e contras, mas bem complementares. Ela serve bem para mim, pois a personalidade dela me impulsiona a agir e a minha a ajuda a ser mais cautelosa e menos inconsequente. Somos adequados um para o outro.

Imagine se nós dois fôssemos impulsivos ou cautelosos... Ou se não fôssemos flexíveis em nossa maneira de ser. Importariam outros fatores como sentimentos, beleza, objetivos ou atração?

Não importa se você gosta muito da pessoa, se a acha bonita, se ela tem muitas qualidades. O que importa, realmente, é: ela lhe serve? E você, serve para ela?

Para entender melhor a importância de servir, considere as roupas e outros acessórios que você tem no seu guarda-roupa. Você provavelmente tem muitas peças de roupa — dezenas, senão centenas. Vários pares de sapatos, cintos, acessórios etc. Agora, observe quais você realmente usa.

Você provavelmente tem lá uma roupa ou um sapato que você gosta muito por sua beleza, qualidade, custo ou até pelo que aquele item representa para você sentimentalmente. Mas, infelizmente, ele não lhe serve mais. Você mudou de peso, aquilo saiu de moda ou você simplesmente não tem outras peças para usar com ele. Se perceber bem, a maior parte do seu guarda-roupa se encaixa nesse critério.

Por outro lado, você tem aquele par de sapatos muito fiel, que você usa quase todos os dias e torce para que ele não acabe... É tão confortável, vai com qualquer roupa... E aquela camiseta velha que você usa para dormir? Aquela que já tem um furinho de tão velha, mas você se recusa a jogar fora porque é tão gostosa?

As coisas que nos servem, nós usamos, usamos e usamos sempre e nunca jogamos fora. Assim é no relacionamento também.

Chega uma hora na relação que a beleza perde o seu apelo[4]. O dinheiro tem valor limitado. A profissão da pessoa se torna apenas algo que ela faz. As viagens cansam, os passeios enjoam... Quer dizer, como uma roupa que tem um brilho momentâneo, certas coisas no relacionamento também são passageiras e não sustentam o amor.

O que fica realmente são aquelas coisas que nosso parceiro nos proporciona que precisamos e desfrutamos diariamente. Coisas como paz, atenção, compreensão, auxílio, amizade, apoio, respeito, alegria, cuidado... e outras que nunca ficam velhas, saem de moda ou nos cansam.

São estas qualidades que uma pessoa adequada proporcionará a você e que você também deve desenvolver para oferecer a ela. A pessoa adequada a você nunca, intencionalmente, o ferirá nem tentará mudá-lo em alguém que você não é.

Portanto, esqueça a pessoa certa pois ela nunca existiu. Aprenda a ser e buscar a pessoa adequada.

ME AJUDA?

A outra palavra que qualifica uma pessoa para ser uma boa companhia para o resto da vida é "auxiliadora". Não basta servir, ser adequada para você. Tem de lhe ser útil também.

A princípio, isso parece um tanto egoísta. Mas uma breve consideração mostrará que não. Até porque estamos tratando de uma via de mão dupla aqui — você também precisa ser útil ao seu parceiro. Logo, os dois ganham.

Um parceiro para toda a vida precisa ser útil. Senão, considere o oposto. Você gostaria de ficar ao lado de alguém que o atrapalhasse?

Quem um dia sonhou em se casar com uma mala pesada e carregá-la até que a morte os separe?

É claro que por um amor verdadeiro, uma pessoa é capaz de continuar com o parceiro mesmo que este não tenha ou perca a habilidade de lhe ser útil de alguma forma. Por exemplo, alguém que tem uma deficiência física não poderá ser útil ao parceiro no que tange àquela deficiência. Talvez, para quem olha de fora, se torne até um fardo. Mas mesmo assim, à sua maneira, aquela pessoa ainda oferece algo para o parceiro que lhe é útil e compensa o que falta. É o caso do marido de Theresa.

---

[4] Considere: o vigor da beleza física de uma pessoa pode durar de 15 a 20 anos, dependendo de quão bons são os genes dela. Digamos que ela dure dos 20 aos 40 anos de idade, com seu auge ali no meio. E depois? E quando você encontrar alguém mais bonito? Por outro lado, encontre uma mente bonita e ela só vai melhorar com o tempo.

Nós conhecemos Theresa quando moramos em Londres. Ela é casada com John há 19 anos. O amor deles começou na adolescência, mas foi interrompido por caminhos profissionais diferentes. Somente duas décadas depois se reencontraram e se casaram. No terceiro ano de casamento, John sofreu um AVC e perdeu todas suas funções motoras. Ficou confinado a uma cadeira de rodas. Não fala, não movimenta nenhuma parte do corpo, exceto os olhos.

Quem olha para Theresa não imagina o que ela já passou e tem feito por seu marido desde então. Ela o alimenta, lhe dá banho, lê livros em voz alta para ele, o empurra em sua cadeira de rodas para todo lugar — hospital, parque, igreja (não falta a nenhum compromisso)... E faz tudo com um sorriso, como se fosse a esposa mais feliz do mundo.

Eu perguntei para ela: "O que você ganha com isso, por tudo o que faz por seu marido, já que ele não pode lhe retribuir nada?".

"A paz e a alegria de saber que eu estou fazendo a coisa certa por meu melhor amigo", ela respondeu.

Pausa.

Há muito para digerir nessa resposta.

Nos três primeiros anos que eles passaram juntos antes do seu AVC, John deixou uma marca de amor muito profunda em Theresa: sua amizade. Hoje, apesar de não poder se expressar, nem fazer nada por ela, John continua dando a sua esposa, além das boas memórias, *paz e alegria* — dois ingredientes extremamente importantes do amor. E isso através de sua simples existência.

Quantos namorados e maridos de corpos e mentes perfeitos não proporcionam estas duas coisas às suas parceiras?

Um dos papéis principais do cônjuge em um casamento é auxiliar o parceiro, ajudá-lo a se tornar uma pessoa melhor, trazer para fora o que há de melhor nele. A esposa ajudará o marido a alcançar coisas que ele nunca sonhou ser capaz. O marido ajudará sua esposa a se desenvolver de modo que ela se sentirá como a flor mais linda que desabrochou no jardim.

Infelizmente, muitos que se juntam por "amor" não têm ajudado um ao outro, e pior: têm atrapalhado. Quando você se casa, o esperado é que você cresça, que melhore em todos os sentidos. Seu cônjuge tem de lhe fazer bem — e você a ele.

Quando alguém entra no casamento pensando em se servir da outra pessoa, não em servi-la, logo vêm as cobranças. "Você não faz isso para mim." "Você não se importa com o que eu quero, só com o que você quer." "Se você não me atende aqui dentro eu vou buscar lá fora." "Você não me ajuda."

Você isso, você aquilo. O foco está no receber, não no dar. Em ser servido ao invés de servir. Uma disputa de egoísmos.

É claro que queremos receber também, não apenas dar. E à primeira vista, parece lógico que, para receber, precisamos pedir. Porém, na lógica do Autor do Amor, dar é pedir.

Quando eu dou a alguém, aquela pessoa fica endividada comigo. Quanto mais eu dou, maior a dívida. E não há um ser humano que goste de ficar endividado — muito menos de ser cobrado. Portanto:

O caminho para receber é dar e não cobrar.

Dar, porque é nosso papel, nossa responsabilidade. Dar, porque cremos na lei do dar e receber. Dar, porque queremos ser úteis.

Cristiane e eu tivemos essa experiência. No início do nosso casamento, as expectativas dela para comigo eram grandes. E eu nunca as alcançava. Daí ela fazia o que parecia lógico: me cobrava. E eu justificava que já estava fazendo mais do que o suficiente e a acusava de reclamar de barriga cheia. Não funcionou. Apenas nos trouxe frustração.

Então ela mudou de tática. Decidiu parar de cobrar e começou a dar. Não demorou muito e uma competição sadia começou entre nós.

Eu passei a querer lhe agradar, fazer os gostos dela porque ela estava fazendo os meus. Quer dizer, finalmente entendemos o que é o casamento.

Já você, lendo isto, não precisa cometer esse erro e só lá na frente, depois de muitas frustrações, descobrir que casamento é uma *parceria de ajuda mútua*. Você pode se preparar a partir de agora para se tornar uma pessoa auxiliadora e também aprender a identificar se o seu pretendente possui essa característica.

O que é ser útil a alguém? Como ser um auxiliador?

Algumas definições do verbo ajudar:

> *Contribuir para que alguém faça alguma coisa, facilitando ou lhe dando condições para alcançar seu objetivo com sucesso; fazer uma situação melhor, mais fácil ou menos dolorosa.*

Eu compilei uma lista de sinônimos desta palavra tão rica em significado e, ao lado dela, o seu oposto. Uma pessoa auxiliadora pode ser descrita desta forma.

Como você avaliaria a si mesmo e ao seu parceiro olhando para esta lista? (Leia a primeira coluna inteira, depois a segunda.)

Sinônimos de ajudar	Contrário de ajudar
- auxiliar	- impedir
- dar assistência	- resistir
- servir	- deter
- remediar	- dissuadir
- aliviar	- frustrar
- ser útil	- se fazer inútil
- promover	- obstruir
- mudar para melhor	- amarrar
- prevenir	- opor
- servir com alimento ou bebida	- barrar
- ser uma fonte de auxílio	- bloquear
- melhorar	- chatear
- consertar	- limitar
- dar apoio	- parar
- fazer algo por	- atrapalhar
- atender a	- criar problemas
- fazer algo que beneficia	- ser inconveniente
- confortar	- colocar em desvantagem
- levantar	- desagradar
- resgatar	- causar contratempo
- dar uma mão	- causar perda
- contribuir com força ou meios	- ser um obstáculo
- trazer suprimentos	- restringir
- sustentar	- agravar
- animar	- debilitar
- torcer por	- piorar
- estar ao lado de	- desanimar
- trabalhar para	- não cooperar
- facilitar	- não apoiar
- cooperar	- atrasar
- aliviar o fardo	- ir contra
- motivar	- causar estresse
	- desviar do caminho
	- enfraquecer
	- não deixar crescer

Resista à tentação de dar uma passada de olhos rápida nesta lista. Leia cada palavra com atenção, primeiro pensando em você e, depois, se já tem um parceiro, pensando nele. Se as atitudes ou comportamentos na lista da direita se assemelham aos seus ou aos de seu parceiro, pare tudo! Vocês não estão habilitados para um relacionamento.

Primeiro, foquem em se tornar pessoas *adequadas* e adquirir um caráter de *auxiliador*. Sem essas duas qualidades, nenhuma quantidade de sentimento afetivo será suficiente para manter o relacionamento de vocês.

Use a lista para eliminar atitudes impróprias e adotar um comportamento útil. Mesmo fora de um relacionamento você pode praticar isso com as pessoas mais próximas a você — familiares, amigos e colegas.

Esperamos que você tenha entendido de uma vez por todas que não existe pessoa certa para ninguém. A partir de agora, não vamos mais usar este termo aqui, mas sim "pessoa adequada". E da próxima vez que você ouvir alguém dizer que está esperando ou buscando "a pessoa certa", se puder, procure educá-la a respeito. Empreste este livro para ela ou a presenteie com um exemplar. Você poderá poupá-la de muitas frustrações.

Infelizmente, o mito da pessoa certa não é o único que tem atrapalhado as pessoas em seus relacionamentos. Vamos então revelar e desbancar mais alguns. Aperte os cintos!

Vai cair na prova!

Usando a lista de sinônimos e antônimos de "ajuda", pronuncie cada definição em voz alta (ok, se você estiver em um lugar público, melhor não; você não quer ninguém olhando estranho para você...) usando "eu" à frente, seguido do verbo inicial na definição. Por exemplo:

Eu auxilio	Eu impeço
Eu dou assistência	Eu resisto
Eu sirvo	Eu detenho
Etc.	Etc.

Depois, repita o exercício, mas substitua o "eu" pelo nome do seu parceiro na frente de cada definição.

Quais soam verdadeiros e quais soam falsos? Por exemplo, "meu namorado me dá apoio" soa verdadeiro ou falso? "Eu sou inconveniente" descreve muitos de seus comportamentos no namoro? Faça o teste e descubra.

Poste em nosso Facebook (fb.com/livronamoroblindado) ou em sua rede social preferida:

Aprendi que não existe pessoa certa em um #namoroblindado, e sim pessoa adequada.

CAPÍTULO 9

27 MITOS que impedem a felicidade no amor

Cristiane

Antes de me casar, eu tinha uma ambição positiva de fazer a diferença como mulher. Queria ser diferente, não uma "Maria vai com as outras". Porém, assim que me casei, uma mulher mais experiente me disse que, como esposa, eu tinha de ser para o Renato como o apoio de um porta-retratos. Quem tinha de aparecer e brilhar era ele, não eu. Algo mais ou menos assim:

Dá para me ver ali atrás? Pois é, foi assim que passei a me sentir. Praticamente invisível. A ideia era que meu único papel no casamento era o de servir ao meu marido, no sentido de serviçal mesmo, e só assim eu estaria servindo a Deus.

Essa crença, juntamente com minhas inseguranças durante os primeiros 12 anos de casada, acabou com todas as minhas ambições de fazer a diferença. Passei a ver o Renato como o sol do meu planeta, a enxergar nele todos os seus erros e apontá-los, como se minha única função na vida fosse melhorar o meu marido. Eu me tornei uma "perfeita" dona de casa, já que a razão da minha existência era servir o Renato.

E foi assim que fui me apagando, me anulando, aos pouquinhos. De repente, já não era mais aquela jovem cheia de sonhos, que se casou com o seu primeiro namorado, e sim a esposa chatinha, que perdeu toda sua personalidade para ficar nos bastidores.

E que bastidores... Eu me sentia só, desvalorizada e cada vez mais incapaz. Enquanto o Renato crescia, eu desaparecia em sua sombra.

Isso gerou a maioria dos nossos problemas. Eu me tornei uma pessoa extremamente sentimental e ciumenta, achando que o Renato poderia me trocar a qualquer momento. Bastaria uma mulher mais bonita e interessante do que eu aparecer. E essa falta de autoconfiança me tornava desagradável e, por vezes, até feia. Meu marido não me procurava para trocar ideias, não se importava com minha opinião e, muitas vezes, eu me sentia uma inútil, um zero à esquerda, e isso me corroía por dentro.

Até que, aos 12 anos de casada, meu pai me disse: *"Minha filha, homem nenhum gosta de mulher que fica mendigando amor. Você não precisa disso! Por que você não vai ajudar as mulheres na igreja? Use o seu tempo para ser útil a Deus"*.

As palavras dele iam exatamente contra o que eu havia crido até então! Eu me lembro que pensei: *como assim, eu posso servir a Deus? Eu, Cristiane?*

Eu já havia tentado mudar a minha forma ciumenta e carente de ser milhões de vezes, mas toda vez era a mesma coisa. O esforço era enorme. Porém, passava uma semana e tudo voltava ao que era antes. Eu simplesmente não conseguia mudar o meu jeito... até esse dia – o dia em que a minha crença mudou e entendi que poderia estar *ao lado* do meu marido.

Mudei de pensamento, mudei de vida. E o meu casamento também mudou.

Assim também vai acontecer com você, quando deixar de acreditar em mitos e ideias erradas que levam a comportamentos errados. Vivemos o que pensamos e a nossa vida acaba sendo um produto da nossa mente. Se crê que nunca vai ser feliz no amor, você nunca será, mesmo com todas as oportunidades de ser. Você vai manipular essas oportunidades para que esse mito se torne uma realidade em sua vida. Esse é o poder assustador de um mito. Portanto, prepare-se para mudar suas crenças.

OS MITOS

Mito é algo que não existe, mas é considerado real por muitos. O apelo de um mito está em sua aparência de verdade e bom senso. Por isso, muitos acreditam nele. Mitos que afetam a vida amorosa se alastram na sociedade de tal forma que se tornam crenças comuns, tidas como verdadeiras, prejudicando pessoas e relacionamentos.

Se fôssemos escrever sobre todos os mitos que existem, esse capítulo se tornaria um livro só sobre o assunto. Mas, a seguir, vamos desbancar 27 dos mais comuns.

1. "Homem é tudo igual"

Também vale para "mulher é tudo igual". Promovido por pessoas que se decepcionaram com o sexo oposto e decidiram que podem definir todo o gênero masculino ou feminino baseadas em apenas dois ou três de seus representantes. Cuidado com estereótipos. A verdade é que ninguém é igual a ninguém. Quando uma mulher pensa que todo homem é igual, ela começa a tratar todos da mesma forma, com desconfiança. Trate cada pessoa da maneira que ela merece. Há mulheres e homens ruins e também há os bons. Saiba distingui-los.

2. "Deus vai me trazer a pessoa certa, na hora certa"

A primeira e última vez que Deus trouxe um parceiro para alguém foi no Jardim do Éden — mas isso porque até então não havia ninguém para Adão procurar! A ideia de que Deus tem algum tipo de agência de relacionamentos e está despachando a "pessoa certa" para cada solteiro não tem nenhum fundamento bíblico. Deus nunca prometeu isso. Ao contrário, Ele nos ensinou a procurar: "Aquele que encontra uma esposa, acha o bem, e alcança a benção do Senhor"[1]. Só quem procura encontra. Portanto, não será trazido até você. Você tem que ser proativo. Muitas mulheres cristãs têm se baseado nesse mito e ficado para titias. O que percebemos por trás desse mito é que seus seguidores, na verdade, não querem o trabalho de procurar alguém ou correr os riscos inerentes do processo de achar uma pessoa. Por isso, preferem se apoiar em uma falsa espiritualidade e cruzar os braços. Deveriam também encontrar uma poltrona bem confortável para sentar enquanto esperam.

3. "Ainda não encontrei a minha alma gêmea"

Exploramos esse mito mais profundamente no capítulo anterior, mas para arrematar, vale aqui uma informação extra para quem não sabia. O mito da alma gêmea veio da mitologia grega, que diz que o ser humano foi criado com quatro braços, quatro pernas e uma cabeça com duas faces. Mas Zeus, o maioral deus grego, dividiu os seres humanos ao meio como punição por quererem tomar o lugar dos deuses. (Como sobrevivemos depois de tão traumática operação, não nos contaram. Fico só imaginando a hemorragia...

[1] Provérbios 18:22

Mas o negócio foi tão perfeito que nem cicatriz ficou. Esses deuses gregos são bons mesmo!) E então, os pobres coitados foram condenados a passar o resto de suas vidas procurando sua "outra metade" — e não seriam completos até que a achassem. Ridículo? Pois é, mas esse mito está profundamente enraizado em nossa cultura, sempre presente nos filmes, novelas, músicas e romances. Muita gente o leva a sério, começa e termina relacionamentos baseado nele.

4. "O importante é ser feliz"

Esse é o lema dos que não entendem nada de felicidade ou só de felicidade temporária. Sinônimo de "não estou nem aí para os outros nem para o futuro, só quero saber de mim e do agora, mesmo suspeitando que amanhã provavelmente me arrependerei da besteira que estou fazendo hoje"; também "sou infeliz, mas de repente se eu falar que o importante é ser feliz vou convencer a mim e aos outros que não". Esse mito virou moda entre as celebridades e o público em geral para justificar suas atitudes não convencionais. É mito, porque há muitas coisas mais importantes na vida do que ser feliz sempre (como se isso fosse possível) ou mesmo em um dado momento. Se o importante é ser feliz, por que vamos trabalhar ou estudar em vez de passear? Por que não damos um merecido tapa na cara de alguém em vez de deixar para lá? Por que não comemos bolo de chocolate pela manhã, tarde e noite? É óbvio que se formos fazer sempre o que nos faz feliz, as consequências serão desastrosas — especialmente no relacionamento.

Muitas pessoas acabam traindo seus cônjuges, largando seus filhos, destruindo famílias e gerando ódio porque dizem querer "ser feliz" — como se a felicidade pessoal lhes desse o direito de destruir a felicidade dos outros. Ninguém consegue ser feliz fazendo o próximo infeliz.

A verdade é que para sermos felizes temos de fazer coisas por vezes difíceis, repetitivas, entediantes para então desfrutarmos dos bons resultados delas. Negar a si mesmo, por exemplo, raramente traz felicidade, mas é imprescindível para ter um relacionamento feliz. O que produz felicidade não é fazer o que você sente, mas sim fazer o que é certo. Isso sim é importante.

5. "Quero me casar para ser feliz"

Uma variante deste mito é: "Quero me casar com alguém que me complete". Para um casamento ir bem, marido e mulher têm de ser pessoas completas como indivíduos antes de se casarem. Duas pessoas completas, separadamente, fazem um casamento feliz. O contrário também é verdade: se uma pessoa (ou ambas) for incompleta, o casamento costuma ter sérios problemas.

Se você já não é feliz antes de casar, provavelmente não será depois. Se não é completo antes do casamento, continuará incompleto depois. Portanto, se é assim, e ainda solteiro, não se meta em casamento.

Ao chegar no casamento, devemos ser pessoas equilibradas e felizes o suficiente para podermos compartilhar coisas boas com nosso parceiro. Se você se casar para resolver seus problemas, possivelmente estará colocando um fardo demasiadamente pesado para seu parceiro carregar. E fará da vida dele (e da sua) uma tortura.

Infelizmente, é isso que muita gente faz. Por isso temos tantos casais por aí em que um parceiro tem de carregar o outro, engolir sapos, sofrer humilhações, dar uma de psicólogo para resolver os traumas, tolerar os vícios do outro... enfim, vir atrás do parceiro como aquele dono que vai atrás do cachorro limpando o cocô que ele vai deixando. Casamento não é fábrica de felicidade nem oficina de consertar pessoas infelizes.

6. "É bom morar junto antes de casar para ver se o casamento vai dar certo"

Se você começa uma coisa para testar e ver se vai dar certo é porque há dúvida. E, se há dúvida, provavelmente vai dar errado, porque há reservas. Esse mito já foi desbancado por vários estudos feitos por universidades e institutos de pesquisa renomados ao redor do mundo. A proposta do mito é que morar junto ajudaria os namorados a descobrir se eles se dão bem e, assim, detectar qualquer problema de convivência antes, e não depois, do casamento. Mas a realidade mostra que casais que vivem juntos antes de casar são mais propensos a ver seus casamentos terminarem em divórcio. Na prática, esse arranjo conjugal gera inúmeros problemas relacionados ao desencontro de expectativas do casal. Enquanto a mulher passa a olhar para o companheiro como se fosse seu marido, e esperar dele que se comporte como tal, o homem continua olhando para ela apenas como uma namorada — mas com benefícios: ela limpa, lava, passa, cozinha, divide as contas e está disponível para sexo quando ele quiser. Quer coisa melhor? Que incentivo ele tem para casar?

A verdade é que relacionamentos que respeitam os estágios do conhecimento e intimidade — amizade, namoro, noivado e casamento — costumam ser mais duradouros e felizes. Uma das razões é porque eles são conduzidos de forma planejada e racional, em vez de impulsiva e sem compromisso. Nos aprofundaremos mais nesse assunto no capítulo 19.

7. "Precisamos fazer um test-drive"

"Como vamos saber se vamos nos dar bem na cama?" Esta é a justificativa para o rapaz pedir um test-drive à sua namorada. Só pelo fato de ele colocar o sexo como condição para continuar o relacionamento com a jovem já mostra que ele não está comprometido com ela, apenas quer o seu corpo. A jovem que se valoriza, se garante na cama e fora dela. Logo, não precisa que ninguém lhe faça um test-drive.

8. "Quem manda em casa é o homem"

Essa ideia machista, muito antiga, faz muitos maridos maltratarem e anularem suas esposas por medo de serem mandados por elas. O resultado tem sido bem visível: em um extremo, mulheres anuladas; e no outro, mulheres que se tornaram ariscas e até agressivas para nunca dependerem de homem algum. Em um casamento ninguém deve "mandar". O que deve haver é uma parceria onde o que é melhor em um assunto lidera, enquanto o outro o apoia — e os dois priorizam o que é melhor para os dois.

9. "Que seja eterno enquanto dure"

A mensagem é que um dia o amor vai acabar, que não existe mais casamento para a vida toda. Se você pensa que algo não funciona mais, você vai desistir de tentar fazê-lo funcionar. Esse é o maior problema com esse mito. As pessoas tratam o casamento como algo temporário, com data de validade. Quando acabar o encanto, é só divorciar. O que determina a duração de um casamento é o que o casal faz, não o tempo.

10. "Estar casado por muito tempo é um tédio"

Outro mito que leva as pessoas a parar de trabalhar no casamento. Elas associam, erroneamente, tempo de casado a tédio. A verdade é que tédio não está ligado ao tempo de casado, mas sim aos comportamentos do casal. Um namoro de duas semanas pode virar um tédio se o casal mantiver comportamentos entediantes quando estão juntos. Todo relacionamento, cedo ou tarde, pode cair na rotina e cabe ao casal trabalhar para que essa rotina não se torne um tédio.

11. "Todo homem vê pornografia"

Mentira. Apesar da Internet ter facilitado o acesso à pornografia, nem todo homem vê — e muitos dos que já viram estão despertando para o fato de quão prejudicial ela é para o seu desempenho sexual. Homens inteligentes estão abandonando a pornografia. E não se esqueça da regra de ouro: a quantidade de pessoas que praticam alguma coisa não torna aquela coisa certa ou boa para todos. Se a maioria dos funcionários na empresa em que você trabalha rouba, isso não torna certo roubar. Mais sobre a pornografia adiante.

12. "Casamento é só um pedaço de papel"

Se é só um pedaço de papel, então por que a pessoa não quer assinar? Por que faz tanta questão? A verdade é que, no fundo, a pessoa sabe que é muito mais do que um pedaço de papel. É um ato de alguém que não tem medo de assumir um compromisso com outra pessoa. Não tem medo porque tem toda a intenção de cumprir sua palavra. Se você não está preparado para assumir um compromisso com a pessoa que ama diante dela, de seus parentes e amigos, e diante da lei, como estará preparado para enfrentar as horas difíceis que todo o casal passa e continuar juntos? O engraçado é que ninguém reclama de assinar contrato com a empresa de celular, com o patrão, com o provedor de seguro de saúde etc. É claro que uma certidão de casamento não garante a durabilidade de uma união. Mas tampouco a diminui, ao contrário, contribui para seu fortalecimento.

13. "Eu não mando no meu coração"

Todo ser humano consegue mandar no coração porque todo ser humano pode usar o raciocínio; ao contrário dos animais, que só podem usar seus instintos. Se você não manda no seu coração, talvez o seu lugar seja em um zoológico, com direito a plaquinha na jaula para alertar os visitantes: "Perigo! Não alimente os sentimentos deste animal. Ele não manda no seu coração".

14. "Antes só do que mal acompanhado"

A falha de raciocínio aqui está na apresentação de apenas duas opções como se fossem as únicas: ou você está só ou está mal acompanhado. Espere aí... que tal nem uma nem outra — nem só nem mal acompanhado? Que tal uma terceira opção: bem acompanhado? Por causa desse mito, muitas pessoas têm vivido na solidão por medo de ser mal acompanhadas. O medo não as deixa raciocinar, buscar oportunidades, abrir os olhos para encontrar uma pessoa cuja companhia acrescente em sua vida.

15. "Não case antes de ter uma carreira e bastante dinheiro"

Por que não? Quem disse que você não pode ser feliz no amor enquanto estiver estudando ou que não é possível crescer juntos financeiramente? Esse mito tem feito muitas mulheres deixarem a vida amorosa para depois, em nome de priorizar a independência financeira. Quando finalmente a alcançam, a uma certa idade, olham para os lados e a maioria dos homens de sua idade não está mais disponível. Eles já estão casados ou querendo as mais novas. A realidade é que homens e mulheres estão se casando cada vez mais tarde. Com certeza, uma das principais causas disso é a crença neste mito.

16. "Depois que a gente se casar, ele(a) vai mudar"

Não, ele não vai ser mais carinhoso ou deixar de mentir só porque casou com você. Ela não vai ser uma mulher mais amável ou menos imprevisível depois de se tornar esposa. As pessoas não mudam em virtude do casamento. Elas só mudam quando querem mudar. Se há algo sobre o caráter dele que é inaceitável, ele precisa consertar isso antes de se casar com você, pois depois terá pouco incentivo para fazê-lo. Normalmente, o que já é ruim durante o namoro, piora depois do casamento.

17. "Engravidou, agora tem que casar"

Na teoria sim, mas na prática a emenda pode ficar pior que o soneto. Com tanta gente fazendo sexo irresponsavelmente, a gravidez não planejada é uma das consequências que pode não resultar no início de uma família. A decisão de casar deve levar em consideração muito mais do que uma gravidez. Nem todo homem que tem a capacidade de engravidar uma mulher tem condições de ser pai e marido. E nem toda mulher que engravida tem condições de ser mãe e esposa. Não é por acaso que muitas crianças são criadas por seus avós. Uma tragédia social, sim, mas casamento automático por razões de gravidez pode ser ainda mais trágico para todos os envolvidos. As considerações certas precisam ser feitas e bem pesadas antes de agir.

18. "Um filho irá nos unir para sempre"

Este mito é cria do anterior. Na crença de que o namorado ou marido irá se ajuizar, casar e formar uma família com a chegada de um filho, muitas mulheres partem para a gravidez como meio de garantir a relação. Basta dizer que se esse mito fosse verdade, não haveria mães solteiras por aí. Estudos também mostram que a chegada de um filho traz maiores desafios para um casal. Se eles estiverem despreparados e a relação conturbada, um filho apenas trará mais desunião.

19. "Sexo é apenas um ato físico"

Assim dizem os proponentes da "amizade colorida", um relacionamento entre dois amigos que mantêm relações sexuais sem compromisso de namoro. Promovem a ideia de que sexo é apenas uma necessidade fisiológica, nada mais que isso. Nenhum sentimento, nenhuma conexão. Apenas sexo. Lavou, está pronto para usar de novo. Os maiores aliados desse mito, como de muitos outros, são os filmes, seriados e novelas. Não são neles que você vê os personagens indo para a cama logo no primeiro encontro ou transando um com o outro como se fossem tomar um cafezinho? Esse mito serve para muitos como desculpa para fazer sexo à *la volonté* sem as complicações de um relacionamento amoroso. Depois de uma visão tão banalizada da coisa, quando essas pessoas se casam, elas não valorizam o sexo, pois não conseguem associá-lo à intimidade. Sexo, na verdade, é uma troca física, emocional, psicológica, espiritual e de compromisso. Pensar em sexo como um ato apenas físico é como pensar em comida apenas como ração. (Qualquer semelhança com os animais talvez não seja mera coincidência.)

20. "Siga o seu coração"

E se dê mal, invariavelmente. Se você quer parar de errar, especialmente no amor, pare de ouvir seu coração. O coração é a voz dos seu sentimentos e emoções. É ele o grande responsável pela maioria dos casamentos fracassados e outras decepções amorosas. A maioria das pessoas que temos aconselhado, cujas vidas hoje estão destroçadas, começaram simplesmente fazendo o que "sentiam no coração". Não seja tolo. Siga sua cabeça, que foi feita para pensar, avaliar e decidir. É ela que você usa para as outras áreas de sua vida. Por que em uma área tão importante, sua vida amorosa, você não a usaria?

21. "O amor supera tudo"

Em contos de fadas, sim. Na realidade, o amor não pode superar a determinação de uma pessoa em persistir no erro. Se vocês se amam, mas insistem em fazer o que é mau para o relacionamento, a união de vocês não vai resistir. O crescente índice de divórcios está aí para provar isso. É preciso mais do que amor para superar problemas e manter uma relação. Inteligência, bom senso, humildade, sacrifício, autonegação e outras virtudes também são necessárias, além de boas habilidades para resolver problemas inerentes à vida a dois.

22. "O verdadeiro amor é incondicional"

Amor incondicional é um mito porque confunde amor com relacionamento. Pode haver amor sem condições de relacionamento? Pense. Meu amor pela Cristiane exige condições como fidelidade, respeito e honestidade entre nós. Eu não vejo como poderíamos ter um relacionamento sem estas e outras condições básicas — se ela me traísse, humilhasse ou mentisse o tempo todo para mim. Nem Deus mantém um relacionamento incondicional com ninguém. Ao contrário, a Bíblia está cheia de condições para que tenhamos um relacionamento com Ele. Não é esta a razão por que a maioria não tem um relacionamento com Deus, porque não quer cumprir as condições? "Meu amor por você é incondicional" soa muito romântico, mas é uma utopia. Não funciona assim. Você pode até amar alguém, mas um relacionamento com ele seria impossível exatamente por falta de condições.

23. "Quem é bom já está casado"

Esse é um mito que corre entre os solteiros desesperançados de encontrar um amor. Diz que não há mais quase ninguém solteiro, que a maioria das pessoas "boas para casamento" já está casada. A verdade é bem diferente. Segundo o IBGE/PNAD, o número de pessoas solteiras só no Brasil é de 77 milhões. Isso inclui todas as pessoas acima de 15 anos que declaram não estar em nenhuma relação conjugal — mas não inclui divorciados, viúvos e separados (com eles, o número passa dos 85 milhões). O número de solteiros em nosso país também é bem acima do número de casados. Ou seja, há mais gente disponível para um relacionamento do que não. Será que toda essa gente realmente não presta para casar?

Claramente, o problema dos solteiros não é a falta de pessoas. O problema é a falta de fé nas pessoas.

A cada dia que passa, as pessoas estão perdendo a fé nas outras. Elas têm dificuldade de acreditar, confiar. E com razão. Com tantas decepções, traições, divórcios e safadeza que temos visto por aí, nossa primeira reação é desconfiar de quem não conhecemos. E daí a raiz do problema: você não pode confiar em quem não conhece. Confiança exige conhecimento. Você tem que saber, por fontes e formas confiáveis, que aquela pessoa é digna de um relacionamento com você e, futuramente, de seu amor e entrega total. Por isso damos tanta ênfase neste livro à importância de conhecer a outra pessoa e se deixar conhecer dentro de um namoro.

24. "Se ele(a) mudasse, nossos problemas acabariam"

Você tem que mudar também. O foco demasiado nos erros do outro faz com que você não enxergue os seus. E ainda: você fica paralisado, achando que a única maneira de salvar a relação é os dois quererem mudar juntos, ao mesmo tempo. Em nossa experiência pessoal e com milhares de casais, a mudança no relacionamento normalmente começa com um, quase nunca com os dois. Se você mudar primeiro, há muito mais chance de que o outro seja inspirado a mudar também.

25. "Quando é para dar certo, tudo flui perfeitamente"

A ideia de que um relacionamento perfeito não deve dar trabalho e nunca é difícil é muito atraente. Quem quer ter trabalho? Nós queremos é que o outro sempre saiba o que precisamos, instintivamente, sem precisarmos falar ou pedir. A verdade é que o "felizes para sempre" não é contínuo. Mesmo um casal unido por um grande amor não viverá feliz sempre — todo dia, toda hora em todo lugar. Haverá dias ruins. E os dois terão de aprender a lidar com eles, a se comunicar em vez de esperar que o outro leia sua mente. Relacionamento feliz dá trabalho, sim, e não há como escapar disso.

26. "Um grande amor será sempre romântico"

A paixão do início de um relacionamento não é permanente. Aquele encanto do novo, o jogo da conquista, se sentir especial entre os amigos, fazem parte de um amor jovem. Mas eventualmente um outro tipo de amor tem de assumir a relação. Um amor mais maduro, baseado em coisas mais sólidas e permanentes. Uma jovem esposa reclamou sobre a aparente frieza do marido: "Se ele me amasse, iria querer passar o tempo todo comigo". Há tempo para tudo. Há momentos que você quer peidar sozinho e cheirar o seu próprio peido sem ninguém por perto. Seu namorado(a) também tem esses momentos. Não espere que a relação seja sempre marcada por surpresas românticas em datas especiais, bilhetinhos de amor espalhados pela casa ou por loucuras de amor. Um grande amor não é marcado por romance toda hora.

27. "Você tem que sentir atração pela outra pessoa, tem que rolar uma química"

Basear o sucesso e a durabilidade de um relacionamento na atração física é como planejar um evento ao ar livre para uma data futura baseado na boa previsão do tempo para hoje. Você não tem garantia nenhuma de que o dia ensolarado de hoje acontecerá na mesma data ano que vem. Assim é com a atração física. Ela muda com o tempo. Faça uma rápida pesquisa: procure fotos de celebridades na Internet quando eram jovens e estavam no auge de sua beleza, há 20 ou 30 anos, e compare com as fotos delas hoje. Tire as próprias conclusões. A beleza física vai murchando com o tempo e por isso um relacionamento não pode ser baseado nela. Uma relação precisa se basear em qualidades atemporais, que embelezam a pessoa que as possui e a mantêm atraente a despeito do seu corpo.

APRENDENDO A QUESTIONAR

Lembre-se, o apelo de um mito está em sua aparência de verdade e bom senso. Mas é apenas aparência. Olhando um pouco além do superficial, você começa a descobrir que a realidade é quase sempre o contrário.

Note que o ponto em comum em todos estes mitos é que eles defendem uma posição simplista, conveniente ou preguiçosa da vida amorosa. Isso porque não queremos nos dar ao trabalho de construir a felicidade — a queremos pronta. É dessa inclinação humana que nascem os mitos sobre o amor.

Como um estudante do amor inteligente, você precisa se treinar a questionar as crenças, costumes e principalmente os modismos promovidos pelas mídias sobre o mundo dos relacionamentos. Normalmente são divulgados por celebridades que têm zero de autoridade no assunto, como mostram em seus próprios relacionamentos. Mantendo seus olhos abertos e ouvidos atentos, você descobrirá muitos outros mitos que não citamos aqui, além dos novos que vão nascendo nas esquinas e nos lábios de quem não entende nada de amor verdadeiro. Assim, você estará muito melhor equipado para blindar seu namoro contra essas mentiras.

Vamos agora ao que funciona. Como achar ou ser achado por "aquela" pessoa? Começando com o seu marketing pessoal, é claro.

Vai cair na prova!

Você já foi influenciado por algum desses mitos? Lembra de algum que não está nesta lista?

___

___

___

___

___

___

___

Poste em nosso Facebook (fb.com/livronamoroblindado) ou em sua rede social preferida:

É incrível a quantidade de mitos sobre relacionamento. Tô fora! #namoroblindado

CAPÍTULO 10

Fazendo o seu MARKETING PESSOAL

UM VELHO DITADO DO MUNDO EMPRESARIAL diz que a propaganda é a alma do negócio. Você pode ter um excelente produto, mas se ninguém sabe que ele existe, ninguém irá comprá-lo — e sua empresa irá à solitária falência. Por isso, para sobreviver, seu negócio tem de ter alguma forma de publicidade. Ela é a ponte, a ligação entre a sua empresa e o cliente, sem o qual, sua empresa deixará de existir.

A publicidade faz parte do *marketing* de uma empresa. Entender o que é *marketing* é crucial não somente para os negócios, mas também para a vida amorosa. Atente para esta definição interessante do que é *marketing*, que inclui a palavra relacionamento:

> *Marketing é tudo o que uma empresa faz para adquirir clientes e manter um relacionamento com eles. Até as pequenas tarefas, como enviar um cartão de agradecimento, jogar golfe com um cliente em potencial, atender o telefone prontamente e tomar um café com um antigo cliente podem ser vistas como marketing.*

Vamos entender melhor: "Marketing é tudo o que uma empresa faz para adquirir clientes e manter um relacionamento com eles". Se você pensar no processo que o conduz a comprar os produtos e serviços de determinadas empresas, você verá que o trabalho delas começou muito antes de você lhes passar os dados do seu cartão de crédito e continuou mesmo muito tempo depois.

Por exemplo, antes de você comprar o *smartphone* que você tem hoje, a Apple, Samsung ou outra empresa que lhe vendeu o produto tomou inúmeras medidas com o objetivo final de colocá-lo em suas mãos e fazer de você um cliente cativo. Desde o design do aparelho, os materiais, as cores, os aplicativos, a embalagem, a mobília e mostruários das lojas, o preço, até as propagandas na TV, nos *outdoors* e na Internet — simplesmente tudo — foi pensando em criar uma conexão tão forte com você que sua reação seria "Eu quero esse smartphone. Vou comprá-lo". E aí está ele hoje em suas mãos.

Mas não parou por aí. Eles continuam atualizando os aplicativos, o sistema operacional, patrocinando celebridades para usarem esse aparelho como propaganda indireta e causando burburinhos nas notícias sobre o "próximo grande lançamento" da nova versão do seu *smartphone*, que você achará ultrapassado no momento em que o novo sair. E o processo continua até que você compre o novo, o mostre para todos os seus amigos com orgulho e se torne um garoto-propaganda daquela empresa sem ganhar um centavo por isso.

Isso é *marketing* em sua melhor forma: tudo o que uma empresa faz, com o objetivo de adquirir o cliente e manter um relacionamento com ele. É assim, usando essa ponte, que as boas empresas crescem e prosperam. E nós temos muito o que aprender com elas para os nossos relacionamentos — não somente para atrair uma pessoa inicialmente, mas também para não a perder.

Temos de aprender a fazer bom uso de nosso *marketing* pessoal.

MUITOS ESTRANHOS, POUCOS AMIGOS

Atualmente, muitos solteiros têm dificuldade de encontrar alguém que lhes seja compatível para um relacionamento. É um fenômeno dos últimos tempos.

Antigamente, as pessoas eram mais unidas, viviam em família e fisicamente muito próximas. Eu me lembro que a primeira casa de meus pais foi no quintal da casa do meu avô. Isso era muito comum. A família ia crescendo e a ideia era morar o mais junto e próximo possível dos parentes, já que a sobrevivência econômica daquela comunidade dependia da união e cooperação de todos que a integravam. Logo, todo mundo conhecia todo mundo. Os parentes e vizinhos frequentavam as casas uns dos outros, sabiam os nomes dos filhos, primos, netos... Isso também incentivava o bom comportamento das pessoas, já que qualquer escorregão era notícia na vizinhança inteira (o *marketing* daquela pessoa começava a ficar queimado...).

O resultado prático disso para os solteiros era que havia grande facilidade de conhecer bem seu potencial candidato a um namoro, pois ambos ou cresceram juntos ou eram conhecidos das respectivas famílias. O que não faltava era informação precisa e de fontes confiáveis a respeito daquela pessoa. Já tinham uma ligação social, porque a sociedade era muito conectada.

Assim, as pessoas se casavam entre si. Pergunte a seus avós como se conheceram e você provavelmente ouvirá uma história semelhante.

Hoje, esse modelo de sociedade está praticamente extinto, especialmente nas grandes cidades. Com a economia mudando de local para global, muitas pessoas saem de perto de suas famílias para estudar ou trabalhar e fazer suas vidas sozinhas. Isso criou uma desconexão social: ninguém conhece ninguém a fundo. Vemos e interagimos com tanta gente, mas conhecemos muito pouco ou quase nada dessas pessoas. Isso gera grande desconhecimento e desconfiança entre as pessoas, já que vemos tanta gente enganando e sendo enganada.

Para quem procura uma pessoa para um relacionamento sério, isso apresenta um grande problema. Como alguém vai se interessar em você sem conhecê-lo direito — e vice-versa?

Isso faz o *marketing* pessoal mais necessário que nunca. Emprestando a definição do mundo dos negócios, podemos definir o *marketing* pessoal para a vida amorosa assim:

Tudo o que você faz com o objetivo de adquirir e manter um relacionamento amoroso.

Em nossa experiência, a cada 10 casais, 8 ou 9 se conheceram através de um amigo em comum. Foi assim com a gente também. Cristiane e eu fomos apresentados por um amigo em comum que nos deu informações positivas um do outro. Nós gostamos do que ouvimos e decidimos nos conhecer. Ele foi a nossa conexão.

Se você tem um bom círculo de amigos e parentes razoavelmente normais (com exceção daquela sua tia neurótica que já tentou lhe apresentar até o carteiro), você está à frente de quem não tem. Pense nessas pessoas como pontes. Elas ligam você a outras, com segurança.

Se você ainda não está em um relacionamento, pode se beneficiar muito de uma ponte que o unirá ao seu futuro parceiro. Algo ou alguém precisa conectar vocês dois.

E é aí que entra o seu *marketing* pessoal.

1. Você precisa ser um bom "produto"
2. Você precisa construir pontes

SENDO UM BOM "PRODUTO"

Eu sei que soa horrível dizer que você é um "produto", mas, é claro, estamos falando figuradamente. Todo ser humano é um produto de uma combinação enorme de fatores. E é um fato que algumas pessoas nos atraem e outras nos repelem.

O primeiro passo para um bom *marketing* pessoal é se tornar uma pessoa genuinamente atraente, alguém que outro alguém queira por perto — um "produto" irresistível.

Cristiane

A primeira vez que ouvi falar do Renato foi por minha mãe. Ela o viu em uma reunião e logo pensou em mim, pois era o meu tipo e tinha os mesmos objetivos: um jovem pastor moreno, alto e bonito. Mas, é claro, isso não era o suficiente. Então minha mãe procurou saber mais com o responsável dele, que era nosso amigo em comum. "O Renato é um rapaz sério, temente a Deus e muito bom pastor", foi o que ela ouviu, em resumo. Foi por esse relatório positivo que ela o considerou para futuro genro.

O Renato era um "produto" de primeira. Por isso boas informações dele chegaram a mim e eu me interessei por ele sem nunca o ter visto.

Quem você é determina o que você faz. E o que você faz determina a sua reputação. A sua reputação é o seu melhor ou pior *marketing* pessoal. Quem o conhece é quem melhor pode avaliá-lo. É fácil escrever no seu perfil do Facebook que você trabalhou nesse lugar, estudou naquele e curte isso e aquilo. A questão é: que tipo de funcionário você foi ou é naquela empresa? Como você lida com problemas? Que tipo de filho ou filha é você? Por que e como terminou o seu último relacionamento?

Quando nosso amigo em comum me falou da Cristiane, eu nem estava procurando alguém. Mas o que ele disse chamou minha atenção: "Ela é uma moça que segue a Deus de verdade, tem excelentes princípios. Quem casar com ela vai ser muito realizado". Eu nunca tinha visto a Cristiane, exceto por uma foto preto e branco bem antiga e desbotada que apareceu uma vez na revista da igreja. Mais tarde eu viria também me encantar por sua beleza, mas a princípio foi o que ouvi a respeito dela que despertou meu interesse. Ela era muito mais do que uma bela embalagem. Até hoje, o que mais admiro nela é este conteúdo verdadeiro, que esbanja caráter, pureza e fé — coisas que a fazem atraente não somente para mim como esposa, mas para milhares de outras pessoas que têm sido tocadas pelo trabalho dela.

Que tipo de pessoa você é, na sua essência? Até aqui, neste livro, você deve perceber que temos trabalhado profundamente na lapidação desta essência, do que há dentro de você. Isso porque se a sua pessoa não for boa, não há *marketing* que poderá ajudá-lo.

Uma jovem de 21 anos nos escreveu dizendo:

Eu era uma pessoa que amava balada e usava roupas curtas para chamar a atenção. Eu gostava quando os homens me olhavam e me diziam como eu era linda. Até que um dia descobri que estava grávida. Tive minha filha e até hoje não sei quem é o pai. Com vergonha do que aconteceu, disse a todos que ele faleceu. Todos só querem uma noite comigo, querem me usar. Conheci uma pessoa na igreja e ficamos 3 meses juntos. Ele me levou para a cama, mas depois me deixou.

Não dá nem para começar a explicar tanta coisa que está errada com esta jovem. Desde sua carência que influenciava sua maneira de vestir até sua maneira irresponsável de ir para a cama com qualquer um, mais a sua fé fajuta... Como ela pode atrair um homem bom sendo o que é e fazendo o que faz?

Por isso, insistimos, como um disco riscado: não entre em um relacionamento enquanto você não estiver bem resolvido dentro de você. O seu produto tem de ser bom para que você atraia o tipo de pessoa que você quer.

1. **Invista no autoconhecimento.** Se conhecer bem vai ajudá-lo a descobrir sua identidade e o seu valor único e especial.
2. **Não se venda barato.** Sabendo do seu valor, você deve ter uma visão clara de quem o merece. O que você tem a oferecer? Como você fará a diferença na vida de alguém? Não aceite o mínimo pelo seu máximo.

CONSTRUINDO PONTES

Nosso amigo em comum foi a ponte que nos ligou. Eu trabalhava com ele diariamente e o meu desempenho, caráter e postura ajudaram a construir uma imagem positiva de minha pessoa na mente dele. Sem que eu pedisse, e sem ele ganhar nada com isso, ele fez uma excelente propaganda de mim para a Cristiane, e vice-versa. Assim como você fala bem da sua escolha de *smartphone* para seus amigos e ajuda aquela empresa a ter mais clientes, as pessoas que nos conhecem e têm uma imagem positiva de nós falam com as outras.

Mas por que fazemos propaganda de graça dos produtos que gostamos?

- Porque queremos que outros desfrutem daquele produto como nós.
- Porque cremos que aquele produto irá ajudar nossos amigos como nos ajudou.
- Porque se aquele produto mudar para melhor a vida daquele amigo, a quem queremos tão bem, nossa satisfação será indizível.
- Porque queremos ser associados com coisas e pessoas boas — isso reflete bem em nossa imagem.

É por isso que sempre tem alguém recomendando o seu dentista, um modelo de carro, ou um restaurante que seus amigos simplesmente "têm que" experimentar.

Você deve investir nessas conexões ou "pontes". Você precisa ter bons amigos, bons contatos na escola e no trabalho, boas relações familiares e aproveitar todas as oportunidades de causar uma boa impressão nas pessoas. Lembre-se, "*marketing* é tudo o que você faz".

Você está deixando impressões, boas ou ruins, por onde passa e em todos com quem interage, incluindo:

- Pais, irmãos e parentes.
- Vizinhos, funcionários de comércios onde você é cliente, frequentadores dos lugares onde você é assíduo (ex: academia, igreja etc.).
- Professores, colegas e funcionários da escola.
- Patrão, colegas de trabalho, subordinados, supervisores, clientes e fornecedores.
- Seus contatos nas redes sociais, pessoas com quem você interage online e estranhos que podem visualizar seu perfil e postagens.

Cada uma dessas pessoas tem pelo menos um pouco a falar de você, pois observa instintivamente tudo o que você faz e assim julga que tipo de pessoa você é, incluindo grandes e pequenas atitudes como:

- **Pontualidade** - como você cumpre seus horários.
- **Prestatividade** - disposição para ajudar.
- **Humor** - agradável ou difícil.
- **Responsabilidade** - como você cumpre seus deveres e promessas.
- **Honestidade** - quão verdadeiro você é.
- **Nível de energia** - se preguiçoso e devagar ou ativo e animado.
- **Capacidade de resolver problemas** - sua inteligência e desenvoltura diante dos desafios da vida.
- **Capacidade de aprender** - humildes aprendizes evoluem rápido em qualquer área da vida e todo mundo gosta deles.
- **Temperamento** - o quanto você controla suas emoções.
- **Rastro virtual** - tudo o que você posta e curte online e o que tudo isso diz sobre você.
- **Comunicação** - como você fala e ouve, como escreve, sua linguagem corporal e até as roupas que veste comunicam algo sobre você.
- **Fazer acontecer** - falar agrada, mas não convence. Sua habilidade de viver o que prega, pegar algo para fazer e fazer bem feito.
- **Aparência** - como você se cuida, asseio pessoal e zelo por sua beleza.

Estas são apenas algumas coisas que estão sendo observadas e medidas por todos com quem interagimos a todo o tempo. E são estas coisas que "dão o que falar" e suprem as pessoas com informações a nosso respeito. É o que chamamos de "a fama" de alguém.

Quando as pessoas têm coisas boas para falar de você, elas sentem prazer de recomendá-lo para outros — não apenas no sentido de negócios, mas também para amizade e relacionamento. Pode verificar que todo "santo casamenteiro" — alguém que foi o "cupido" que uniu duas pessoas — se sente muito feliz e orgulhoso de fazer parte daquela história de amor.

Todas as vezes que a Cristiane e eu apresentamos alguém para outro alguém é porque temos total confiança na reputação de ambos. Isso nos dá prazer, alegria de ser esta ponte. Quando casam então... a gente sai celebrando! Isso é um serviço gratuito que a maioria das pessoas está disposta a fazer pelo puro prazer de ajudar alguém a quem admira.

Mas como um amigo vai se sentir à vontade de apresentar alguém para você ou vice-versa? Apenas sob uma condição: que você não irá fazê-lo passar vergonha. Imagine a decepção do meu amigo se eu tivesse maltratado a Cristiane. Ninguém apresenta uma pessoa para outra se não tiver total confiança em seu caráter e reputação. Aí entra o *marketing* pessoal.

Cristiane

Eu me lembro de uma pessoa com quem trabalhei que queria encontrar alguém para se casar. Conheci um rapaz muito bom e logo pensei nela, mas em seguida pensei: "Não, eu não vou apresentá-la para ele porque ela é tão instável, uma hora está bem, depois está mal, tem temperamento forte... Depois eu é que vou ficar mal". E a pessoa nem imagina... Ela está se arrumando, indo à academia, ficando bonitona, ganhando dinheiro etc., mas não se dá conta de que a atitude, o comportamento dela, a maneira como fala e o perfil do Facebook (a começar pela foto!) dão uma impressão horrível. Tentei ajudar, mas ela não aceitou bem. O *marketing* dela sobre si mesma me impediu de apresentar alguém para um potencial relacionamento.

Assim como investe na carreira, trabalho e cuida do seu currículo (suas qualidades, realizações etc.), também na vida amorosa você não pode ficar parado. Imagine se ficasse parado esperando uma empresa achá-lo. Nunca iria conseguir um emprego, por melhor profissional que fosse. Se age assim na vida amorosa, ou melhor, não age, mas fica "esperando em Deus", dizendo que "Deus vai honrar", você está equivocado. Deus nunca prometeu trazer marido ou esposa para ninguém. Você tem de achar, ir atrás. Esse ir atrás significa investir na sua vida amorosa como você investe em sua carreira.

Quais mensagens tem enviado por meio de seu comportamento, roupas, hábitos, amizades, postagens na Internet... coisas que falam a seu respeito e talvez deponham contra você?

Você não pode deixar essa parte de sua vida a desejar, achar que automaticamente as pessoas vão lhe apresentar alguém, que Deus vai deixar tudo o que está fazendo para trazer alguém para você. Crie conexões. Comece com as amizades. Deixe as ruins, pois não ajudam sua reputação. Forme boas amizades, com pessoas sérias, de caráter. E invista nelas. Um relacionamento normalmente nasce de uma amizade – ou com o amigo ou alguém que o amigo lhe apresentou. Por isso é um bom investimento. Assim você estará promovendo a si mesmo. Aí sim, Deus poderá honrar alguma coisa que você está fazendo.

Em resumo: sua reputação chega antes de você e fica por muito tempo depois que você vai. Trabalhe nela. Qual a mensagem que está passando a seu próprio respeito? O que está ajudando você ou atrapalhando? Corte o que o atrapalha e invista no que o promove.

Tudo o que você é e faz é o seu *marketing* pessoal. Se você é uma pessoa sem caráter, amarga, difícil de lidar, irresponsável etc., o que você acha que as pessoas que o conhecem estão falando de você pelas costas? Elas estão trabalhando para arranjar alguém para você? Ao contrário, provavelmente estão dando conselho para que fiquem bem longe.

Talvez você esteja sendo seu pior inimigo e queimando suas pontes. Ignorar o seu *marketing* pessoal é uma maneira certa de se isolar e fracassar nos relacionamentos.

UMA REDE DE APOIO

Uma outra razão por que encontrar um parceiro que seus amigos e/ou familiares aprovem é muito importante: você sempre terá o apoio daquelas pessoas durante o relacionamento.

Um mito muito enganoso é que "se duas pessoas se amam, não importa o que os outros pensam". A princípio, isso soa perfeito e muito romântico. O amor proibido entre duas pessoas cujas famílias não se aceitam, à *la* Romeu e Julieta, é um enredo muito comum nas histórias de amor de filmes e novelas. Isso leva muitos pombinhos na vida real a se imaginarem como protagonistas de uma grande história de amor, onde ninguém entende nem aprova o amor deles. Acham que a aprovação dos pais não é importante, o que os amigos pensam não interessa, o que os líderes da igreja aconselham não se aplica a eles e que todos são contra porque "não entendem o nosso amor" ou estão "com inveja".

Na verdade, o que os outros acham pode fazer grande diferença no sucesso do seu relacionamento. Relacionamentos prosperam quando têm apoio externo. Saber que você tem o apoio de uma rede de pessoas por trás de seu relacionamento é crucial, além de facilitar muito sua vida social.

Em outras palavras, escolher o vilão que ninguém gosta é ótimo enredo para a TV, mas uma péssima ideia para a sua vida amorosa.

Na prática, relacionamentos assim normalmente são fadados ao fracasso, porque nenhum casal vive sozinho. Vocês têm famílias de origem, parentes e amigos. Inevitavelmente, terão de lidar com eles. E se a maioria não consegue engolir a sua escolha de parceiro, você acabará em um destes três cenários:

1. Vocês terão horríveis experiências sociais toda vez que interagirem com seus parentes e amigos.
2. O que é rejeitado terá de se empenhar e investir na conquista da admiração dos familiares e amigos do parceiro, o que pode ser uma longa jornada sem garantia de resultado positivo.
3. Se não conseguirem aceitação, vocês acabarão decidindo se isolar de todos, o que nunca é bom, especialmente no caso de familiares.

Uma pesquisa nos EUA revelou (surpresa!) que a maioria dos casais se conhece através de amigos, familiares, igreja, escola ou outra comunidade. E apesar do crescimento da Internet como meio para encontrar pessoas, os meios tradicionais ainda oferecem formas mais seguras e satisfatórias de começar e manter relacionamentos felizes e duradouros. Não é difícil entender o porquê.

Encontrar alguém de forma orgânica — através de conexões em comum — tem maior chance de sucesso.

Um parceiro que é recomendado por amigos e familiares já vem com boas referências de pessoas em quem você confia. E durante o relacionamento, quando vocês tiverem problemas, em vez de ouvir conselhos do tipo "eu sabia que vocês não iriam dar certo", "eu nunca acreditei no relacionamento de vocês" etc., você receberá apoio para resolver os problemas e continuarem juntos.

Isso não significa que você precisará que todos seus amigos e familiares aprovem sua escolha de parceiro. Sempre haverá alguém que não será um grande fã dele. Isso não é um problema. Mas quando você tem muitos de seus amigos e familiares contra o relacionamento e torcendo para não dar certo, o desafio será muito grande. A mesma coisa se aplica ao parceiro que você conheceu pela Internet — um completo estranho para todos em seus círculos sociais.

Relacionamento amoroso com tudo para dar certo já traz em si suas dificuldades naturais. Portanto, aqui vai uma regra de ouro para um namoro blindado:

Quando escolher um parceiro para namorar e casar, escolha alguém que aumente suas chances de sucesso, não o contrário.

DORMINDO COM O INIMIGO

Cristiane

Um detalhe importante do *marketing* pessoal é não falar mal de si mesmo. Incrível como isso é tão óbvio e, ao mesmo tempo, tão comum.

Alex, um homem formado, bem-sucedido financeiramente, nos pediu conselho sobre sua vida de solteiro. Desde que começou a nos acompanhar nos programas da Escola do Amor e participar de nossas palestras, além de ler nossos livros, Alex mudou seus padrões sobre a vida amorosa. Mas ele tinha uma dúvida que o incomodava: "Como saber se estou pronto para um relacionamento?".

Quando perguntamos de onde vinha aquela dúvida, ele começou a falar de sua infância, de ter visto o seu pai trair sua mãe inúmeras vezes. E apesar de ter decidido, desde então, a nunca trair, Alex tinha dúvidas se era o bastante para fazer uma mulher feliz por "não ter tido uma referência de pai".

O que atrapalha muitos Alex por aí está ligado a essa opinião ruim que têm de si mesmos. Alex tinha de mudar sua autoimagem e entender que o fato de seu pai não ter sido referência de homem não o impede de se tornar um homem de verdade.

Assim como um vendedor não fala mal do produto que vende, o solteiro não deve falar nem pensar mal de si mesmo. O que ele deve fazer é trabalhar nas suas fraquezas. Pare de contar a você mesmo uma história de horror sobre sua vida. Seus pais o abandonaram, você nunca teve o carinho de ninguém, é mãe solteira ou passou por vários casamentos frustrados? E daí? O seu presente e futuro não precisam ser como seu passado! Mude a história que você conta para si imediatamente.

Gosto do exemplo que o Renato sempre dá em nossas palestras sobre recomeçar. Se nossa vida fosse um caderno e ele estivesse usado até a metade, ainda assim teríamos páginas brancas da metade para frente para usar. O seu hoje e os seus amanhãs são páginas em branco. Cabe a você escrever nelas o que quer – decidir se vai continuar a história triste do início do caderno ou se vai começar uma nova história.

Comece a focar nas suas qualidades e ao mesmo tempo corrigir seus defeitos. Comece a olhar para si com bons olhos, fazendo um bom *marketing* para si mesmo. É assim que alguém começa a se amar. E quem se ama acaba atraindo o amor alheio, também.

O MARKETING PESSOAL NUNCA ACABA

Eu falo para a Cristiane de vez em quando, em tom de humor: "Você fez um ótimo negócio em se casar comigo, hein? Ganhou sozinha na loteria...". E ela sempre responde: "Acho que quem ganhou mais foi você".

Sim, nós sempre nos lembramos das qualidades um do outro. Afinal, a concorrência é grande! É muito fácil o casal se esquecer das qualidades que os atraíram e também de suas próprias qualidades individuais.

Por isso o *marketing* pessoal deve continuar durante todo o relacionamento. É muito mais do que um lembrete carinhoso ou bem-humorado de suas qualidades ao parceiro. É você nunca se esquecer de que "tudo o que você faz" é o seu marketing pessoal.

Mesmo durante o relacionamento você precisa continuar conquistando a pessoa amada.

Os namorados precisam se conquistar para o noivado; os noivos precisam eliminar dúvidas sobre sua decisão de se casar; e marido e mulher precisam manter um ao outro feliz e satisfeito com vista no "até que a morte os separe". Deixar de cuidar do seu *marketing* pessoal dentro da relação é abrir espaço para dúvidas e insatisfação.

Nunca tenha a outra pessoa por conquistada. E nunca deixe que ela faça isso com você.

Aos solteiros: se o seu *marketing* pessoal for muito bom, você provavelmente não precisará buscar alguém por muito tempo. Você será achado, disputado a tapa. Mas nem sempre é assim. Às vezes, tem de ser mais proativo.

Vai cair na prova!

Pense em alguém no seu círculo social e escreva três coisas que você tem para falar bem dele. Depois, pense em outra pessoa de quem você não tenha coisas muito positivas para falar. Pense no porquê de ter tirado essas conclusões sobre essas pessoas.

____

____

____

____

Poste em nosso Facebook (fb.com/livronamoroblindado) ou em sua rede social preferida:

Vou investir no meu marketing pessoal. #namoroblindado

CAPÍTULO 11

COMO e ONDE encontrar alguém

UM HOMEM CAMINHAVA PELO DESERTO, quando encontrou uma garrafa velha de refrigerante, ainda fechada. Ao abrir a tampa, apareceu um gênio:

— Olá! Sou o gênio de um só desejo, às suas ordens.

O homem, muito altruísta, pediu:

— Eu quero a paz no Oriente Médio. Veja este mapa: que estes países vivam em paz!

O gênio olhou bem para o mapa e disse:

— Cai na real, amigo. Esses países guerreiam há 5 mil anos! Eu sou bom, mas nem tanto. Peça outra coisa.

O homem pensou, pensou e disse ao gênio:

— Bom... Eu nunca encontrei a mulher ideal. Você sabe... eu gostaria de uma mulher que tenha senso de humor, pense por si mesma, tenha uma carreira, goste de cozinhar, limpar a casa, lavar, passar, que não seja ciumenta, que goste de futebol, aprecie uma cervejinha, seja fiel, sexy, bonita, jovem, carinhosa, econômica, não seja chata, não se importe de eu não ter dinheiro e não implique quando eu sair com os amigos.

O gênio suspirou fundo, coçou a cabeça e disse:

— Deixa eu ver esse mapa de novo!

A longa lista de atributos que o futuro pretendente deve ter é uma das maiores razões por que as pessoas permanecem solteiras.

Dizem que quando as mulheres começam a namorar, seu sonho de consumo é um homem alto, moreno e bonito. Aos vinte e cinco anos de idade, elas mudam para alto, moreno, bonito e com dinheiro. Aos trinta e cinco, elas mudam novamente para um homem com um cérebro. Aos quarenta e oito anos, é um homem com cabelo. E aos sessenta, um homem.

O problema do solteiro não é encontrar alguém, mas se permitir encontrar alguém. Não há falta de pessoas disponíveis, mas a busca incessante por perfeição tem impedido esse encontro. Quando não, a pessoa até encontra, mas logo desencanta da outra, porque seus padrões são tão altos que ninguém consegue se enquadrar neles.

Depois de uma certa idade, alguns solteiros podem até dizer "A essa altura, estou aceitando qualquer um". Mas a verdade é que quanto mais pessoas você namora, ou conhece e depois descarta para um relacionamento, mais você vai comparar a próxima com alguém que conheceu ou que você acredita que ainda vai encontrar.

Por exemplo, Roberto já namorou cinco garotas, mas em cada uma faltava uma qualidade "importante". Ele começou a namorar a garota n° 6, mas ela não tem uma qualidade que ele gostava muito na n° 2 (com quem terminou porque ela não era tão bonita quanto a n°1). Então, ele está pensando em desistir desta também e continuar procurando, porque "com certeza" a garota n° 7 que está "por aí em algum lugar" será muito melhor que todas as anteriores.

Enquanto você tiver essa mentalidade, ninguém será bom o suficiente para você. Nenhuma dica deste livro lhe servirá.

Quem muito escolhe nada tem! Sempre haverá alguém mais bonito, rico, atraente, inteligente ou interessante do que seu parceiro. Mas namoro não é uma competição do Oscar. Você se compromete com uma pessoa porque vocês decidiram construir uma vida juntos e serem os melhores um para o outro.

É preciso que você se permita encontrar pessoas e conhecê-las sem compromisso. E também que entenda a improbabilidade de encontrar alguém que preencha todos os seus caprichos. Amar é conhecer a outra pessoa, admirar o que você conhece dela e olhar seus defeitos positivamente.

Se você conseguir passar essa barreira, então podemos explorar como e onde encontrar essa pessoa.

A PROGRESSÃO NATURAL DE UM RELACIONAMENTO AMOROSO

Os relacionamentos mais sólidos costumam seguir uma progressão natural de contato:

1. Contato visual ou por informação
2. Amizade
3. Atração
4. Conexão mental e emocional
5. Compromisso
6. Conexão física

Perceba o aumento gradual da aproximação e intimidade nessas fases. Essa progressão é a mais natural e saudável para formar um relacionamento blindado. Pular essas fases é que seria estranho. Por exemplo, quando notamos uma pessoa que não conhecemos no meio de tantas, apenas vemos o seu exterior. É esse exterior que produz a atração inicial. Seria muito estranho naquele momento aquela pessoa correr até você, tirar a roupa e começar a lhe contar toda sua vida. Ainda que isso sem dúvida fosse algo surreal, a surpresa acabaria em questão de segundos e daria lugar à total estranheza. Não seria natural.

Conhecer uma pessoa é como abrir um presente, pouco a pouco revelando o que a embalagem traz dentro. Rasgue a embalagem com violência ou rápido demais e você poderá quebrar o que está dentro.

Vamos entender essa progressão.

1. Contato visual ou por informação

Não tem a ver com atração física, ainda que isso possa acontecer em um primeiro contato. Mas nem todas as pessoas que você acha atraentes são adequadas ou estão disponíveis para um relacionamento com você. As aparências enganam, e muito. Esse primeiro contato visual ou por informação significa apenas que você toma conhecimento da existência daquela pessoa. Talvez você a note em um evento social. Ou seu amigo lhe fale sobre essa pessoa (o *marketing* pessoal dela funcionando); e você goste do que ouve. O erro aqui é descartar de imediato a pessoa que você não acha fisicamente muito atraente ou que não o faz sentir algo gostoso. Não espere que quando você encontrar "aquela pessoa" você sentirá um frio na barriga, seu coração vai disparar, seus joelhos vão fraquejar... Pare com isso! A maioria dos casais bem-sucedidos não viu borboletas saírem detrás da cabeça um do outro no primeiro contato.

2. Amizade

Quando uma pessoa é solteira e nos diz que tem dificuldade de encontrar um namorado, costumamos perguntar: "Você tem amigos? Qual a qualidade e quantidade de amizades que você tem?". Maximize suas amizades. É uma conclusão lógica que se a maioria dos casais se encontra por amigos em comum, você precisa investir em boas amizades. Quando alguém do sexo oposto tentar iniciar uma amizade honesta com você, aceite. Você nunca sabe no que vai dar — e não precisa dar em nada, necessariamente. Amizade é um dos melhores ingredientes de uma relação amorosa saudável. Mesmo depois de muitos anos de casados, casais que são melhores amigos tendem a desfrutar muito mais da companhia um do outro. Por isso, uma boa amizade é uma ótima maneira de preceder um namoro.

3. Atração

A atração que nasce de uma amizade é a mais promissora, pois não é baseada apenas no físico ou visual. Um relacionamento precisa muito mais do que atração física. Se você se apaixonar pelo corpo da pessoa e se casar com ela, o corpo eventualmente irá envelhecer e aí você se cansará dela. Daí você vai querer trocá-la por outra pessoa com o corpo mais jovem e mais belo. É isso que muitos têm feito. A atração precisa ser muito mais que física — também mental e emocional. Você precisa gostar dos pensamentos, ideias, caráter e inteligência daquela pessoa. A combinação deste conteúdo, somada à atração física, é o que produzirá em você bons sentimentos quando estiverem juntos, ou seja, a atração emocional. É a partir deste momento que vocês estão preparados para iniciar um namoro.

4. Conexão mental e emocional

Uma coisa é se sentir atraído por alguém, outra é se conectar com esse alguém. A atração pode ser uma via única — você se sente atraído pela pessoa sem necessariamente ela se sentir atraída por você. Mas a conexão é via de mão dupla — vocês dois se conectam em uma atração mental e emocional mútua. É quando duas pessoas "clicam". Isso é o que se procura durante o namoro. Pode demorar um tempo para acontecer ou talvez nem aconteça — e, nesse caso, é melhor nem começar ou já terminar logo. Por esta razão, o período do namoro deve ser sobretudo marcado pela troca de informações, experiências e muita observação ao comportamento um do outro. Muitos não investem nessa parte, mas focam mais no namoro físico — beijos, amassos e outras formas de prazer sensual ou sexual. Entenda que é totalmente possível sentir prazer sexual mesmo com alguém que você não ama. Portanto, um namoro físico, para fins de decidir se aquela pessoa é adequada para um casamento, é enganoso e ineficaz. Invistam no conhecer um ao outro nos aspectos mental e emocional.

5. Compromisso

Quando a conexão está feita e se mantém sem altos e baixos, o casal pode seguramente pensar em assumir um compromisso de noivado com vistas ao casamento. Este "se mantém sem altos e baixos" é importante, pois a conexão não pode ser apenas durante os bons momentos que o casal desfruta, intermeados de brigas, indiferença e embates que nunca são resolvidos. Pequenas discussões e desentendimentos fazem parte da descoberta, mas nada que venha abalar o relacionamento. É um grande erro tentar passar para o noivado e casamento na esperança de que o compromisso mais sério conseguirá corrigir os problemas da relação. O compromisso deve partir de uma certeza de ambas as partes com respeito ao construir a vida juntos, para o que der e vier. Onde há dúvida, não pode haver compromisso.

6. Conexão física

O casamento reúne as melhores condições para que haja a entrega física total entre o casal. Antes disso, não há como ter certeza real de que você não está apenas usando ou sendo usado para o prazer sexual. No casamento em que essa progressão foi seguida, já não há mais dúvida, medo ou insegurança sobre a relação. E é nesse ambiente de certeza, confiança e garantia que o casal está livre para se entregar fisicamente, buscar e dar prazer um ao outro.

Um namoro blindado segue e respeita essa progressão. Ainda que você já esteja namorando e o seu relacionamento não tenha seguido exatamente essas fases, nada o impede de se situar em qual fase você está ou qual pulou, voltar atrás e retomar o processo no caminho certo. Por exemplo, suponhamos que o seu namoro já chegou à fase da conexão física e vocês tenham uma vida sexual ativa. Mas você percebe que pularam fases como conexão mental e emocional (ainda não se conhecem muito bem) e compromisso (não houve nenhuma conversa sobre casamento ainda, nem base para isso). Então, voltem à fase três para que possam trabalhar na conexão mental e emocional, com vista em chegar a um compromisso. E, é claro, enquanto isso, mantenham-se vestidos!

ONDE?

Não existe um endereço fixo para encontrar um namorado. Conhecemos um casal que se conheceu em um velório! Nunca, em nossa mais criativa imaginação, pensaríamos em recomendar tal lugar para você buscar um namorado.

— Coitado, ele morreu tão cedo. Como você o conhecia?

— Sou amiga da babá da viúva.

— Você deve estar arrasada. Posso lhe comprar um café para consolá-la?

Não é a campeã de todas as cantadas, mas quem somos nós para dizer que não funcionaria?

A questão não é tanto *qual* lugar, e sim *estar em algum* lugar onde você possa encontrar pessoas com os mesmos objetivos e qualidades que você. Se formos pensar por este ângulo, encontrar alguém em um velório não parece ser tão louco assim:

- Vocês já têm alguns amigos em comum.
- Vocês são pessoas compassivas, pois se importam o bastante com o morto ou algum familiar próximo.

É por isso que as pessoas costumam se casar com alguém que conheceram em algum lugar onde compartilhavam interesses em comum. Cristiane e eu nos conhecemos na igreja; muitos casais se encontraram no trabalho, faculdade, algum evento ou outros lugares que frequentavam.

Pessoas que se fecham em um círculo social limitado, que parece mais um triângulo — a mãe, o cachorro e o celular — naturalmente têm dificuldade de encontrar alguém. A razão não é a falta de pessoas disponíveis, é claro, mas sim a falha em não se permitirem ampliar seu contato com outras pessoas.

Permita-se ser casual. Não seja tão rígido e fechado como uma ostra. Diga "sim" mais vezes ao invés de "não" sempre que uma oportunidade se apresentar para você sair da sua rotina social. Casualidades favorecem pessoas casuais.

— Amiga, quer vir comigo no velório do marido da minha patroa?

Sua vontade é zero. O "não" é quase automático. Mas você diz:

— É claro, amiga! Como eu iria perder essa oportunidade tão fúnebre?

E hoje, os personagens desta história real vivem casados e felizes há 14 anos. Lembre-se: casualidades favorecem pessoas casuais.

É claro, eu me refiro à casualidade com responsabilidade. Não vá saindo com um total estranho que se aproximou de você no parque e a convidou para conhecer a coleção de facas que ele tem no porão da casa dele. Eu me refiro à atitude de sair da rigidez e da rotina de sua agenda para se expor a atividades que podem facilitar acontecimentos agradáveis[1].

Tenho notado que aqueles casais que contam como encontraram seu par "por acaso" é porque se permitiram ser casuais. Se encontraram quando visitaram uma biblioteca que nunca tinham visitado; na festa de aniversário do sobrinho dela; quando ele foi ajudar na mudança do amigo... Enfim, na verdade não foi por acaso, mas porque se permitiram ser casuais.

Quem não é visto, é esquecido. Pessoas que ficam sozinhas, ficam sozinhas; pessoas que se enturmam, raramente ficam sozinhas. Portanto, faça as coisas certas para melhorar suas chances:

- Seja mais casual e espontâneo
- Permita-se iniciar uma amizade e seja um bom amigo
- Saia do triângulo e cresça seu círculo de amizades e contatos
- Esteja pronto para cancelar seus planos quando surgir uma boa oportunidade de encontrar pessoas interessantes
- Participe ativamente de grupos com interesses em comum
- Compareça e apareça

Não é mágica. Não é sorte. Não é milagre. É atitude com inteligência.

"MAS EU SOU UMA PESSOA MUITO TÍMIDA"

Há 50% de chance de que você seja uma pessoa tímida ou venha se casar com alguém assim. Portanto, preste bastante atenção em como lidar com isso.

---

[1] Tão importante quanto onde encontrar alguém é onde NÃO encontrar. Se vai a uma balada onde a intenção de todo mundo é ficar com todo mundo, provavelmente não vai encontrar alguém para relacionamento sério. Da mesma forma, deslizar o dedo em um aplicativo de namoro e dizer "oi" para um estranho é, no mínimo, estranho. E arriscado.

O que é timidez?

Timidez é um rótulo colocado em nós por outros ou por nós mesmos. É o hábito de se importar demais com o que os outros pensam de nós.

Quando você aceita um rótulo, passa a se comportar de maneira que o confirme. Se foi rotulado como alguém que "só fala besteira", por exemplo, você provavelmente desenvolveu uma postura de falar pouco para não ser ridicularizado. Ou se tornou desajeitado com as palavras.

A timidez também é um rótulo. De acordo com estudos, ninguém nasce tímido. A timidez, portanto, é um condicionamento social normalmente imposto pelas pessoas mais próximas da criança. Se uma criança de dois anos, por exemplo, se esconde atrás das pernas da mãe quando um estranho entra em casa, ela pode facilmente ser chamada por sua mãe de tímida. Assim, esses rótulos vão formando a autoimagem da criança, até que ela mesma começa a se chamar de tímida. E uma vez você se achando uma coisa, você realmente a será.

A timidez realmente pode impedir uma pessoa de alcançar seus sonhos e objetivos de várias formas. Ela pode inibi-lo de se candidatar a um emprego porque você acha que não vai consegui-lo, por exemplo. E também de chegar em alguém que você acha atraente para uma amizade com potencial para um relacionamento amoroso. Muita gente está solteira até hoje por causa disso.

Muitos jovens hoje estão desenvolvendo a timidez social, sem perceber, por causa da tecnologia. Eles estão passando mais tempo online, se comunicando via teclado e tela, do que off-line — interagindo, conversando e olhando nos olhos de outras pessoas. Isso está atrofiando suas habilidades sociais de se conectar com outras pessoas e diminuindo assim suas chances de desenvolver um relacionamento.

De certa forma, é muito mais fácil se conectar com pessoas online do que desligar a Internet, sair e se arriscar no mundo real. Mas um dos resultados desse hábito preguiçoso é a desconexão e a timidez social — eles não sabem ter uma conversa quando estão face a face. Daí, preferem ficar em casa ao invés de sair, continuando o ciclo.

Muitos adultos também estão cometendo este erro, mas o problema afeta especialmente os mais jovens, porque eles já cresceram nesta geração conectada e, por isso, muitos nunca experimentaram o bom lado de um contato fora do mundo virtual. Simplesmente nem sabem o que é.

A boa notícia é que há muitas coisas que uma pessoa que se considera tímida pode fazer para controlar sua timidez e não ser controlada por ela. Esse rótulo não precisa ser seu destino.

A primeira coisa a entender é que você pode ser bem-sucedido mesmo que não seja extrovertido. Há diferença entre timidez e introversão. O introvertido é mais contemplativo, valoriza seu próprio espaço, gosta de pensar, analisar antes de emitir opinião. Ele não faz questão de interação social ou de exposição pública, por ser naturalmente reservado; mas, se for necessário se expor ou interagir, o fará, ainda que não se sinta confortável. Já a timidez é uma inibição que atrapalha a pessoa de alcançar seus objetivos. Não há nada de errado em ser introvertido se você trabalhar para que a timidez não o impeça de conseguir o que quer. Ser um introvertido bem-sucedido significa reconhecer e entender a timidez e desenvolver estratégias para lidar com ela.

A timidez se manifesta em três formas:

- **Timidez no corpo:** reações fisiológicas como mãos e joelhos trêmulos, ansiedade, suor, rosto corado, frio na barriga etc.
- **Timidez na mente:** pensamentos que geram timidez e autoconstrangimento; achar que todo mundo está olhando para você; sentimentos de inferioridade e inadequação
- **Timidez no comportamento:** pessoas tímidas costumam agir de modo diferente de outras pessoas. Elas põem barreiras entre elas e as outras; fazem coisas em situações sociais que prejudicam a interação, como a linguagem corporal inadequada, falar demais ou não o suficiente, não ter assunto, se posicionar em um canto em vez de no meio de uma sala com várias pessoas, entre outras coisas.

Você pode ter alguma ou todas dessas formas. O importante é reconhecê-las e aprender a superá-las de maneira eficaz. Foi isso que Cristiane e eu fizemos.

Alguns de vocês que já assistiram nosso programa na TV ou uma de nossas palestras podem ficar surpresos ao saber que a Cristiane e eu éramos bem tímidos — eu ainda mais do que ela. Você nos vê falando com milhares de pessoas, ao vivo e muitas vezes sem *script*, falando abertamente e nos divertindo enquanto o fazemos. Mas nem sempre foi assim em nosso trabalho; e pessoalmente somos muito mais reservados. Acho que a Cristiane é até um pouco melhor do que eu nesse aspecto, porque ela consegue manter uma conversa por horas com amigos e conhecidos, indo de um assunto para o outro sem nenhum esforço. Já eu, costumo ser mais observador e ouvinte, não tenho muito assunto quando estou nessas situações. Dos meus irmãos, sou definitivamente o mais introvertido.

Isso me fez aprender algumas coisas muito importantes sobre a introversão.

Todo mundo é tímido para algumas coisas.

Ninguém é tímido para tudo, como também ninguém é corajoso para tudo. Portanto, não se ache diferente ou inferior a ninguém por ter momentos de insegurança. Ela faz parte da vida de todas as pessoas. Olhe para uma pessoa à sua esquerda e para outra à sua direita. Estatisticamente, uma delas é considerada tímida. Você não está sozinho. E, ainda que você seja tímido para algumas coisas, com certeza é mais ousado para outras. A timidez é um problema, não você. Você é a pessoa que vai vencer esse problema, dia após dia. O importante é que esteja trabalhando para superar aquilo que o bloqueia e atrapalha de alcançar seus objetivos.

Você pode viver bem, mesmo antes de superar a timidez.

Sua timidez é apenas uma pequena parte de você. Você é muito mais do que ela. Há muitas outras partes de você que, somadas, fazem sua timidez ser irrelevante em muitas situações. Você tem personalidade, talentos, dons, opiniões, aptidões, habilidades, conhecimentos, qualidades, experiências de vida — entre tantas outras coisas. Elas são muito mais do que sua timidez e podem, na hora certa, ser utilizadas para compensar o seu lado tímido.

O medo que nos intimida está 100% em nossa cabeça.

Medo é algo que existe apenas dentro de nós. Quando entende que as pessoas que o observam não conseguem ver o medo que há dentro de você, é muito mais fácil agir como se ele realmente não existisse. Ninguém irá notar a diferença.

O tímido não precisa muito mais do que alguns momentos de coragem para ser bem-sucedido.

Assim como você consegue ignorar o gosto horrível que um remédio deixa em sua boca por alguns segundos e tomá-lo mesmo assim, também pode engolir sua timidez por alguns momentos enquanto faz o que precisa fazer. Pode, porque o desconforto vai passar logo. E todo mundo pode suportar alguns segundos ou minutos de desconforto. Quando eu olho para a minha vida de tímido, vejo esses momentos claramente. Foram atitudes que marcaram minha vida e tiveram um grande impacto em tudo o que sou e conquistei até hoje — incluindo meu casamento. Momentos em que meu rosto ficou corado, meus joelhos e mãos trêmulas e meu estômago me deu aviso para procurar o banheiro mais próximo. Mas passaram logo! E não somente sobrevivi, mas fiz grandes e importantes avanços em minha vida por causa deles. Você também pode enfrentar seus medos e timidez em momentos que realmente valem a pena. E um desses momentos é na hora de dar um passo para conhecer seu futuro marido ou esposa.

Cristiane

Comigo também é assim. Eu superei a minha timidez da mesma forma que eu superei os meus medos: fazendo o que tenho medo de fazer. Timidez é uma forma de medo; e a única maneira eficaz de lidar com um medo é enfrentá-lo. Assim você descobre que, na maioria das vezes, não havia razão para temer.

Se eu contar quão tímida eu era, você não vai acreditar. Eu era o tipo de pessoa que só conseguia falar com outra se mais alguém se juntasse a nós. Eu corava tanto no rosto que meus olhos chegavam a lacrimejar. Placas vermelhas se formavam no meu rosto e pescoço revelando a todo mundo o quão envergonhada eu estava. Sem contar que me engasgava com as próprias palavras... era horrível. Por muito tempo, sofri assim. Deixava de me aproximar das pessoas, de falar o que queria falar e até de ser simpática. As pessoas chegavam a pensar que eu era metida e arrogante só porque era séria, mas o que elas não sabiam é que a minha seriedade era uma forma de esconder a timidez que eu tanto odiava.

Até que um dia, comecei a resistir a essa timidez. Falava com as pessoas mesmo parecendo um tomate e mesmo sabendo que ririam de mim depois. Não foi fácil, e não foi da noite para o dia que consegui deixar de corar; acho que até hoje às vezes isso acontece, mas eu nem sinto mais.

Se tenho medo de conversar com alguém, vou e puxo conversa. Se tenho medo de falar em público, vou e falo. Se tenho algum medo causado por uma má notícia e começo a ficar nervosa ou ansiosa, uso minha fé e oro a Deus. Imediatamente aquele medo passa.

Aprendi também que ser tímido é resultado de uma visão pobre de si mesmo. Você se enxerga pequeno e, por isso, não acha que tem muito a oferecer a ninguém. Essa visão é uma mentira. Todo mundo tem algo a oferecer. E não oferecer o que você tem para acrescentar ao mundo é um egoísmo e uma tragédia muito grande. Tantas pessoas escolhem compartilhar o pior de si mesmas nesse mundo e são tão corajosas para isso... Por que eu não seria corajosa para compartilhar o que há de bom em mim? Isso me ajudou a neutralizar minha timidez quando necessário e hoje não hesito em tomar atitudes que a maioria não tem coragem de fazer.

Mude sua visão de si mesmo. Veja o que há de bom em você e deixe que isso brilhe. Abençoe outras pessoas com o que você tem. Não seja egoísta.

O RISCO DA REJEIÇÃO

Talvez a causa mais potente da timidez seja o medo da rejeição. Ninguém gosta de ser rejeitado. Todo mundo quer ser aceito. O medo da rejeição desenvolve a timidez, pois ser tímido nos faz evitar situações em que podemos ser rejeitados. Porém, também nos faz evitar situações em que podemos ser aceitos... Portanto, a timidez é um remédio cujo efeito colateral é pior do que a doença que se propõe a curar.

Muito mais eficaz é entender que há certas coisas na vida com que você simplesmente tem de se acostumar — como o risco de rejeição, por exemplo. Você pode ser a pessoa mais legal, mais atraente do planeta e, ainda assim, ser rejeitado. O que você não deve fazer é ver isso como um ataque à sua pessoa.

Ninguém sabe rejeitar como o ser humano. Até o Senhor Jesus, em toda Sua perfeição, foi rejeitado. Felizmente, Ele ensinou Seus discípulos a lidar com isso:

> *Quando você entrar em uma cidade, se não for bem-vindo, não for ouvido, saia dali discretamente. Não faça escândalo. Sacuda a poeira dos seus pés, deixe pra lá, e vá em frente.*[2]

Quer dizer, quando conhece seu valor, você entende que a perda é de quem o rejeitou, não sua.

Ao contrário desse conselho, muitas pessoas acumulam por anos o pó da rejeição sobre si mesmas. Quando percebem, já estão soterradas. Elas se tornam tímidas, amarguradas, ressentidas, com medo de tentar coisas novas, conhecer outras pessoas, desconfiadas de tudo e todos; e andam por aí de cabeça baixa, como se estivessem carregando o mundo em seus ombros. E de fato estão.

Toda vez que você é rejeitado e não sacode a poeira dos seus pés, acumula em si o pó da negatividade das outras pessoas. Se você não mudar, meu conselho é arranjar uma carreta bem grande, daquelas de dezoito rodas, porque vai precisar de muito espaço para guardar todo esse pó ao longo da vida...

A melhor reação que você pode ter é sacudir a poeira e ir em frente. Sempre haverá uma outra cidade mais adiante.

Faça um favor a si mesmo. Perdoe todos aqueles que o rejeitaram ou trataram mal. Sacuda a poeira que grudou em você dos relacionamentos fracassados e siga em frente com a sua vida. Você vai se sentir uma tonelada mais leve.

Uma vez entendendo que a rejeição faz parte da vida e que, antes de encontrar a pessoa adequada, poderá rejeitar ou ser rejeitado por alguns, decida a partir de agora:

---

[2] Mateus 10.14

- Não deixar que a timidez o impeça de se aproximar de alguém que lhe interessa.
- Permitir a aproximação de outras pessoas que se interessam por você, a fim de avaliar as possibilidades de uma amizade.
- Se for rejeitado, não leve isso para o lado pessoal, apenas siga em frente e continue encontrando outras pessoas.
- Se você for rejeitar alguém para um relacionamento, seja sensível e educado (a não ser que a pessoa seja um *stalker* que daria tudo para ter nem que fosse um par de meias sujas suas. Nesse caso, você precisará ser um pouco mais firme).
- Correr o risco da rejeição é menos pior do que se rejeitar antes mesmo de tentar. Nunca, jamais rejeite a si mesmo.
- Atrair uma pessoa tem muito mais a ver com atitude do que com aparência ou sorte. E isso é ótimo, porque se há uma coisa que podemos mudar em nós mesmos são nossas atitudes. Uma delas é a decisão de não ser fácil demais.

Vai cair na prova!

Desenhe o seu círculo social. Coloque seu nome no meio de uma folha e vá escrevendo ao redor os nomes das pessoas que estão mais próximas e em frequente contato com você. Expanda o círculo e escreva aquelas que com quem você tem contato menos frequente.

Quão boas são essas amizades? Alguma que você precisa cortar? Alguém a quem você precisa dar mais atenção? O que você pode fazer para expandir esse círculo com amizades e contatos positivos?

Poste em nosso Facebook (fb.com/livronamoroblindado) ou em sua rede social preferida:

Boas amizades e oportunidades, tô dentro!
Timidez, tô fora! #namoroblindado

CAPÍTULO 12

DIFÍCIL ou FÁCIL?

COMEÇAR A NAMORAR A CRISTIANE foi uma experiência totalmente diferente das que tive com minhas namoradas anteriores, como comecei a contar no capítulo 1. Entre várias paqueras, ficadas, namoricos e namoros sérios que eu tive antes dela, a coisa era relativamente fácil. Algumas bastava dar um olhar mais prolongado e elas já estavam no papo. Outras me permitiam beijar, tocar... sem nem estar namorando comigo. E havia aquelas que vinham até o portão da minha casa. Não, eu não precisava ir até elas. Você pode até pensar que eu era "o cara", mas na verdade elas é que eram fáceis. Houve uma, um tanto mais velha que eu, que dificultou bastante para mim e esse namoro e noivado durou quatro anos (mais tarde contarei por que acabou). Mas a que mais dificultou foi a que deu em casamento: a Cristiane.

Posso afirmar, não apenas por minha experiência, mas por ser um fato facilmente observável:

O grau de compromisso em um relacionamento está proporcionalmente ligado ao grau de dificuldade que o homem enfrenta para conquistar a mulher.

Quanto mais fácil a mulher, mais descartável ela é. O homem é naturalmente competitivo, caçador. Quando esse papel é assumido pela mulher, o resultado costuma ser desastroso para ela. Ou ele perde o interesse ou se encosta nela e não se importa em continuar a relação, mas continua vivendo como se fosse solteiro.

A mulher tem que ser difícil de se conquistar antes de casar e fácil de se conviver depois — nunca o contrário. Quando ela é difícil antes (já vamos explicar o que queremos dizer com "difícil"), o homem fica louco para se casar com ela. É por isso que você vê mulheres de aparência modesta bem casadas e outras que são verdadeiras esculturas, mas solteiras e sempre passando de mão em mão.

A diferença? As primeiras sabem jogar esse jogo. E não só isso. Elas também sabem que não basta ser difícil de conquistar antes de casar; tem de ser fácil de se conviver depois. Infelizmente, muitas mulheres estão invertendo o jogo: são fáceis de ser conquistadas e difíceis de se conviver depois. Por isso, estão perdendo namorado e marido mais rápido do que perdem o celular dentro da própria bolsa.

O papel do homem é conquistar a mulher antes e nunca considerá-la conquistada depois do casamento. Normalmente, quando ele geme para conquistá-la no namoro, ele tende a manter sua conquista depois de casar. A não ser que ela se torne uma chatinha depois. Foi o que aconteceu com a gente.

A TENSÃO DENTRO DA SALA

Como contei anteriormente, quando eu encontrei a Cristiane apenas pela terceira vez, depois de dois encontros bem breves e sempre muito vigiados, ela me disse: "Você tem que falar com o meu pai". E cortou a conversa comigo a partir dali. Aquela foi a primeira vez que uma moça me disse isso. Pela primeira vez, vi uma barreira real entre uma potencial namorada e eu.

Aquilo me levantou à altura do desafio. Ao contrário de me desanimar, a atitude dela me fez questionar: "Que menina é essa?". Eu passei a querê-la ainda mais.

Cinco dias depois eu estava lá na igreja onde o pai dela trabalhava, numa sexta-feira, cerca de dez da noite, pedindo que ele me desse alguns minutos. Eu havia trabalhado o dia todo até às nove. Tomei um banho, coloquei minha melhor camisa e gravata e saí do outro lado da cidade de carona para encontrar com ele. Eu me senti como se estivesse pulando de paraquedas, só que sem paraquedas... Durante o caminho todo eu fui ensaiando o que iria dizer e imaginando a cena em minha cabeça. Ele me receberia no escritório dele, me pediria para sentar e eu iria expor as minhas grandes e melhores intenções. Ele me perguntaria sobre meu passado e eu lhe contaria sobre como fui o melhor aluno da classe, como minha mãe sempre me achou bonito e até que eu mesmo havia escolhido aquela gravata e camisa. Ele me ouviria atentamente, balançaria a cabeça em aprovação e no final diria: "Será um prazer permitir que a minha filha namore com você".

Este pobre inocente que vos escreve mal sabia o que estava por vir.

Anunciei minha chegada e depois de meia hora fui chamado até a sala onde ele estava. A partir dali, a cena se tornou uma mistura de O Poderoso Chefão com Sexta-feira 13.

Entrei na sala e havia umas dez pessoas, homens e mulheres, ao redor de uma mesa oval e o pai da Cristiane na ponta do outro lado. Claramente uma reunião estava acontecendo e eu estava interrompendo. Todos os olhos em mim e um silêncio ensurdecedor. Disse para ele:

— Eu gostaria de falar com o senhor. É sobre sua filha.

E ele respondeu:

— *Pode falar.*

Por dentro, o meu desespero: "Nãäooo... aqui, na frente de todo mundo?!". Mas não tinha volta. Eu já estava em queda livre. Não me pergunte como, mas consegui aparentar que tudo estava bem. Mantive os olhos fitos nele e emendei:

— Eu gostaria de...

— *O que você quer com ela?* — me cortou logo.

— Eu gostaria de namorar a Cristiane.

— *Quais são suas intenções?*

— Eu quero me casar. Quero alguém para casar.

— *A-hã.*

Alguns segundos de pausa constrangedora, interrompidos pelas doces palavras do meu então futuro sogro:

— *Se você fizer alguma coisa ruim com a minha filha, eu corto a sua cabeça!*

Não foi o "sim" da forma que eu imaginei, mas ele estava ali, implícito, quase imperceptível entre aquelas palavras tão carinhosas.

Prometi que não iria decepcioná-lo, agradeci e fui embora. A coisa toda deve ter demorado uns dois minutos no máximo. Nem deu tempo de falar da minha mãe e tal...

Não era preciso.

Os pais da Cristiane já tinham levantado a minha ficha. Eu estava pré-aprovado e nem sabia. Foi tudo uma formalidade. Anos depois me contaram que quando eu saí da sala, todo mundo caiu na gargalhada. Mas para mim foi um teste muito sério que funcionou como uma mágica.

A partir daquele momento, eu valorizei a Cristiane como nenhuma outra antes dela. E ela também me valorizou, pois o que eu passei para chegar a ela não era para qualquer um. Em nosso próximo encontro eu já cheguei como herói. Tinha passado na prova. Estávamos namorando.

Durante todos os nossos dez meses de namoro e noivado, eu fui um príncipe para ela, sempre a tratando muito bem e agindo como um homem responsável. É claro que aquela imagem gravada em minha mente de minha cabeça rolando pelo chão ajudou, e muito.

A mulher tem de ser difícil de conquistar para que o homem a valorize. Não é que ele seja necessariamente um mau caráter. É uma questão da natureza humana. Tudo o que é fácil não tem valor. Eu nunca fui mau caráter, mas depois que me casei com a Cristiane me acomodei na conquista diária dela exatamente porque ela se tornou disponível demais — uma esposa ciumenta que sempre ficava em cima do marido perguntando se ele a amava e querendo atenção. Logo aquele encanto do namoro deu lugar à irritação e tédio da minha parte. Eu a tinha na palma da mão e isso me fez abandonar qualquer esforço para tê-la por perto.

Aquilo que o homem trabalha para conquistar, ele tende a valorizar mais. Por isso, mesmo que ela esteja caindo de amores por ele, ela deve deixar que ele a conquiste — em vez de se lançar apaixonadamente nos braços dele no primeiro encontro e começar a pensar nos nomes dos filhos enquanto muda o status de relacionamento no Facebook para "em um relacionamento sério".

Aqui vai um segredo:

A mulher tem de estar sempre ligeiramente fora do alcance do homem, para que ele tenha de fazer um esforço para estar com ela. Ela não deve se entregar de todo, nem dar a ideia de que é toda dele e que ele está livre para olhar as outras mulheres porque ela estará sempre ali esperando por ele.

A mulher que pratica esse segredo transpira autoconfiança — a qualidade mais sexy que ela pode ter.

A AUTOCONFIANÇA: A QUALIDADE MAIS SEXY

Cristiane

O *marketing* pessoal do Renato me alcançou bem antes de eu vê-lo pela primeira vez. Várias pessoas me falaram dele e isso me fez ficar interessada. Quando finalmente o vi, me apaixonei, mas evitei que ele me visse olhando. Fazia de conta que ele não existia, ainda que, por dentro, eu não estivesse prestando atenção em mais nada. Eu não era o tipo de garota que deixava evidente para o rapaz que gostava dele. Passaram-se meses antes que o Renato me notasse e foi muito difícil esperar e confiar, especialmente quando ouvia que existia uma multidão de meninas aos pés dele, uma mais bonita do que a outra... E eu nem o via com frequência.

Eu disse para Deus: "Se o Renato é da Tua vontade para minha vida, o Senhor irá guardá-lo para mim. O Senhor fará com que ele me note. Mas eu não vou ajudar o Senhor nisso". Um evento especial começou a acontecer semanalmente na igreja sede onde eu frequentava e os pastores das igrejas afiliadas vinham todos – inclusive o Renato. Um sinal! Eu comecei a perceber que ele estava me notando. Mas mantive o meu voto com Deus. Ele passava por mim e dizia "bom dia". Eu virava as costas, fingindo que não tinha ouvido. Ele sorria para mim, e eu lhe dava um rápido cumprimento e desaparecia.

Na altura, não estava consciente da importância do que eu estava fazendo. Creio que meu relacionamento com Deus e comigo mesma foi o que me deu essa autoconfiança. E funcionou, porque pouco tempo depois o Renato me enviou uma carta de amor (depois de tentar algumas vezes falar comigo e não conseguir) que deu início ao nosso relacionamento. Eu acertei na parte de ser difícil de conquistar antes de casar. Mas cometi um erro:

Fui difícil de se conviver depois.

Eu não era carente antes do nosso casamento. Ele que me ligava, me mandava cartas de amor, flores e lindas mensagens. Eu estava nas nuvens, mas lembro que fazia o maior esforço para não demonstrar...

Porém, depois de um ano de casada, passei a demonstrar até demais...

Ele trabalhava seis dias por semana a uma hora de distância e eu ficava em casa limpando, lavando, cozinhando e pensando... pensando demais. As minhas emoções e inseguranças começaram a aflorar:

- Será que ele não me ama?
- Com quem ele deve estar conversando lá no trabalho dele?
- Por que ele não me liga?
- Por que ele não conversa comigo quando chega?

No sábado, quando o Renato tinha um tempo para descansar, eu queria sair e conhecer Nova York (ninguém pode me culpar por isso!), visitar lugares, comprar pipoca e assistir a uma boa comédia no cinema. Mas ele me pedia para ficar em casa, e minhas cobranças começavam. Quanto mais eu pedia para ele me agradar, menos ele fazia.

Era óbvio que ele tinha se cansado das minhas cobranças por atenção. Ele não precisava mais fazer nada para estar comigo, porque a todo instante eu ficava em cima dele como urubu na carniça. Os papéis haviam se invertido. Era eu quem estava correndo atrás dele agora. E ele não via mais razão para me conquistar, pois qualquer migalha bastava.

Ele estava errado em não fazer tempo para mim? Sim. Mas as minhas atitudes estavam piorando o problema. Eu tinha de fazer algo, não podia esperar que ele mudasse. Então eu mudei. (Minha cara leitora, você é privilegiada porque o que estou prestes a escrever, levei anos para aprender... Atenção!)

Como já mencionei anteriormente, um dia, quando meus pais vieram me visitar, meu pai me chamou para fazer uma caminhada com ele. Ele foi doce e gentil, não queria me machucar ou me fazer sentir mal, mas percebia a minha luta para me ajustar ao meu marido. Ele disse:

"Minha filha, homem nenhum gosta de mulher que fica mendigando amor. Você não precisa disso! Por que não vai ajudar as mulheres na igreja? Use o seu tempo para ser útil a Deus."

Aquilo foi o suficiente. Finalmente eu ouvi Deus falando comigo.

Daquele dia em diante, eu mudei. Parei de pedir para o meu marido conversar comigo e, de repente, ele passou a conversar. Parei de pedir que me incluísse em sua vida e, de repente, eu era uma grande parte dela.

Quando passei a me envolver no que ele fazia, entrei no mundo dele e se tornou fácil para ele compartilhar o seu dia a dia comigo. Desde que parei de implorar por atenção, ele começou a sentir minha falta, a me ligar, a me dar mais valor.

Hoje ele fala sobre isso e como ele mudou, mas eu sei que a mudança dele só aconteceu depois da minha.

Foi depois dessa experiência que eu descobri que uma das qualidades mais sexy de uma mulher é a sua autoconfiança. O homem pode ser atraído pela beleza do rosto, viajar nas curvas do corpo feminino, mas tudo isso perde logo o atrativo devido à familiaridade. Uma vez que tem acesso àquele corpo, não é mais novidade. Por isso, o que realmente mantém o relacionamento, independentemente da aparência física, é o quão interessante aquela mulher se mantém dentro da relação. É a qualidade que atrai, conquista e mantém o casal unido, apesar do tempo.

Autoconfiança é a qualidade mais sexy, mais sedutora e mais atraente para o sexo oposto. O homem ou mulher atraente anda com a cabeça erguida, tem um senso de valor próprio e acredita ser único e especial — sem ser arrogante. Isso é irresistível e nunca fica velho.

Cristiane

Mas de onde vem essa autoconfiança? Primeiro devemos diferenciar o que muitas pessoas confundem: autoconfiança e autoestima. Hoje em dia, parece moda dizer "minha autoestima está baixa". É triste ver tantas pessoas aderindo a isso.

Por mais absurdo que pareça, acreditam cegamente no que a mídia prega: "se o seu nariz está atrapalhando a sua autoestima, conserte-o senão ninguém mais irá amá-la". Na baixa autoestima, as pessoas se inferiorizam até não terem mais razão de viver. No entanto, a autoestima não tem nada a ver com a autoconfiança. Nem sempre me sinto ótima com o meu corpo, mas estou sempre ótima comigo mesma. Quer dizer, a autoestima pode não estar lá em cima, mas a minha autoconfiança não muda.

A autoestima está relacionada ao que você *sente* sobre si mesmo e a autoconfiança está relacionada ao que você *sabe* sobre si mesmo.

Nem sempre sentimos vontade de nos arrumar bem. Há dias em que acordamos indispostas, outros em que acordamos atrasadas, outros em que estamos chateadas com alguma coisa. Mas nosso valor não está no que sentimos, e sim no que sabemos que somos. Essa é a diferença. Não é porque me atrasei que agora vou pensar que sou preguiçosa. Mas é isso que baixa autoestima faz. Ela determina quem você é, com base no que você sente.

Note como, na maioria das vezes, a autoestima vem do exterior: o corpo, os diplomas, a posição na empresa, a popularidade escolar ou a atenção familiar. Mas nada disso deveria ditar o que eu penso a meu respeito, até porque são coisas temporárias. O corpo vai envelhecer de qualquer maneira, os diplomas nem sempre vão abrir as portas, a posição na empresa pode ser perdida, a popularidade escolar é só por um tempo e a atenção familiar depende muito das circunstâncias.

Já a autoconfiança não depende de nada disso. Se você sabe do seu valor, nada pode fazê-lo mudar de ideia. É como um diamante. Ele pode estar debaixo da terra, em um lugar remoto, sujo, em meio a todo tipo de pedras, sem nenhuma atenção, mas ainda assim ele não deixa de ter valor.

A falta de autoconfiança tem causado muitos problemas nos relacionamentos, mas a maioria das pessoas não tem noção disso. Nunca se falou tanto em autoestima como nos últimos anos e nem por isso as pessoas têm conseguido se realizar com elas mesmas. E por que se fala tanto em autoestima? Porque o mundo vive à base de emoções.

Quando você é autoconfiante, é uma pessoa realizada, mesmo que nem tudo na sua vida esteja do jeito que queria. Você está de bem consigo mesmo, anda de cabeça erguida e não tem medo do que pensam de você, ao contrário da maioria das pessoas, que, por uma repreensão ou crítica, já se sente lá embaixo.

Quando está satisfeito, sente que nada lhe falta. Em suma, você é firme em suas convicções, orgulhoso de quem é, confortável em sua própria pele e, consequentemente, muito, muito mais atraente.

Em contrapartida, quando não está satisfeito consigo mesmo, sente inveja dos bens ou das realizações de outras pessoas. E nisso você se distrai das ricas qualidades que já possui. Você não transparece uma pessoa confiante, e sim uma pessoa extremamente insegura.

Depois de me casar com o Renato, o meu problema foi justamente colocar o foco nele, me levando a pensar que, já que ele não me dava atenção, eu não era tão interessante como pensava. Deixei meus sentimentos afetarem minha autoconfiança.

Lembro-me das muitas vezes em que mudei o meu visual só para ver se, pelo menos com o cabelo diferente, conseguiria um pouco mais de atenção. Ia ao shopping comprar uma roupa nova para me sentir melhor e vivia implorando ao Renato para me deixar fazer uma plástica no nariz (ele não deixou, graças a Deus!). Na época, deixei de viver pelo que sabia e comecei a viver pelo que eu sentia.

Só consegui de volta a atenção do Renato quando voltei a ser aquela mulher autoconfiante com quem ele se casou. Falamos mais sobre isso no livro *Casamento Blindado*.

Homem e mulher precisam de autoconfiança, mas a mulher tem uma razão extra para investir nessa qualidade: o instinto masculino de caçador. Se a presa for fácil demais, ele perde o interesse. Cristiane e eu temos ouvido relatos patéticos de mulheres que se arrastam atrás de seus namorados ou maridos, mendigam por atenção e se rebaixam para eles. Enviam trezentas mensagens de texto em um dia. Ligam do raiar do sol até ao mais escuro da noite. Deixam mensagens apelativas se não são respondidas. Vigiam os passos de seus parceiros como detetives. Lamentam o comportamento deles para suas amigas. Choram à noite sozinhas e se perguntam por que não têm a atenção do homem que amam.

E o que elas conseguem? Migalhas. Maus-tratos. Mentiras. Traições. Rejeição. E o término do relacionamento.

Não caia neste erro ou você nunca, jamais terá um namoro — muito menos um casamento — blindado! A mulher autoconfiante conhece seu valor e não aceita esmolas. O seu valor vem de enxergar a si mesma através dos olhos de Deus. A sua autoconfiança vem de saber que não há ninguém no mundo como você, de reconhecer sua singularidade. Você é única.

ELE NÃO PRECISOU DE BRAÇOS NEM PERNAS

O australiano Nick Vujicic nasceu com uma síndrome rara chamada tetra-amelia, o que significa que ele nunca teve braços nem pernas. A maioria dos portadores da síndrome morre pouco depois do nascimento; e os poucos sobreviventes enfrentam desafios inimagináveis para quem tem perfeitas condições físicas. Durante sua infância, quando percebeu suas limitações, Nick sofreu com uma depressão severa. Aos 10 anos tentou o suicídio porque não conseguia enxergar um futuro para si.

Porém, cinco anos mais tarde, ele teve um encontro com Deus e a partir dali o seu interior mudou. Do lado de fora, tudo seguia igual. No entanto, por dentro nascia um homem que iria correr o mundo e abraçar milhares de pessoas — não com pés e braços, mas com uma mensagem inspiradora. Nick se tornou palestrante e espalhou esperança a muitos. Mas já chegando aos 30 anos de idade e ainda solteiro, uma pergunta o incomodava cada vez mais:

Qual mulher irá querer se casar com um homem sem braços nem pernas?

Você há de concordar que o desafio dele não era pequeno. Não se tratava de um complexo imaginário de ter um nariz de um certo jeito, ser gordo ou magro ou não ter uma linda aparência. Eu gostaria que você imaginasse a situação se colocando no lugar dele. Feche seus olhos por alguns segundos e imagine que você não tem dedos, mãos, braços e nem pernas. Faça isso agora.

Você se sentiu impotente? Talvez uma agonia de ser um prisioneiro em seu próprio corpo? Esta era a realidade de Nick por quase três décadas.

Seria preciso encontrar uma mulher que tivesse a mesma capacidade dele, a de olhar para ele além de sua deficiência física.

Apenas uma coisa pode fazer alguém olhar para você além de sua aparência ou deficiência física: a beleza da sua alma. E foi isso o que chamou atenção de uma bela jovem que assistia a uma das palestras de Nick. "Eu já tinha tido relacionamentos em que busquei a aparência física. Quando conheci o Nick, eu estava buscando algo diferente. Ele tinha esse algo", diz Kanae, hoje esposa e mãe dos dois filhos do casal. Os dois se conheceram e se casaram poucos meses antes dele completar 30 anos.

Kanae casou com um homem sem braços nem pernas, porém não aleijado. O espírito de Nick, sua atitude para com a vida, sua capacidade de ver seu valor próprio apesar de sua deficiência, foram qualidades que passaram segurança para Kanae.

O homem autoconfiante também tem a qualidade que a mulher mais quer.

Todos nós temos vantagens e desvantagens. Alguns nasceram com um corpo escultural, outros com alguma deficiência. Talvez você seja uma jovem que nunca namorou ou uma mulher divorciada pela terceira vez. Você pode estar desempregado ou ter uma empresa que emprega dezenas de pessoas. Ninguém tem todas as qualidades da perfeição. Por isso, no que diz respeito a relacionamento, não importa quais suas desvantagens, você precisa aprender a torná-las em vantagens e compensá-las. Faça isso focando no que você tem e não fazendo grande caso do que não tem.

Não seja preconceituoso contra si mesmo. Esqueça as deficiências que você não pode mudar. Pare de se comparar com outras pessoas que têm o que você não tem. Note suas qualidades. Maximize-as e tire delas a autoconfiança que fará de você uma pessoa atraente seja qual for a sua deficiência.

Há uma lenda judaica que diz que um rabino chamado Zusya estava à beira da morte em sua cama, chorando inconsolavelmente. Seus alunos lhe perguntaram:

— Mestre, por que choras tanto?

E ele respondeu:

— É porque em breve vou comparecer diante do trono do Deus Altíssimo e Ele me perguntará:

— Zusya, por que você não foi tão grande quanto Abraão?

E eu responderei:

— Porque o Senhor não me fez Abraão.

E Ele me perguntará:

— Por que você não foi tão grande como Moisés?

E eu responderei:

— Porque o Senhor não me fez Moisés.

Então, Ele me perguntará:

— E por que você não foi tão grande como Davi, pelo menos?

E eu responderei:

— Porque o Senhor não me fez Davi.

Mas quando Ele me perguntar:

— Por que você não foi tão grande quanto Zusya?

O que eu responderei?

Seja tão grande quanto Deus o criou para ser!

"DIFÍCIL": DIFERENTE PARA O HOMEM E PARA A MULHER

De forma geral, um namoro blindado começa com ambas as partes fazendo o que é difícil primeiro. Fazer o que é difícil requer autoconfiança, força e determinação. E este "difícil" não é igual para o homem e para a mulher. De fato, são dois papeis bem distintos:

A autoconfiança do homem se manifesta quando ele vai atrás da mulher de seu interesse. A autoconfiança da mulher se manifesta quando ela resiste à sua vontade de correr atrás do homem que lhe interessa.

Recentemente conversamos com um casal e perguntamos como se conheceram. Ele disse: "Eu era namorador, mas ela era a garota mais difícil da escola. Passado um tempo, eu não queria mais saber das outras. Eu só queria ela, mas ela nem dava bola para mim". E ela confessou: "Na verdade eu já gostava dele, mas jamais iria demonstrar isso. Eu não era esse tipo de garota. Ele ficou um ano atrás de mim, até que finalmente dei uma chance para ele". Os dois estão casados e felizes há mais de vinte anos.

Como foi com eles, e também comigo e com a Cristiane, temos visto que os casais que seguem esse modelo, de fazer o trabalho difícil no início do namoro, tendem a ser mais felizes no casamento depois. Talvez você não saiba, mas esse modelo foi utilizado pelo próprio Deus na conquista das pessoas para Si. Veja que interessante.

Na Bíblia, Deus sempre usou o relacionamento entre homem e mulher para ilustrar o relacionamento entre Ele e as pessoas. Desde o início Ele falou sobre fazer uma "aliança" com o Seu povo; falou em "casar" com a nação de Israel; e quando enviou Jesus à Terra, este veio para ser o "noivo" da igreja, considerada a "noiva". E é neste último exemplo que vemos o modelo da conquista:

> *Maridos, amai vossa mulher, como também Cristo amou a igreja e a Si mesmo Se entregou por ela.*[1]

Note os pontos importantes e suas lições para nós:

- **Ele foi até ela:** Jesus amou a igreja (nós) e então o que fez? Saiu do Seu conforto no Céu e veio à Terra (onde Seu povo estava). O homem vai atrás da mulher e a encontra no território dela, não o contrário. Ele corre o risco da rejeição, assim como Jesus, que foi rejeitado por muitos. Esta é a luta do homem, sua parte difícil. A mulher não deve correr atrás dele, por mais interessada que esteja. Esta é a luta dela.
- **Ele Se entregou primeiro:** foi assim que Ele provou Seu amor por nós, entregando-Se a nós primeiro em total compromisso. Foi por essa entrega dEle por mim que eu decidi me entregar e me "casar" com Ele. A mulher só deve se entregar ao homem depois que ele se entregar para ela em casamento. Do contrário, não haverá nele nenhuma razão para se entregar por ela depois.

Infelizmente, as pessoas hoje estão perdendo o foco deste modelo, especialmente as mulheres.

A MULHER DIFI E A MULHER FÁ

Hoje, vemos muitas mulheres pendendo para os extremos — são fáceis demais ou difíceis demais. Não estamos pegando no pé das mulheres. A

---

[1] Efésios 5.25

questão é que os homens sempre vão reagir à maneira que as mulheres se comportam. O poder no relacionamento sempre esteve com elas, mas infelizmente esse poder tem sido mal utilizado pela maioria.

Vamos entender os perfis destes dois tipos de mulher.

A Difi

A mulher extremamente difícil, a quem chamamos de Difi, tem um comportamento que a faz inalcançável e inacessível. Ela é aquela mulher superindependente que, por mais bem-sucedida e sociável que seja, não permite que ninguém se aproxime de seu coração. Ela intimida os homens. Com sua listinha de exigências do que um homem deve ser e ter, nenhum consegue alcançar seus padrões. Ela vive dizendo "não tem ninguém para mim".

Quando aparece um candidato, ela sempre acha um defeito nele: talvez ele não tenha o mesmo nível cultural que ela, não ganhe tanto quanto ela, não tenha a aparência que ela merece — e por aí vai. São tantas expectativas que nem um homem perfeito serviria para ela.

A Mulher Difi sempre se acha mais inteligente, mais bonita e mais capacitada que as outras — e que eles também, é claro. Ela olha para os homens em geral com um olhar de desprezo. Aliás, já reparou que em muitos filmes a mulher é sempre mais inteligente e sensata do que o homem? Ela, o emblema do bom senso, da dignidade e da coragem. Ele, dependendo do filme, um cafajeste, um bobão ou um pervertido.

Sim, há um movimento anti-homem em que mulheres têm usado o feminismo extremo a fim de literalmente reduzir o homem a um simples doador de esperma. E muitas mulheres têm aderido a essa ideia de superioridade feminina, mesmo sem ter consciência de que entraram na onda desse movimento. O preço alto que elas têm pago por isso: a solidão.

A Fá

A Mulher Fá, ou extremamente fácil, é o oposto da Difi. Seus padrões são quase que inexistentes em relação ao amor. Desde que o cara tenha um bom papo, ela está dentro. Ela se entrega facilmente e vai pelo que sente, mesmo que uma sirene dispare em sua cabeça, alertando a não prosseguir. Seu critério é simples: se o coração quer, então que seja. O depois, a gente resolve... depois.

Muitas Mulheres Fás pensam que, ao se entregarem para um homem, ele também se entregará para elas. Não entendem a diferença entre as naturezas feminina e masculina. A mulher naturalmente quer se dar cem por cento, cuidar do seu amado como uma mãe, aceitá-lo como ele é, na crença de que ele a amará por isso.

Já o homem tem uma natureza transacional, ou seja, baseada na experiência isolada daquele momento. "O que eu vou ganhar com isso" — é o que guia suas decisões na maioria das vezes. Na cabeça dele, ela dormiu com ele porque ela quis, só isso. Não houve nenhum acordo além disso antes.

A Mulher Fá desce ao nível do homem descompromissado e aceita iniciar algo casual. Depois que se envolve, ela quer que ele suba o nível para o compromisso. Aí ele ressente ou se rebela. Por isso, quando ela cobra um compromisso maior, ele estranha, dá um passo atrás e diz: "Eu não estou pronto para isso". E ela fica se sentindo usada ou enrolada. Mas foi ela quem se permitiu enrolar.

Não aceitando derrota, ela vai morar com ele para lhe dar uma prévia de como é bom tê-la ao seu lado. E ele simplesmente agradece. "Legal! Agora vou ter alguém para cuidar da casa e sexo a hora que quiser!" — o seu cérebro transacional pensa. E ela vai lavando, cozinhando, limpando e transando — esperando o dia em que ele finalmente vai casar com ela. Dia, é claro, que nunca chega. Mais provável é chegar o dia em que ele se cansa e decide descartá-la como um guardanapo usado. A fila andou.

Sim, há uma fila enorme de mulheres fáceis esperando um cara desses ficar disponível para elas. E elas são, em grande parte, responsáveis por eles existirem. É a antiga lei da oferta e da procura. No mercado, quando há muita oferta, o preço cai. Com tantas Mulheres Fás por aí, o valor delas está lá embaixo e continua caindo... Então surge o homem Cá — o cafajeste — para se aproveitar delas.

Os homens sempre vão reagir à maneira que as mulheres se comportam.

Cristiane

Como em quase tudo na vida, o alvo é o equilíbrio. A mulher deve se valorizar a ponto de não ser fácil, mas ao mesmo tempo não se tornar inacessível.

Enquanto tantas meninas mandavam cartinhas, presentes e se declaravam para o Renato, eu não dei sinal algum de que gostava dele. Ele passava por mim e eu nem olhava. Mas fazia questão de me colocar no caminho dele (não ser inacessível) e esperar que ele me notasse. E foi o que aconteceu.

Eu me fazia diferente das outras. Todas se insinuavam para ele, mas eu, não. Foi isso que despertou a atenção dele. Hoje, no meu casamento, continuo me valorizando, mas sei manter o equilíbrio e não fazer o Renato se sentir dispensável na minha vida.

A mulher que se entrega primeiro só tem valor para o homem naquele momento. Depois, ele perde o interesse. É assim que o homem reage à

Mulher Fá. Já com a Mulher Difi, os mais corajosos até tentam, mas eventualmente desistem pois se sentem esnobados — meros acessórios na vida delas. Nenhum homem continua empregando esforços na busca do inalcançável. Ele tem que ter pelo menos um pouco de esperança de que há uma possibilidade de conquista.

Eu não sabia que a Cristiane já gostava de mim. Ela fez um ótimo trabalho de manter isso bem guardadinho dentro dela. E como ela disse, foi exatamente isso que me incentivou a saber mais, pois ela foi um tanto escorregadia — estava ao alcance das minhas mãos, mas ao mesmo tempo me escapava pelos dedos com sua atitude que dizia "se você me quer, venha atrás".

A mulher sábia sabe jogar esse jogo e ganhar toda vez. E quando ela ganha, os dois ganham. Ela consegue o namorado que quer e o faz pedi-la em casamento — enquanto ele pensa que foi tudo ideia dele. A boa notícia é que você também pode aprender como fazer isso. Vamos lhe dar algumas dicas à frente, mas primeiro algo mais importante: saber fazer o trabalho de um bom espião.

Vai cair na prova!

Se a autoconfiança é uma das qualidades mais sexy que alguém pode ter, como você pode desenvolvê-la? Escreva uma carta para si mesmo elogiando suas qualidades e apreciando sua importância como pessoa.

Poste em nosso Facebook (fb.com/livronamoroblindado) ou em sua rede social preferida:

Ser autoconfiante e difícil na medida certa – segredos de um #namoroblindado

CAPÍTULO 13

PUXANDO a FICHA

SE VOCÊ JÁ ASSISTIU A FILMES de espionagem, à *la* 007 ou Missão Impossível, vai se lembrar dessa típica cena, presente em quase todos os enredos. Um oficial da agência central de inteligência do serviço secreto convoca o espião herói para lhe dar sua missão. Ele recebe uma pasta, normalmente com a frase "TOP SECRET" marcada na capa em vermelho, em letras grandes (alguém realmente espera que aquela marca fará algum curioso pensar "Oh, isso é um segredo, não vou olhar"?). Dentro, a ficha completa da pessoa de interesse, alvo do serviço secreto, que o espião olha e, magicamente, decora em segundos todos os dados que estão ali, sem ao menos folhear a pasta. Corta para o herói já em outra parte do mundo, no encalço do seu alvo.

Espionagem é ilegal, mas muitos países a praticam como forma de defesa contra inimigos reais ou potenciais. Não é difícil de entender a lógica dessa prática: sem inteligência sobre o seu inimigo, é praticamente impossível se defender dele. Até Deus orientou Moisés a enviar espias à Terra Prometida antes de conquistá-la[1]. Conhecimento nos dá poder.

Não estamos sugerindo aqui que você faça nada ilegal nem que seu futuro namorado seja um inimigo. A questão é entender a importância de colher o máximo de informações sobre uma pessoa antes e durante o namoro para você não entrar numa fria. Acredite, isso nunca foi tão importante quanto atualmente.

Em um mundo cada vez mais populoso, onde pessoas mal se conhecem e podem facilmente ser quem quiserem por trás de uma tela eletrônica, saber o máximo possível sobre um candidato a namoro é questão de sobrevivência. A pessoa poderá vir a ser um ótimo cônjuge ou seu pior pesadelo. Você não pode arriscar sua vida deixando que seu coração goste e se entregue a alguém antes de sua cabeça puxar e aprovar a ficha da pessoa.

[1] Números 13

Infelizmente, a maioria das pessoas não tem tido esse cuidado. E a razão é que muitos relacionamentos hoje começam **de baixo para cima**.

Primeiro, os dois procuram a atração física e Muitas vezes logo partem para o beijo, abraço, pegação... e pode até rolar sexo. Depois, pode ser que nasça um sentimento mais afetivo, um gostar; o casal passa a se ver mais regularmente — e a pegação continua, é claro. Em um terceiro estágio, o relacionamento chega na mente — e, quase sempre, alguém descobre a burrada que fez. Aí a relação acaba ou entra em crise por problemas que não foram vistos antes. Quer dizer, começa pelo sexo ou relacionamento físico, sobe para o coração (sentimento) e só aí chega na razão — quase sempre tarde demais.

AMOR DE BAIXO PARA CIMA

O inteligente é começar o relacionamento **de cima para baixo**.

AMOR DE CIMA PARA BAIXO

Primeiro, o casal usa a inteligência, a mente, para identificar e conhecer uma pessoa compatível. Se a cabeça aprovar as informações, ela dá permissão ao coração para começar a gostar da pessoa. Se tudo desenvolve bem, eles passam para o terceiro estágio: se casam e aí se entregam de corpo, alma e espírito.

Puxar a ficha da pessoa é começar o relacionamento de cima para baixo, com inteligência e visão ao invés de burrice e cegueira. Assim, você prepara a blindagem do namoro desde o início — na verdade, antes mesmo de começá-lo.

AS MOTIVAÇÕES

Antes de começar um relacionamento, é muito importante avaliar as reais motivações da outra pessoa e também as suas. As razões por que uma pessoa quer entrar em um relacionamento são cruciais para determinar o futuro dele. Se essas razões forem erradas, o relacionamento será desastroso, ainda que comece maravilhosamente bem.

Responda com honestidade: por que você quer namorar aquela pessoa? Ela é um ticket para você sair da casa dos seus pais? Conquistá-la seria um troféu para exibir aos seus amigos? Você quer provar para o seu ex que você também já está em outra? Você sempre fantasiou levar uma mulher como aquela para a cama? A sua idade está pesando e você precisa casar antes dos 30, 35 ou 40?

Avalie bem suas reais motivações. O coração é muito enganoso e mentiroso. Você pode até dizer as palavras certas, que gostou daquela pessoa, quer fazê-la feliz etc. —, mas no fundo seus lábios podem apenas estar sendo reféns do seu coração. Ou pior: já pensou se você é sincero e verdadeiro, mas a outra pessoa tem as motivações erradas? Você tem que testar as motivações da outra pessoa e manter os olhos bem abertos antes e durante o namoro, pois elas nem sempre são aparentes.

Por isso, não tenha medo de perguntar as coisas. Pergunte sim, e pergunte muito! — E desconfie se pessoa se incomodar com suas perguntas.

> *Namorar é compartilhar pensamentos. Vocês têm que descobrir as intenções, ideias e vontades um do outro e ver se poderão conviver com elas no casamento.*

É claro, talvez não pergunte tudo no primeiro encontro, mas se vocês já passaram do terceiro mês de namoro e ainda não fizeram nem responderam às perguntas mais difíceis um sobre o outro, então não estão praticando um namoro blindado.

Você tem que saber tudo e mais um pouco sobre aquela pessoa. Por exemplo:

> *Qual o seu nome? Esse é o seu nome verdadeiro? Posso ver seu RG? Foi seu pai ou sua mãe que lhe deu esse nome? Você*

conheceu o seu pai? Ele conheceu o pai dele? Seu pai ainda está casado com sua mãe? Ah, ele é falecido? Sua mãe foi descartada como suspeita na morte dele?

Qual o relacionamento que sua mãe tinha com suas ex-namoradas? Eu preciso colocar um spray de pimenta na minha bolsa quando for visitá-la? Por que seu último relacionamento terminou? Foi você quem terminou ou foi sua ex? O que você entende por "terminou"? Se eu olhar seu celular, vou encontrar mensagens dela dizendo que está com "saudades dos velhos tempos"?

Como é o seu relacionamento com o seu celular? Você acredita em privacidade no casamento ou em transparência total? O serviço é com ou sem contrato? Se é com contrato, você paga a conta em dia? Você tem dívidas? Se você morrer amanhã, você tem onde cair morto ou seus amigos do Facebook terão de fazer uma vaquinha para te enterrar?

Você acredita em vida após a morte? E em vida além do sofá e do controle remoto? Você acredita em Deus ou é pagão? Você sacrifica animais às sextas-feiras à meia-noite? Devo me preocupar se nós tivermos um cachorrinho?

Você gosta de animais? Que tipo de animais? Você acredita que animais devem ter a própria cama ou dividir a cama com você? Você conseguiria viver sem um animal de estimação? E filhos? Você quer ter um, nenhum, dois ou um por ano até parar de ovular? Você acredita em deixar o trabalho para criar os filhos ou em trabalhar mais para pagar uma babá? E se a babá for um pouquinho bonita, só um pouquinho – você vai ficar com ciúmes de mim? Você é muito ciumenta? O que você faz quando está com ciúmes? Você chora, vai embora ou atira as coisas? Eu posso olhar para os lados quando estou ao seu lado no shopping ou dirigindo? Devo comprar uma viseira?

Os seus olhos são verdes mesmo ou são lentes de contato? E esse cabelo é seu? Quando você acorda de manhã, você tem essa cara mesmo? Posso ver você sem maquiagem no próximo encontro? Você escova os dentes quantas vezes ao dia? Você toma banho pela manhã ou à noite? Você se dá bem com água e sabão? Você acredita em ficar uns dias sem tomar banho no inverno? Água e sabão lhe dão vontade de se masturbar?

Você é viciado em pornografia? Você acha que pornografia apimenta a relação ou é pimenta nos olhos da mulher?

Ok, humor à parte, essas perguntas não são um exagero. Na verdade, essa é a versão curta. Eu nem mencionei que você deve fazer uma busca no Google e nas redes sociais com o nome da pessoa e ver o que aparece... Nunca se sabe.

Sim, ao longo do namoro, você tem de perguntar tudo, saber tudo — e também responder a todas as perguntas que o outro fizer a você. E se não passou pela cabeça dele ou dela perguntar algo que você sabe que é importante, você deve se adiantar e revelar o que precisa ser revelado. Nada de surpresas depois do casamento.

E depois de ouvir as respostas, o seu trabalho não acabou. Não confie em tudo o que ouviu. Você terá de seguir o conselho de Ronald Reagan:

Confie, mas verifique.

Se o que você ouviu não bate com o que outras pessoas dizem a respeito ou com o comportamento do seu pretendente, melhor não prosseguir.

CRITÉRIOS FÚTEIS

Ao avaliar uma pessoa para um possível relacionamento, você não deve perder de vista o que realmente importa. Em uma de nossas aulas presenciais da Escola do Amor, conhecemos um casal com uma história bem típica. Renata, quando solteira, idealizava um namorado alto, moreno, de olhos azuis e com voz de veludo. Não nos surpreendeu saber que continuou solteira até aos 37 anos, quando encontrou o Paulo, que tinha olhos castanhos, era da altura dela, calvo, branco e com voz típica de jogador de futebol (daquelas que não têm nada a ver com a aparência).

Ele a convidou para fazer a Caminhada do Amor[2]. A primeira reação de Renata foi a de sempre: rejeição. E disse na cara dele: "Você não é o meu tipo". Ainda bem que a essa altura, Renata já estava aprendendo o amor inteligente através da Escola do Amor, o que fez com que ela repensasse suas idealizações e desse a Paulo, e a ela mesma, uma chance de se conhecerem.

Hoje eles estão casados, superfelizes, e Renata só lamenta uma coisa: o tempo que perdeu idealizando alguém por critérios fúteis.

A pessoa que você sonha ter, pode não ser a pessoa que você precisa.

[2] Saiba o que é e como funciona, acessando CaminhadadoAmor.com

O que Renata finalmente entendeu é que o amor é fruto de duas pessoas se conhecerem. Quando ela decidiu conhecer e se dar a conhecer ao Paulo, descobriu nele o homem que precisava. Enquanto ela procurava pelo homem com a altura, cor dos olhos e timbre de voz que idealizava, não o encontrou. Paulo não era fisicamente o homem que ela sonhava, mas era tudo o que ela precisava. A pergunta que precisa ser feita sobre a aparência é: como essa pessoa será daqui a 20 ou 30 anos?

Não procure alguém para namorar. Procure alguém para casar. Pense no longo prazo.

Cristiane

Todo mundo sabe que aparência não é tudo. O problema é que, ainda assim, as pessoas dão muito mais valor ao que veem ou ouvem, do que às qualidades que realmente fazem a diferença no relacionamento.

Você quer uma pessoa fiel a você, que seja verdadeira e de palavra, que lhe dê toda exclusividade que uma esposa ou marido quer. Mas se procura um moreno alto, bonito e milionário, está no mínimo errando o alvo – não que tal homem não possa ser bom e fiel, mas se o foco está no que você consegue ver sobre a pessoa, provavelmente deixará de olhar e procurar o que precisa ter no relacionamento.

Eu ouvi falar do Renato, mas ainda não o tinha visto pessoalmente. Só pelo perfil que as pessoas que o conheciam me deram, eu já o admirava:

- Ele tinha conhecido a Deus aos 14 anos por causa da separação de seus pais, o que significava que dava importância à família. Em vez de se rebelar, buscou a Deus. Isso já mostrava bastante maturidade para sua idade.
- Ele largou os estudos e os negócios do seu pai para ajudar outras pessoas, uma qualidade que poucos têm. Ele mostrou que tinha Deus em primeiro lugar e que levava a sério o seu chamado.
- Ele era sério, não ficava de conversa com meninas. Mesmo atraindo muita atenção feminina, não usava isso para se gabar. As meninas se declaravam para ele e ele nunca dava mole para elas.
- Ele era inteligente, gostava de estudar e o seu trabalho crescia, mesmo sendo tão jovem.

Quando o vi pela primeira vez, dentro de mim eu já tinha uma enorme admiração por ele. A primeira impressão foi a mesma de quando ouvi falar dele, mesmo sem nunca termos tido contato. Ele não precisou falar nada disso para mim. Sua reputação e seu comportamento falavam bem alto. É isso que você precisa procurar em alguém: qualidades interiores que falem de si mesmas por meio do comportamento, da vida, dos relacionamentos (pais, colegas de trabalho, sexo oposto) e da reputação desse alguém. Infelizmente a maioria das pessoas não busca saber essas coisas antes de se apaixonar. Depois que sabem, já estão apaixonadas. Tarde demais.

Saiba antes, sinta depois.

Faça as perguntas certas antes de se permitir gostar de seu pretendente. É por isso que nós promovemos a Caminhada do Amor, que ajudou a Renata e o Paulo a se conhecerem primeiro, antes de decidirem namorar. Nós aconselhamos todos que querem um namoro blindado a fazer a Caminhada do Amor. Vocês aprenderão a fazer as perguntas certas um para o outro, antes que seja tarde demais.

O QUE PROCURAR NO HOMEM

Há algumas características específicas que uma mulher deve procurar em um homem e que farão dele um bom marido:

1. **Liderança:** ele tem objetivos e por isso sabe para onde vai. Um rapaz que só pensa no aqui e agora e não tem planos sólidos para o futuro pode ser uma boa diversão por um fim de semana, mas será um fardo como marido.
2. **Domínio próprio:** se ele não tem controle sobre seu temperamento ou hábitos, como controlará situações externas como trabalho, relacionamento e família?
3. **Ser de palavra:** homem que é homem não mente. Mulher tampouco, mas especialmente o homem, porque a mentira costuma ser usada por covardes, que temem a verdade. E você não quer um covarde ao seu lado, e sim um homem confiável.
4. **Comportamento com as mulheres:** ele gosta de flertar ou de ter a atenção delas? Ele trata as mulheres em sua vida com respeito — mãe, irmã, professora, colegas?
5. **Segurança:** você quer um porto seguro, não um pedaço de areia movediça. O homem seguro é autoconfiante, fiel, desembaraçado (ao invés de enrolado) e inteligente — não no sentido de diplomas, mas como alguém que é apto a resolver problemas, observar o mundo, aprender e melhorar sempre.

Em suma, procure alguém que sabe o que quer, tem a determinação de crescer e acredita nas boas chances da vida. Fique longe de homens negativos ou derrotistas, imaturos, que falam muito, mas mostram pouco, que você terá de carregar nas costas sempre. Busque alguém que a desafie e inspire a ser melhor.

O QUE PROCURAR NA MULHER

Cristiane

Uma mãe aconselhando seu jovem filho rei, descreveu para ele uma mulher excelente, cheia de qualidades[3], que ele deveria procurar para se casar. Você pode encontrar todos os conselhos desta mãe sábia no livro de Provérbios capítulo 31, mas eu vou ressaltar aqui apenas cinco das principais qualidades que ela orientou o filho a procurar em sua futura esposa:

1. **Hospitaleira:** a comida, a roupa e "o bom andamento da casa" são cuidados que ela se orgulha em ter. Sim, a mulher de Provérbios trabalhava fora, mas não abria mão desses cuidados de mãe com a família. Como sua pretendente vê esses cuidados?
2. **Habilidosa:** ela tecia, administrava empregadas, negociava, ganhava dinheiro, ajudava os necessitados... Era uma verdadeira auxiliadora para o seu marido. O Renato sempre investiu nos meus talentos. Hoje, ele tem uma mulher multi-habilidade ao seu lado. Note se a moça demonstra desenvoltura em suas tarefas e responsabilidades.
3. **Trabalhadora:** ela não era preguiçosa. Acordava cedo, dava conta de seus afazeres. Note: essa mulher seria rainha, mas nem por isso viveria de papo para o ar. Veja se sua futura esposa encara o trabalho com prazer e não com enfado.
4. **Feminilidade:** apesar de todo o seu sucesso, ela não fazia tudo aquilo para competir com o marido nem se tornar independente dele. O seu marido era estimado entre os homens mais importantes – e ela não se incomodava com isso, ao contrário, tinha orgulho dele. Procure uma mulher que se sinta segura em ser mulher, que não tenha vergonha nem sentimentos de inferioridade por isso.
5. **Sabedoria:** se a força do homem está nos músculos, a da mulher está na língua. Se não souber falar com sabedoria e delicadeza, poderá atear fogo na própria casa – o fogo da contenda, da raiva

[3] Eu chamo essa mulher de "A Mulher V". Escrevi um livro sobre ela, de mesmo nome, pensando especialmente nas mulheres — mas o Renato sempre diz que todo homem deveria ler...

e da provocação. Perceba se as palavras de sua namorada o colocam para cima ou para baixo, incitam o melhor ou o pior em você. Não subestime esta qualidade.

A pessoa com quem você vai se casar cumprirá um papel importante na formação de quem você se tornará mais tarde. O bom e o ruim dela se tornarão parte de você. Portanto, escolha bem. Não comece uma jornada com alguém que tem características que você despreza e não quer na sua vida.

MELHORANDO AS CHANCES DE SUBIR O EVEREST

Eu não sou alpinista, mas já subi algumas montanhas na minha vida, entre elas o Monte Sinai no Egito, o Ben Nevis na Escócia e o Pico de Guadalupe no Texas — é claro, fichinhas diante do Monte Everest, em seus quase 9 mil metros de altitude. Mas uma coisa eu aprendi sobre escalar montanhas:

Não carregar nada a não ser o absolutamente necessário.

Quando você está subindo uma montanha, um litro de água nas suas costas parece pesar uns trinta. Você sente até o peso do relógio no seu pulso e se pergunta: "Por que diabos não deixei isso no hotel e aprendi a adivinhar a hora pelo Sol?".

O casamento é como subir uma montanha. Cada uma tem suas dificuldades, mas todas são difíceis. Com bom preparo físico, um mapa, o equipamento certo e o apoio de um parceiro, você consegue subir até o Everest. Mas se quiser sair da rota, ignorar os conselhos de quem conhece melhor e subir carregando uma geladeira nas costas, você provavelmente vai morrer no pé da montanha. E é exatamente isso que tem acontecido com muita gente no casamento.

Elas têm ignorado conselhos importantes que podem facilitar a subida ao topo da felicidade amorosa. Fico chocado como algumas pessoas escolhem um parceiro com características que dificultam ao extremo o sucesso da relação. Para elas, não bastam as dificuldades inerentes de qualquer relacionamento. Elas querem carregar uma geladeira nas costas. Alguns exemplos que já encontramos, todos esmagadinhos debaixo de sua própria geladeira duplex 540 litros:

- A esposa evangélica que casou com um budista "supereducado e atencioso, de ótima família", que agora implica e despreza a fé dela.
- A mulher de 37 anos casada com o marido de 53, a ponto de se separar porque ela queria um filho e ele não.

- A empresária divorciada que banca um rapaz 9 anos mais novo, com quem se ajuntou; ele sofre de transtorno do déficit de atenção e nunca parou em emprego.
- O empresário que conheceu uma linda garota de programa de outro país na Internet, a trouxe para o Brasil para morar com ele e só acordou depois que ela o tinha deixado sem amor e sem um tostão.

Quando escolher alguém para um relacionamento, não faça vistas grossas a coisas importantes porque acha que o "amor" de vocês irá superar qualquer problema. Não se envolva com alguém que tem um perfil ou uma situação complicada para você. Se vai subir a montanha, não arrume peso desnecessário. No começo da relação, pode até não notar, como quem não nota o peso da mochila quando começa a subir a montanha. Mas depois, mais para cima, você não vai conseguir notar mais nada além daquilo... E aí poderá ser tarde demais.

POR QUE TERMINEI UM NOIVADO

Como mencionei anteriormente, antes de conhecer a Cristiane eu estava noivo. Era um relacionamento que já durava quatro anos e estávamos nos preparando para casar. Nosso relacionamento começou quando eu tinha apenas 14 anos e ela 22. Nos conhecemos na igreja.

Inicialmente, ela não queria nada comigo e não era difícil entender o porquê. Eu era apenas um menino. Mas quando eu bati os olhos nela, a beleza e o jeito dela me encantaram. Eu a queria ao meu lado. Mas quem era eu? Como ela iria aceitar me namorar?

Eu sempre tinha sido namorador até então. E parece que tinha atração pelas moças mais difíceis. Hoje entendo a mágica dessa dificuldade, por que os homens querem as mais difíceis e não as fáceis. Na época, eu apenas seguia aquele instinto, sem entender as razões. Gostava de um desafio. Isso me levou por várias paixões de infância e adolescência — e por vezes a situações patéticas, de passar meses perseguindo uma determinada garota na escola e só recebendo "não". Eu sofria, mas depois partia para outra. Era meu padrão de comportamento.

Com minha ex-noiva não foi diferente. Superei minha timidez e os olhares condenadores de outras pessoas. Insisti, persisti, afiei ao máximo o meu lado romântico e cavalheiro e finalmente consegui que ela aceitasse namorar comigo. Ela foi sincera e me disse: "Eu não vou dizer que te amo, pois não sinto isso, mas vou te dar uma chance". Era tudo o que eu precisava.

Ao longo daqueles quatro anos, quis provar para ela, para os outros e para mim mesmo que eu estava à altura daquele relacionamento. Iria provar que eu não era apenas "um menino". E me esforcei ao máximo para isso. Tanto que ela passou a gostar de mim e até disse que me amava. Porém, não dava para tapar o sol com a peneira.

Por mais que eu quisesse, às vezes era impossível ocultar a minha imaturidade e insegurança. Eu tinha ciúme dela, sem ela nunca ter dado razão para isso. Ela tinha que me cutucar para eu tomar certas atitudes óbvias, que eu simplesmente não enxergava. Era claramente mais madura do que eu, já tinha uma certa experiência de vida. Trabalhava, sustentava sua casa, tinha o seu dinheiro. Era embaraçoso para mim, mas não via nisso um problema; e acho que ela também não. Eu já estava com 18 anos e ela 26. Noivamos, íamos nos casar em alguns meses, já estávamos comprando móveis. Até que...

Um conselho me fez pensar profundamente sobre o nosso futuro.

"Essa diferença de idade provavelmente será um constante ponto frágil no casamento de vocês. Como ela irá se submeter à sua liderança diante da sua imaturidade? Como você irá passar segurança para ela? Não pense apenas no agora, mas quando vocês estiverem mais velhos. Como vai lidar com o envelhecimento mais rápido dela? Quando estiver mais maduro e vir outros homens da sua idade com mulheres mais jovens, o que vai pensar disso? E como ela irá lidar com tudo isso?"

Tenho que admitir que não havia pensado nesses detalhes com a devida consideração. Nossa atitude sempre foi pensar que nosso amor superaria tudo. Hoje, sempre que conto essa história, recebo críticas dos idealistas do amor romântico: "Se vocês se amavam mesmo, a diferença de idade não seria um problema", eles alegam. Soa muito bonito e também acreditamos nisso por quatro anos. Hoje, porém, minha experiência com casais mostra que, na vasta maioria dos casos, isso é uma utopia. Na prática, relacionamentos assim, com grande diferença de idade, especialmente da mulher sobre o homem, costumam ser repletos de problemas.

Amor, apenas, não segura casamento.

Se segurasse, a taxa de divórcio não seria tão alta, pois todo mundo, supostamente, casa por amor. E onde foi parar o amor desses casais que se divorciaram? A verdade é que no dia a dia do casal é preciso mais do que sentimento de amor. Há coisas práticas que acabam influenciando a convivência, como aqueles sinais que já estavam presentes em nosso namoro: insegurança, ciúme, imaturidade... Veja que o meu amor por ela não impediu esses problemas, mesmo antes do casamento.

Mas alguém poderá apontar exemplos de casais que são exceções, que fogem à regra e aparentemente são felizes, apesar da diferença de idade. Mas eu não queria basear o meu casamento em exceções. Eu entendi que esta seria uma das decisões que impactaria o resto de nossas vidas. Por isso, decidi não arriscar. Eu não queria uma geladeira em minhas costas e nem nas costas dela.

Contra a minha vontade e os meus sentimentos, terminei o noivado. E não tenho nenhuma dúvida de que tomei a decisão certa para nós dois. O amor inteligente prioriza a razão e não os sentimentos. E a razão diz:

Procure alguém para se casar que aumente as chances de dar certo, não as de dar errado.

Pense na seguinte analogia. Imagine que você tem uma doença grave e a cura exige uma cirurgia. Há um médico em sua cidade que faz essa cirurgia, mas a cada dez pacientes que ele opera, nove morrem na mesa de operação. Você aceitaria operar com esse médico ou procuraria outro com um melhor histórico de sucesso?

Não é diferente na vida amorosa. Se você sabe que determinadas coisas aumentam a chance de fracasso em um casamento, por que escolheria ter um relacionamento assim?

DIFERENÇA DE IDADE

Por causa da diferença entre nossas idades, abri mão de um relacionamento que estava indo relativamente bem. Não quero com isso impor regras, pois não há fórmulas ou números que possam garantir o sucesso de um relacionamento baseado apenas na idade do casal. O que há é o bom senso e o que a inteligência nos mostra. Eu diria que não é impossível subir uma montanha com uma geladeira nas costas — apenas muito, muito mais difícil. E quem tem um relacionamento assim deve estar preparado para as dificuldades inerentes. Alguns pontos importantes a considerar:

- **Quando a mulher é mais velha:** é o que costuma ser mais problemático, porque a mulher naturalmente amadurece mais rápido do que o homem. Uma moça de 18 anos normalmente se mostra muito mais madura do que um rapaz da mesma idade. Até biologicamente isso é facilmente observável, pois a moça alcança a puberdade bem mais cedo que o rapaz. Levando isso em consideração, quando a mulher é mais velha do que o homem, a diferença de maturidade é ainda maior. Se ele tem 25, por exemplo, e ela 35, na realidade a diferença pode ser bem maior do que dez anos. Mesmo quando a diferença de idade é pouca, a diferença de maturidade pode ser muita. E uma mulher madura terá muita dificuldade de se sentir segura sob a liderança de um homem imaturo. Ele, por sua vez, poderá assumir a posição mais de filho do que de marido e deixar as decisões para ela. Ou então ir para o outro extremo: querer provar que é maduro, se tornar grosso com ela (para impor respeito) e se precipitar nas decisões.

- **Quando o homem é mais velho:** bem menos problemático, mas quando a diferença é muito grande — 10 anos ou mais, por exemplo — algumas coisas podem começar a pesar, como os diferentes níveis de energia dos dois. Um homem de 40 anos já está pensando em assentar a poeira, enquanto uma mulher de 30 está querendo levantar poeira... Isso se aplica mais para as idades mais jovens, pois a partir da meia idade essa diferença tende a ser menos impactante. Isso porque as pessoas de meia idade para cima costumam estabilizar em seu nível de maturidade. Um homem de 55 e uma mulher de 45 podem sentir bem menos essa diferença, por exemplo. Porém, entenda que se seu marido for bem mais velho do que você, digamos 20 anos, o seguinte cenário será muito provável: você, aos 60 anos, cuidando das fraldas dele aos 80... Ou seja, espere cuidar de um homem com todas as peculiaridades de uma idade avançada enquanto você ainda estará relativamente mais ativa do que ele. Além de ficar viúva bem mais cedo, é claro.
- **Gerações diferentes:** Se o seu namorado se recorda dos Beatles com nostalgia, mas o seu sonho de consumo é estar na primeira fila de um show do Justin Bieber, vocês têm, digamos, uma séria diferença de idade. E, com ela, gostos e preferências sobre música, TV, tipos de diversão — além de experiências culturais e históricas — serão totalmente diferentes. Essas coisas podem parecer pequenas e triviais, mas pesam na rotina do casal. Em um caso que tratamos, uma mulher de 36 anos queria muito casar e ter um filho com seu companheiro de 53. Mas ele já tinha três de um casamento anterior e não queria nem casar nem ter mais filhos. Ele já está em uma outra fase da vida. Ela está no pico, ele descendo a montanha. A última coisa que ele quer agora é um pirralho correndo pela casa.
- **Filhos:** Quando uma esposa bem mais jovem que o marido tem filhos com ele, mais tarde, quando seus filhos forem adolescentes, poderá sentir muito mais afinidade com eles do que com seu marido de cabelos brancos, talvez já mais frágil na saúde. Um marido jovem que queira ser pai poderá nunca conseguir com uma mulher que está mais próxima dos quarenta anos. E quando o cônjuge mais velho tem filhos de outra relação, estes poderão ter muita dificuldade de aceitar e lidar com o novo parceiro da mãe ou pai — o que influenciará o casamento também.
- **Motivação:** Refletindo hoje sobre aquele namoro e noivado que eu tive, posso ver como eu poderia ter sido motivado por um orgulho de querer provar que era capaz. É fácil ter as motivações erradas em um relacionamento

com grande diferença de idade. A moça pode estar procurando a figura de um pai, alguém que a proteja e dê segurança financeira. O homem mais velho pode estar procurando uma jovem cuja beleza e vitalidade o façam se sentir viril novamente... Quanto maior for a diferença de idade, maior a chance de as motivações serem erradas. E, como falamos anteriormente, a motivação errada pode acabar com um relacionamento.

É impossível um relacionamento assim dar certo? Na teoria, não. Mas, na prática, é muito, muito difícil. Não é à toa que a Bíblia menciona várias vezes a expressão "mulher da tua mocidade"[4] — o que sugere que o costume era o casal casar jovem e com idades aproximadas.

APRESENTANDO O NOVO MODELO 780 LITROS...

Se a diferença de idade e outros fatores podem pesar no relacionamento como uma geladeira nas costas de quem sobe uma montanha, tenho o prazer de lhe apresentar a versão gigante!

Ela vem com 780 litros de capacidade, três portas, freezer, prateleiras especiais para pepinos em conserva (você vai precisar) e um potente dispenser de gelo que garantirá o clima bem frio no seu casamento enquanto ele durar...

Estou falando de casamento *inter-religioso* — entre duas pessoas de crenças diferentes.

Estudos mostram que casamentos inter-religiosos têm maior índice de divórcio — até três vezes mais do que casamentos onde os dois são da mesma fé. O índice é maior até mesmo entre casais do mesmo segmento religioso, mas de denominações diferentes. E pasme: casais da mesma denominação, em que um dos cônjuges tem maior grau de devoção ou convicção do que o outro, também se divorciam mais.

Faz sentido, porque é difícil pensar em um fator que tenha tanto impacto em tantas áreas da vida de uma pessoa como a sua fé.

Não é apenas uma questão de onde o casal (e os filhos, se houver) irá congregar domingo de manhã. A fé de uma pessoa afeta tudo, desde os princípios e valores que regem suas decisões até às finanças, a comida, o tratamento médico, a disciplina dos filhos (e qual crença eles irão seguir), o sexo, os parentes, a visão do mundo, o lazer e uma gama de outras áreas da vida.

Para muitos, o problema já começa quando estão planejando o casamento. "Vou falar com o meu pastor para marcar a cerimônia", a noiva diz entusiasmada. O noivo reage: "Bem, é que eu disse para minha mãe que nós nos casaríamos lá em nossa paróquia e o Padre Pedro faria o nosso casamento...".

---

[4] Provérbios 5:18, Isaías 54.6, Malaquias 2:14,15

Até aí, tudo... mais ou menos bem. Dá para sobreviver ao dia do casamento, pois passa logo. O pior vem depois. A agravante é que a fé, para as pessoas que a levam a sério, é inegociável. Mudar de opinião para elas é ir contra o seu Deus. Por isso, o potencial para conflitos sem solução é muito grande.

Já sabendo disso, o próprio Deus aconselhou o Seu povo a não se casar com pessoas de outra fé. A Bíblia relata que casamentos inter-religiosos costumavam ser grande pedra de tropeço para os judeus. O povo de Deus normalmente se corrompia e abandonava a sua fé original para abraçar a crença pagã de seus cônjuges. E os filhos seguiam o desvio da fé de seus pais, como efeito dominó.

No Novo Testamento, sob a fé cristã, nós vimos a continuidade desta restrição. O apóstolo Paulo disse:

> *Não se ponham em jugo desigual com os incrédulos; pois que sociedade pode haver entre a justiça e a injustiça? Ou que comunhão, da luz com as trevas?*[5]

Essa expressão "jugo desigual" era bem familiar aos seus ouvintes, pois Paulo estava citando uma parte do Antigo Testamento que diz:

Não ponha juntos um boi e um jumento para puxarem o arado.[6]

Nós que crescemos na cidade não entendemos esse conselho sem uma explicação. Antes de existirem tratores e outras máquinas para arar a terra, bois sempre foram os animais de escolha para puxar o arado enquanto o agricultor os dirigia. O boi é, por natureza, dado ao trabalho duro e coopera melhor com o homem. Já o jumento é teimoso e inflexível. São animais com naturezas diferentes. Além disso, o boi era considerado pelos judeus um animal "limpo" e o jumento um animal "imundo". Logo, não fazia sentido nem do ponto de vista prático nem do religioso colocar um boi e um jumento juntos para puxar o arado. Eles não conseguiriam sair do lugar.

E Paulo sugere que o mesmo acontecerá com duas pessoas em "jugo desigual" por causa da fé. Nós podemos confirmar isso por nossa experiência. Grande parte dos casais com crenças diferentes que aconselhamos vive exatamente assim — ora batendo cabeças, ora como se puxando um cabo de guerra, nunca chegando a lugar nenhum. Do ponto de vista da fé, para o cristão, é realmente como se tivesse casado com um jumento...

Portanto, se você leva a sério sua fé e quer uma dor de cabeça na certa, case com alguém sem fé, de pouca fé ou de fé diferente da sua.

---

[5] 2 Coríntios 6:14

[6] Deuteronômio 22:10

Muitos casais hoje em dia não estão dando muita importância a esse ponto. Grande parte se casa sem nem sequer conversar mais profundamente sobre o assunto. Não cometa este erro.

A fé é uma de suas armas mais potentes na blindagem do seu namoro e casamento. Não a ignore. Pergunte, sim. Tenham essa conversa. E, acima de tudo, observe as atitudes e comportamentos da outra pessoa para ver se condizem com suas palavras. Um rapaz que se diz cristão, mas não vê a hora de tirar sua calcinha não se importa muito com a fé que diz ter.

Como é o relacionamento daquela pessoa com Deus? Ela mostra Deus em suas atitudes? Como ela pratica a fé que diz ter? Como ela conheceu a Deus? Qual o seu testemunho de fé? Quão familiar ela é com a Palavra de Deus? Nos momentos difíceis, ela recorre à fé ou age como qualquer pessoa? Ela é temente a Deus?

Para não se decepcionar, o seu alvo deve ser escolher uma pessoa da mesma fé e do mesmo nível espiritual que você. De tudo o que já expusemos até aqui, se você é da fé, considere esse o aviso mais importante de todos. É sério assim.

Vai cair na prova!

Você já puxou a ficha do seu namorado(a) ou pretendente? Há alguma área da vida dele(a) que você ainda não sabe muito a respeito? E como é a sua ficha?

Há alguma diferença ou situação entre vocês que poderia ser uma "geladeira nas costas" futuramente?

____

____

____

____

____

Poste em nosso Facebook (fb.com/livronamoroblindado) ou em sua rede social preferida:

Vou puxar a ficha completa e dispensar a geladeira. #namoroblindado

PARTE 4

INÍCIO e DURANTE o namoro

CAPÍTULO 14

O PRIMEIRO contato

Cristiane

O primeiro contato é tão importante quanto a primeira impressão – ainda mais quando os dois acontecem ao mesmo tempo. Pergunte a qualquer casal como foi que iniciaram o relacionamento e eles irão contar a história com riqueza de detalhes. Quer dizer, essa experiência ficará para sempre na mente de vocês.

Antes do Renato se aproximar de mim, apareceu um outro rapaz no meu caminho. Não sei bem como tudo aconteceu, só sei que um dia minha mãe me passou o telefone e disse que um rapaz gostaria de conversar comigo. Não entendi nada, mas parecia que ela e a mãe dele já tinham arranjado tudo e não tive escolha a não ser atender a ligação.

Nunca tínhamos conversado até então. Eu nem sabia quem ele era, mas a conversa que tivemos ao telefone foi o bastante para decidir que não queria conhecê-lo.

O rapaz se esforçou tanto para mostrar sua espiritualidade que eu me assustei. Na minha ótica, se você precisa mostrar espiritualidade é porque não tem nenhuma. Quem é espiritual, simplesmente é. Enquanto ele tentava provar que era um homem de Deus, na minha mente eu procurava uma forma de me despedir.

A pior coisa que você pode fazer ao tentar conquistar uma pessoa é fingir ser alguém que você não é.

Quanto mais tentar impressionar, mais complicada será a primeira impressão que a pessoa terá de você. Surpreender é diferente de impressionar. Quando tenta impressionar, você passa uma imagem forçada de si mesmo. É falso. Mas quando surpreende, mostra que não tem medo de ser você. É verdadeiro.

Mais ou menos um mês depois dessa ligação desastrosa, o Renato fez o primeiro contato comigo por meio de um cartão postal meio curioso, que um jovem veio me entregar a pedido dele. Guardo o cartão até hoje:

Ele não se apresentou nem disse o que queria comigo... Apenas escreveu umas linhas no verso, assinou o nome e colocou a data.

Eu devo ter lido umas cinquenta vezes para tentar decifrar o que o Renato quis dizer, mas não consegui. Ele me deixou curiosa e nas nuvens ao mesmo tempo.

[**RENATO:** Eu queria fazer contato com ela, de alguma forma deixá-la saber que eu a havia notado. Não podia ir logo dizendo que gostava dela, pois ainda não a conhecia... Então minha abordagem foi realmente um tanto misteriosa. Mas atingiu o objetivo!]

Além de ter sido audacioso de me escrever sem ao menos se apresentar, ele foi discreto também e usou nas palavras algo que tínhamos em comum para fazer a conexão: a nossa fé.

O que você tem em comum com essa pessoa que pode usar para fazer a conexão inicial?

Use isso. Se é o trabalho, um hobby, o local que vocês frequentam, um amigo em comum, aproveite! As coisas e pessoas em comum nos ligam umas às outras. Você só me conhece hoje porque escrevi sobre um tema que lhe interessa.

Gosto de ouvir minha mãe falar de como o meu pai a abordou pela primeira vez. Ela precisava de aulas particulares de matemática e ele era professor de matemática. Na cabeça dele, até hoje, ela usou a desculpa da matemática para se aproximar. Ela insiste em dizer que não tinha nenhuma segunda intenção... Quando se encontraram para a primeira aula, ele já foi pegando na mão dela. Ela se assustou e disse: *Que audácia é essa!* – e largou da mão dele. Ele então insistiu e pegou a mão dela mais uma vez. E ela se derreteu depois disso.

Toda mulher aprecia uma atitude que a surpreenda, algo que mostre coragem e, ao mesmo tempo, charme. Eu nunca esperaria que o Renato fosse me abordar com um cartão postal.

Quando o homem faz ou fala algo que surpreende, e não usa os mesmos xavecos ou conversinhas bobas facilmente encontradas online, ele pode nem ser atraente fisicamente, mas automaticamente se torna charmoso. E charme, rapazes, é tudo para uma mulher!

Não tenha medo de mostrar suas fraquezas. O que mais me surpreende nas pessoas é a sinceridade, ser quem elas são, sem medo ou receio do que vão pensar ou falar. No entanto, é claro, isso não lhe dá o direito de ser mal-educado nem de falar tudo que lhe vem à cabeça.

QUEM DEVE INICIAR?

Iniciar o contato afetivo tem sido um costume quase universal do homem. Isso segue um histórico de milhares de anos em todas as culturas. O homem ir atrás da mulher é um instinto e um fato indiscutivelmente embutido na genética humana. A dica já está lá na concepção da vida: são os espermatozoides que vão ao encontro do óvulo, e somente o mais rápido e mais forte é bem-sucedido.

É claro que sempre houve exceções. Nós conhecemos vários casais em que a mulher foi a iniciadora. Mas de forma geral, o que costuma funcionar é a mulher se fazer de difícil — até um certo ponto — e deixar o homem vir atrás.

Porém, pela primeira vez na história da humanidade, esse costume está sendo consistentemente ignorado por muitas mulheres. Elas têm corrido atrás, se tornado mais disponíveis para relacionamentos sem compromisso, aceitado ficar por uma noite ou mais e se entregado fisicamente aos homens por muito pouco ou nada em troca. Elas têm confundido sua recém alcançada autonomia no campo profissional, onde ela corre atrás do que quer, com o correr atrás do homem. O homem se tornou a caça; não é mais o caçador, em muitos casos. Isso lhe dá condições de ser leviano e escorregadio ao extremo, pois a oferta é tão grande que muitos não aguentam ficar com uma só.

As regras do jogo mudaram muito para as mulheres na questão financeira e profissional nas últimas décadas. Elas se tornaram independentes dos homens. Mas o grande erro delas tem sido achar que as regras da conquista mudaram também. Isso as têm feito oscilar entre dois extremos: correr atrás dos homens ou se tornarem inalcançáveis.

Tenho visto este ciclo acontecer na vida de muitas mulheres atualmente:

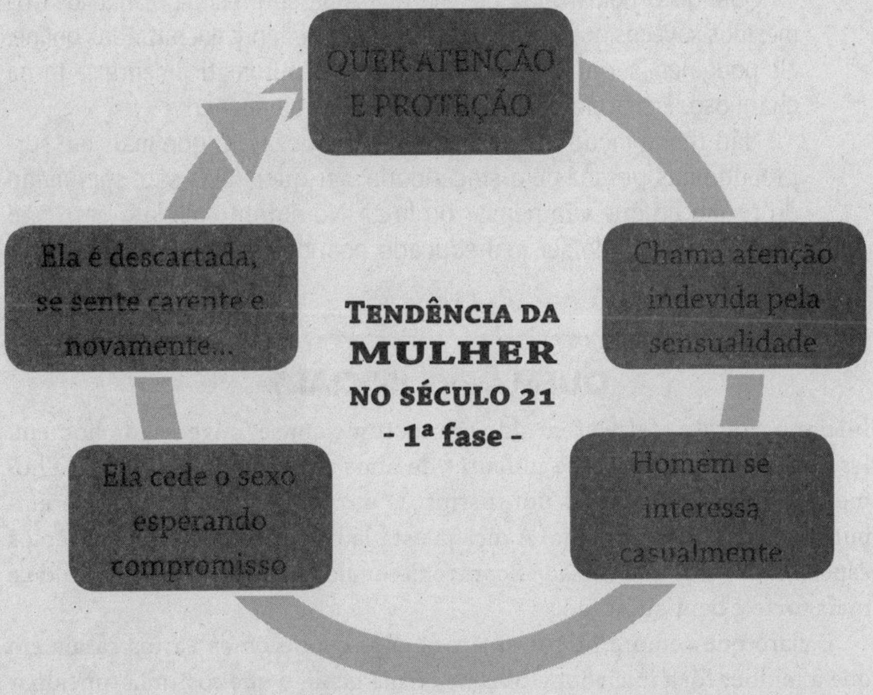

Algumas, depois de darem algumas voltas e verem que isso não funciona, dão início a um outro ciclo, tão infeliz quanto o primeiro:

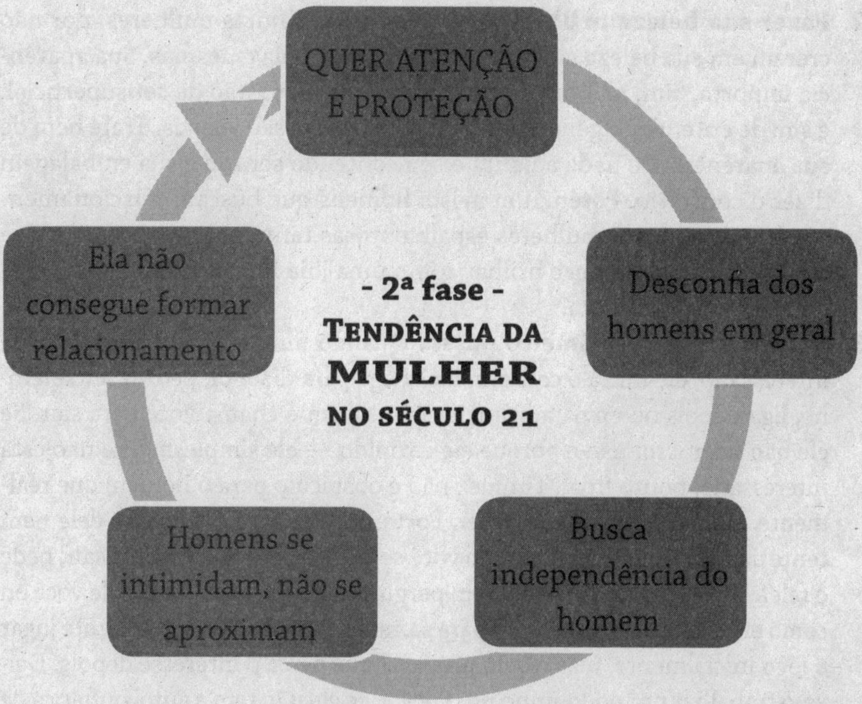

Você não quer estar em nenhum dos dois. Mas qual a alternativa para não cair neles? Primeiro você precisa entender que as regras do jogo não mudaram no campo da conquista. Os homens continuam sendo instintivamente caçadores. E, se alguns não estão exercendo esse papel, é puramente por elas não lhes terem dado espaço para fazê-lo. Estão intimidados ou acomodados.

Por isso, os solteiros inteligentes praticam os Padrões do Namoro Blindado. Muita atenção para estes padrões. Alguns se aplicam ao período pré-namoro e outros ao durante.

OS PADRÕES NAMORO BLINDADO PARA ELAS

Padrões para as mulheres que querem iniciar e manter um namoro blindado:

1. **Crer em sua beleza singular.** Não se compare com outras. Você é única e tem sua própria beleza. O seu futuro marido será aquele que irá enxergar essa beleza singular em você. Parte dessa singularidade é ser feminina. Seja o quão independente e forte quiser, mas não perca sua feminilidade. Ela é um dos maiores atrativos da mulher aos olhos do homem. Cultive esse diferencial.

2. **Fazer sua beleza brilhar como uma joia.** Muitas mulheres, por não crerem em sua beleza singular, não investem nelas mesmas. Sua aparência importa, sim, na hora da conquista. Não é questão de ser superficial, e sim de entender o gênero masculino. Homens são visuais. Trate bem de sua aparência. De nada adianta o seu conteúdo ser top e sua embalagem dizer o contrário. Porém, um aviso: homens que buscam relacionamento sério desprezam mulheres espalhafatosas tanto quanto as que não se cuidam. Sua beleza deve brilhar como uma joia fina, não como um sambódromo. Seja discreta.
3. **Deixar ele dar o primeiro passo.** Quando um homem está realmente interessado, ele inicia o contato. Ele chega para dizer oi, pede o seu telefone, liga depois ou envia a primeira mensagem e chama você para sair. Se ele não fizer isso, não é porque ele é tímido — ele simplesmente não está interessado, ponto final. Timidez não é obstáculo para o homem que realmente está a fim de uma mulher. Portanto, não faça o trabalho dele nem tente dar uma ajudinha. Quando você se antecipa e o chama para sair, pede o telefone dele, manda mensagem perguntando se ele se lembra de você ou como ele está, sugere um lugar para saírem juntos etc. —, ele pode até jogar o jogo inicialmente, mas é bem provável que perca o interesse depois. Deixe-o trabalhar um pouquinho por você. E se ele não tem a autoconfiança de chegar em você, ele não é o tipo de homem que você precisa.
4. **Nunca ir até ele.** Não vá pegá-lo na casa dele só porque você tem carro ou porque "é caminho". E não aceite encontro em que vocês tenham que se encontrar no meio do caminho. Deixe que ele vá até você. (A exceção aqui é se você não conhece o cara. Nunca dê seu endereço para alguém que não conhece.) Se vocês namoram à distância, ele é que deve pegar o carro, avião, barco ou o que for para encontrá-la. Jamais faça o contrário, pelo menos no início do namoro — digamos, nos primeiros seis meses. E mesmo depois disso, faça-o apenas esporadicamente.
5. **Nunca deixar o namoro se tornar sexual.** Não importa o quanto vocês se gostam, o quanto o "momento" pede, ou o que suas amigas estão fazendo. Isso é sobre você, não sobre elas. Nada de toques ou carícias nas partes íntimas, sexo oral — e, definitivamente, jamais faça "sexting" (enviar fotos íntimas para ele). Você poderá se arrepender amargamente depois. Se ele tentar forçá-la ou não a respeitar, dê um fora nele.
6. **Não se fazer de namorada de plantão.** Não se faça disponível a hora que ele quiser, quando ele quiser, por quanto tempo ele quiser. Se quiser vê-la, que marque com antecedência. Nada de ligar para você na sexta-feira para um programa no sábado. "Ah, desculpe, já tenho planos" — deve ser sua resposta, mesmo que seus planos sejam aparar as unhas do seu gatinho. Ele tem de aprender a planejar o tempo de vocês e

valorizá-lo. Mas ele não fará isso se você estiver sempre disponível. Ele deve planejar o fim de semana alguns dias antes e combinar com você. É melhor cortar as unhas do bichano sozinha neste fim de semana do que passar ao namorado a impressão de que você não tem outra vida a não ser ficar esperando por ele. E nada de ficar de conversa no telefone, Skype ou mensagens depois da meia-noite. Você tem uma vida. Ele não deve se cansar de você (e acredite, ele irá se cansar se você estiver sempre lá para ele). Portanto, não se vejam todos os dias. Deixe-o sentir saudades.

7. **Não fazer dele um namorado de plantão.** Assim como você não deve se fazer disponível o tempo todo para ele, não o trate como se ele estivesse sempre disponível. Não o sufoque. Não ligue nem mande mensagens várias vezes por dia. Não chegue de manhã na casa dele no sábado e só saia de noite, não fique monitorando as redes sociais dele para ser a primeira a curtir alguma postagem. Homens se casam com mulheres de quem eles sentem saudades, não de quem eles enjoam.
8. **Não iniciar troca de mensagens.** Para começar o relacionamento — e mesmo depois — é ele quem deve iniciar a troca de mensagens. Nada de mandar no dia seguinte um "lembra de mim? Foi bom te conhecer", com medo de perder o contato com ele. Se ele se interessou por você, ele vai contatá-la. E durante o namoro, evite iniciar conversas enviando "bom dia", "tudo bem?" ou "saudades" para ele. Se ele mandar mensagem para você primeiro e você quiser responder com "saudades", tudo bem. Mas jamais inicie a conversa, especialmente nos primeiros meses. E não fiquem trocando dezenas de mensagens. Seja breve, termine a conversa logo, não fique inventando assunto. E não responda as mensagens dele imediatamente, como se vivesse apenas para isso. Ainda que não esteja fazendo nada no momento, deixe-o esperando um pouco. Ele tem de se acostumar a ter um relacionamento com você, não com o celular. E não verá tanta necessidade de se encontrar com você se ficarem trocando mensagens o dia todo.
9. **Encurtar os encontros e as conversas telefônicas.** Além de minimizar as trocas de mensagens, não fique ao telefone mais do que 10 ou 15 minutos quando ele ligar — especialmente no início do relacionamento. Ao se encontrarem, não deixe o encontro durar 5 ou 6 horas. Encurte o encontro, mesmo que esteja adorando o tempo juntos. Você tem outras coisas para fazer. A ideia é deixá-lo com vontade de vê-la novamente. Já mencionei que homens se casam com mulheres de quem eles sentem saudades, não de quem eles enjoam?
10. **Condicionar que ele fale com seus pais antes de iniciar o namoro.** Vocês podem ir conversando, se conhecendo enquanto decidem se querem realmente começar um namoro. Mas quando e se ele decidir que

quer namorar com você, coloque como condição que fale com seus pais primeiro. Quanto mais jovem, mais esse padrão se aplica —, porém, se seus pais ainda estão vivos, não importa se você tem 40 ou 50 anos, é sinal de seriedade e hombridade quando o homem se aproxima dos pais de sua namorada para se apresentar e pedir sua permissão para o relacionamento. Podem chamá-la de antiquada, mas são estes relacionamentos que costumam acabar em casamento.

11. **Deixar que ele pague a conta nos primeiros encontros.** Melhor ainda: em todos os encontros. Não importa se você ganha mais que ele nem o que as feministas dizem (elas normalmente são solteiras, então, cuidado com dicas de relacionamento dessas fontes[1]). Esse padrão é para que você deixe o homem ser cavalheiro e aprenda isso desde o começo. Se ele vive sem dinheiro, então não comam nos melhores restaurantes. Pensem em passeios não muito caros, mas ele deve se acostumar a fazer economias e sacrifícios para apreciar sua namorada. E acredite, homens de verdade adoram isso, pois é um desafio para eles. O que você nunca deve fazer, porém, é criticar a escolha do restaurante que ele pôde pagar ou fazê-lo se sentir inferior porque não pode lhe oferecer um passeio melhor.
12. **Não deixar que o namoro se estenda indefinidamente.** De 12 a 18 meses é tempo suficiente para vocês decidirem se é para terminar ou casar. Não perca tempo com namoros sem prazos. Se ele não se decide, você só tem uma decisão a tomar: terminar. Se ele a pedir em casamento e vocês noivarem, só aceite se fixarem a data do casamento. Noivados sem data de casamento tendem a se estender indefinidamente. Ainda que seja para 6 meses ou um ano, marquem a data.
13. **Não declarar seu amor por ele no jornal das oito.** Sair postando no mural dele no Facebook "eu te amo", "lindo", "quero ser mãe dos seus filhos"... é no mínimo sinal de insegurança. É querer marcar território igual cachorro quando faz xixi onde chega. Para todos os efeitos, relacionamento de namoro é algo tentativo. Vocês estão se conhecendo. Pode não dar certo. E aí, o que vai dizer? Lá vai você voltando na sua linha do tempo no Facebook e apagando postagens. Guarde as juras de amor para o dia do casamento e depois. Não fique contando para suas amigas todos os detalhes de vocês, como você o ama e as qualidades dele.
14. **Nunca ir "morar junto".** A não ser depois da lua de mel, é claro. Ir morar junto é um dos maiores tiros no pé que uma mulher pode dar. Se a sua intenção é ir morar junto para depois casar, esqueça. A maioria dos homens não tem motivação para casar depois de já estar morando com

---

[1] O mesmo se aplica aos machistas. Os dois opostos são extremistas. Aliás, cuidado com alguns tipos de "istas" pois costumam levar as coisas ao extremo em vez de ao equilíbrio.

a namorada. Eles simplesmente não veem nenhum benefício. Já têm na namorada tudo o que uma esposa pode oferecer, para que casar? Se vocês já estão morando juntos, arrume uma boa razão para voltar a morar sozinha. Não saia dizendo que é porque ele não quer casar com você. Simplesmente saia — porque sua mãe precisa de você ou porque achou um ótimo apartamento perto do seu trabalho, o que for — e continuem o namoro se vendo apenas uma ou duas vezes por semana. Dormir o fim de semana na casa um do outro é praticamente o mesmo erro. Não ultrapasse as etapas do relacionamento, por mais conveniente que isso possa ser (ex: dividir as contas etc.).

15. **Ser firme com seus padrões, mas não ser chata.** Ter padrões não significa ser militar com seu namorado. Não procure perfeição na pessoa, e sim potencial. Mantenha atitude positiva e bom humor. Não fique criticando nem cobrando seu namorado sobre isso ou aquilo. Observe bastante. Nos momentos certos e sobre as coisas certas, coloque limites. Deixe claro seus padrões, o que você espera do relacionamento. Mas fora isso, deixe-o ser ele mesmo. Ou ele tem os seus padrões ou não tem — ou talvez tenha potencial para alcançá-los. Saiba ser agradável e firme nos momentos certos.
16. **Não correr atrás depois de qualquer briga.** Desentendimentos e pequenas brigas são normais e saudáveis em um namoro. (O que não é normal é vocês terem brigas constantes ou brigas feias, cabeludas... Se isso estiver acontecendo, saia fora.) Quando essas brigas acontecerem, se você errou, reconheça, peça perdão se o ofendeu e decida sobre o que você tem de mudar. Mas não corra atrás nem fique implorando perdão e se mostrando desesperada porque ele ameaçou terminar ou com medo de perdê-lo. Se fizer isso, estará estabelecendo um péssimo precedente no relacionamento. Deixe que ele faça a parte dele também.
17. **Não ser a mulher "útil".** Homens até namoram a mulher útil, enquanto podem fazer uso dela, mas no final acabam se apaixonando pela mulher que os deixa trabalhar pelo relacionamento. A mulher útil é aquela que faz tudo pelo namorado e pelo relacionamento. Ela faz tanto que ele não precisa fazer nada ou quase nada. É uma mãezona. Paga as contas dele, dá dinheiro, compra roupas para ele, empresta o cartão de crédito, briga com a companhia telefônica sobre a conta do celular dele, vai buscá-lo no trabalho do outro lado da cidade, lava as roupas dele de vez em quando, liga para o restaurante para reservar a mesa, compra os bilhetes do cinema, faz corrente de oração por ele na igreja (enquanto ele vai jogar futebol com os amigos)... E depois, quando ele reclama de alguma coisa, ela ainda se culpa por não ter feito o suficiente. Pare. Ele não é seu filho, apenas seu namorado.

18. **Ser apresentada para as pessoas importantes na vida dele.** Não logo de início, mas por volta do terceiro mês de namoro sério, se ele não começar a apresentá-la para familiares e amigos, sua luz de alerta deve começar a acender. Não continue um namoro com um homem que tenta esconder o relacionamento. Mas não é você que deve cobrar isso, tem de vir dele. Não imponha que ele a apresente. Você pode até mencionar em uma conversa, por exemplo, "Sua mãe deve estar muito feliz que você conseguiu esse novo trabalho". Se o tempo for passando e as pessoas na vida dele continuarem sendo um mistério para você, caia fora. Um homem que não tem nada a esconder e que está realmente interessado, tem prazer em apresentá-la para sua família e amigos.
19. **Ter tolerância zero com mentirosos e outros cafajestes.** Eles estão por toda parte e são cada vez mais difíceis de detectar. Alguns irão até ler *Namoro Blindado* com a única intenção de encarnar o namorado bonzinho. Por isso você não pode ser ingênua nem deixar que seu coração cegue os seus olhos. Fique atenta aos menores sinais estranhos. Alerta vermelho para viciados, enganadores, traidores, os que contam mentirinhas, insistem em levá-la para a cama, costumam cancelar compromissos... A lista é grande. Não tolere homens assim, ainda que pareçam um deus grego e tenham uma conta bancária inesgotável.
20. **Não abrir mão dos Padrões.** Eles não se limitam apenas a estes vinte pontos nesta lista rápida. Os Padrões Namoro Blindado estão por todo este livro. Estude-os, entenda-os, pratique-os e não abra mão deles. Lembre-se: você terá o tipo de homem que você aceita — nem mais, nem menos.

Os Padrões são sobre ter limites e fazer o outro respeitar limites. Limites criam desejo. Casamento é um limite que ele tem que ultrapassar para tê-la por inteiro.

OS PADRÕES NAMORO BLINDADO PARA ELES

Padrões para os homens que querem iniciar e manter um namoro blindado:

1. **Avaliar se ela tem potencial.** Você provavelmente não irá encontrar uma mulher 100% pronta para ser uma esposa, assim como você ainda é um trabalho em andamento. Mas ela precisa ter potencial para se tornar uma. Você terá de investir em sua futura esposa, assim como um jardineiro investe em seu jardim, cuida dele e trata suas plantas e flores com o maior cuidado. Sua futura esposa, se bem cuidada por você, florescerá. Mas ela também precisa ser digna de investimento, mostrar potencial para crescimento. Ela demonstra que tem uma mente aberta ou bitolada?

Acredita em si mesma ou sempre se coloca para baixo? Ela é inteligente, não do ponto de vista acadêmico, mas para a vida em geral? É claro, se ela for bem jovem, inexperiência e alguma insegurança são naturais à imaturidade. Paciência é importante aqui. Mas o principal é se demonstra visão, desejo de crescer e aprender. Do contrário, não apenas não se desenvolverá como também o criticará por seus objetivos e ambições. Em outras palavras, será uma mulher inútil ao seu lado e o impedirá de crescer.

2. **Descobrir se ela quer ser uma esposa**. Infelizmente, muitas mulheres hoje querem o papel de amante e acompanhante, mas não o de esposa. Se ela não o admira, se o faz sentir como um mero acessório na vida dela, um veículo para realizar todos os seus sonhos e caprichos... Ela não quer ser esposa. No fundo, ela provavelmente pensa que não precisa de você. Você se sentirá dispensável na vida dela. E nenhum homem que se preze quer casar com uma mulher que não precisa dele. Uma mulher que aprecia ser esposa se vê ao seu lado, apoiando-o e respeitando-o como marido, em um futuro onde os dois crescem juntos.
3. **Observar se ela sabe debater um assunto sem sucumbir às emoções**. Daí novamente a importância de ser uma pessoa inteligente e de mente aberta, além de ter um espírito humilde. O oposto é uma mulher que se exaspera com facilidade, quer sempre ter a razão mesmo quando não tem, usa muito mais os sentimentos do que o raciocínio para lidar com a vida. Fuja dela, a não ser que você queira que sua vida seja uma constante montanha-russa.
4. **Avaliar se ela se importa com você**. Uma namorada não é uma mãe, mas cumpre um pouquinho desse papel na vida do homem. Por isso, ela se importa com a saúde dele, a alimentação, tudo dele — não a ponto de ser a mulher útil descrita anteriormente, que faz tudo para ele, mas no sentido de genuinamente se importar com seu bem-estar. Ela não cumprirá o papel de esposa enquanto apenas namorada, mas você deve perceber se ela demonstra cuidado com você ou não. Se é daquelas que não estão nem aí com o namorado, só com elas mesmas, então você provavelmente não terá alguém que cuidará de você quando se casarem.
5. **Certificar-se de que ela tenha conteúdo, não apenas embalagem.** Todo homem sabe que a beleza exterior é passageira, mas como um marinheiro enfeitiçado pelo canto da sereia, muitos naufragam em relacionamentos com mulheres lindas, mas profundamente rasas. Se ela é fútil, só pensa em moda, é fissurada na aparência e no que os outros pensam dela, se preocupa mais com a atenção dos outros do que com a sua, ela é uma sereia. Tape seus ouvidos. É só uma embalagem vazia, ou pior: com conteúdo perigoso. Pode até ser a famosa chave de cadeia. Sim, o sexo poderá ser maravilhoso, mas esse encanto vai passar. O mais importante

é: o que ela acrescentará de fato em sua vida? A beleza é importante, você tem que gostar e apreciar os cuidados dela com a aparência, mas veja se ela leva isso ao extremo e se chama atenção — sua e dos outros — pelas razões certas.

6. **Conhecer bem seus objetivos.** Não basta duas pessoas se casarem — seus objetivos têm de se casar também. Antes de casar, conheçam bem os objetivos de vida um do outro. Vejam se são compatíveis, alinhados e se os dois estão de acordo. Os objetivos individuais não podem ser mais importantes do que os do casal. Como ela vê os objetivos a dois? Demonstra querer competir com você nas conquistas? Valoriza a individualidade acima da família? Ela não fala em casamento por ter medo de casar ou porque tem uma péssima visão de casamento? Se ela pretende se casar, em quanto tempo? Será que se vê namorando indefinidamente?
7. **Fugir da interesseira.** A mulher interesseira está interessada em um salvador, um veículo (figuradamente e literalmente, especialmente se for de luxo) para seus objetivos — e não em um marido.
8. **Não perder tempo com a fácil.** A namorada blindada se preserva, sabe o seu valor, por isso não é carente nem excessivamente ciumenta. Ela não o cansa com uma maneira sufocante de ser. Por isso, não perca tempo com quem corre atrás de você.
9. **Tomar a iniciativa.** Nenhuma mulher gosta de homem sem iniciativa. Se o homem não passa segurança, a mulher tende a entrar em um modo de proteção e tomar a frente. Para piorar, uma mulher mandona, controladora, dificilmente deixa o homem ser homem. A maioria não é assim intencionalmente. A criação ou a própria vida as fez duras e independentes por questão de sobrevivência. Mas, dentro de um relacionamento, precisam aprender a deixar o homem exercer seu papel natural de líder, protetor e cuidador. Não significa que elas não devam participar de decisões, apenas que não devem tolher o parceiro. Uma mulher forte também sabe ser feminina e ter apreciação pelo papel do homem. E claro, ele é um homem que cumpre o seu papel e toma iniciativa, não um molenga que fica esperando que a mulher resolva tudo.
10. **Reservar o sexo para o momento certo.** Esse momento é o casamento, por razões explicadas mais adiante. Você a respeita nessa decisão — na verdade, até a encoraja. Caso ela insista em fazer sexo sem se importar com o casamento, você não tira vantagem disso, ao contrário: pode até repensar o namoro.
11. **Não continuar o namoro com uma ostra.** Se a mulher é muito fechada, não se deixa conhecer e partes de sua vida permanecem uma grande incógnita para ele, a despeito de seus esforços em conhecê-la melhor, o homem não prossegue com o namoro. Você não poderá se casar com

alguém que não conhece. Se ela não se abre com você, é porque tem sérios problemas interiores — quem sabe o armário dela não tenha só esqueletos, mas um cemitério... Não é que você deva esperar que ela conte a vida dela inteira no primeiro encontro, mas fique atento a pontos cegos no seu passado e presente.

12. **Observar o relacionamento dela com os pais.** Nem todo mundo tem um ótimo relacionamento com os pais e isso nem sempre é culpa dos filhos. Mas seja como for, todos nós temos de ser bem resolvidos com eles, ainda que essa resolução seja manter uma distância respeitosa. Sua namorada pode não ter um ótimo relacionamento com o pai que não a criou, mas pode ter o entendimento dos fatos causadores disso e não nutrir ódio ou rancor contra ele. Se ela é mal resolvida com a mãe ou o pai por qualquer razão, provavelmente terá dificuldade de resolver conflitos com seu futuro marido, também. Observe bem esse relacionamento, compreenda-o e não o subestime.
13. **Não aceitar mentiras no relacionamento.** Nem de sua parte nem da dela. Homem nenhum gosta de mulher que mente, mas a mulher tem alergia a homem mentiroso. Conte uma mentirinha e ela talvez nunca mais confie em você. Não vale a pena. Jamais minta para ela e jamais aceite que ela minta para você. Sem verdade não pode haver amor.
14. **Verificar se ela é preguiçosa.** Poucos sabem que preguiça é um dos pecados capitais[2]. Note se ela é preguiçosa, acorda tarde, só fica na Internet, se entrega às distrações e outros prazeres em detrimento das responsabilidades... Você quer uma auxiliadora, não um peso morto. Ela aprecia o valor do tempo? Tudo para ela é "difícil" ou "dá muito trabalho"? Fuja da acomodada se quiser crescer.
15. **Observar se ela tem problema com autoridade.** Se ela é autoritária, pisa nas pessoas ou abusa do poder que tem; se ela é resistente a autoridade de forma geral e costuma falar mal ou resistir sem causa plausível — ela tem sérios problemas com autoridade. Em um relacionamento, isso se traduz em falta de respeito, xingamento, teimosia e relutância. Você não conseguirá domar essa fera.
16. **Não tolerar ciúme doentio.** Se um de vocês é inseguro a ponto de ter ciúme infundado, é porque não está em condições de estar em um relacionamento. Você pode ter o cuidado normal com a outra pessoa, mas não ser controlador. Cuidado sim, controle não.
17. **Ser o iniciador.** Seja para marcar encontros, ligar, enviar mensagens, pagar a conta, planejar um passeio, resolver algum problema entre vocês

[2] Tradicionalmente, os pecados capitais são sete: orgulho, ganância, cobiça, inveja, preguiça, raiva e gula. A maioria dos erros das pessoas provém deles.

etc. — você não tem medo de dar o primeiro passo. Na verdade, ela espera que você seja assim. Porém, seja comedido, não exagerado nem intenso demais a ponto de sufocá-la ou anulá-la.

18. **Ser exclusivo dela.** Quando você começa um namoro sério, uma das primeiras decisões é se tornar exclusivo para ela. Nada de flertes paralelos, conversas românticas com outras pretendentes, contato com ex-namoradas nem recadinhos em redes sociais. Agora, seus olhos focarão só nela — por respeito e porque você a está avaliando para um futuro casamento.
19. **Fazer tempo para o relacionamento.** Não fique na maior parte do tempo em um namoro virtual por telefone ou mensagens. Troquem mensagens, sim, mas com limites. Nada substitui o face a face ("face" aqui significa a parte frontal da sua cabeça, não o Facebook). Planeje encontrar-se com ela de uma a três vezes por semana, no máximo. Mais do que isso pode até acontecer esporadicamente, mas é melhor que não seja todos os dias. Esse espaço entre encontros é importante. E não deixe que o trabalho ou cansaço tomem todo o tempo de vocês. Pode ser que fiquem sem se ver um fim de semana eventual, quando um de vocês tem de se preparar para exames na escola ou outro assunto urgente para cuidar. Mas não deve ser sempre. O namoro não pode minguar por falta de contato real. Se namoram à distância, é claro que se verão bem menos, mas tem de haver esforço para o encontro acontecer periodicamente — e é sempre *você* quem deve ir a ela, não ela a você.
20. **Não abrir mão dos Padrões.** Como ressaltei para elas, os Padrões Namoro Blindado não se limitam a esta lista rápida — eles estão por todo este livro. Estude-os, entenda-os, pratique-os e não abra mão deles. Lembre-se: basta uma pequena brecha na armadura para uma flecha matar o soldado. Não abra exceções.

Alguns dos Padrões nas duas listas se aplicam a ambos. Mas de forma geral, cada lista contempla a especificidade do papel de cada um. Pratique esses padrões para iniciar e manter o seu namoro sempre blindado.

A MULHER TEM QUE DAR A LUZ VERDE

Apesar do que explicamos até aqui sobre o homem tomar as iniciativas no relacionamento, é importante para ele receber algum tipo de sinal de que sua iniciativa terá ao menos uma pequena chance de sucesso. Homens não lidam bem com rejeição. Se ele tem certeza de que será rejeitado, esnobado ou desprezado de alguma forma, não irá nem tentar. A não ser que seja um *stalker*.

Muitas mulheres que gostariam de ser abordadas por um pretendente erram porque não dão nenhum sinal que estão interessadas. Muitas foram mal aconselhadas a não demonstrar interesse algum. "Não flerte, não olhe, não converse..." Especialmente mulheres na igreja costumam ouvir conselhos do tipo: "Cuidado, guarde seu coração, não se preocupe com a vida amorosa, Deus irá trazer alguém até você...". Balela. Não dê ouvidos a essas pessoas, que normalmente são solteiras amarguradas ou que se casaram cedo e nunca sofreram por anos de solidão.

Você tem, sim, de fazer sua parte no processo da conquista.

A verdade é que a maioria dos relacionamentos é iniciada pela mulher. E para quem quer um exemplo bíblico disso, considere a história de Rute e Boaz. Toda a trama do encontro dos dois foi orquestrada por Noemi, sogra de Rute. Noemi deu todas as coordenadas para Rute sobre o que tinha de fazer para abrir o caminho para Boaz. E não deu outra[3].

Entre as dicas de Noemi: vestir sua melhor roupa, colocar seu melhor perfume, ir até o local onde Boaz estaria em uma celebração.

Tudo aquilo sinalizou para ele que Rute estava, sim, interessada nele. Até então, Boaz já havia notado Rute, mas não se via à altura dela. Quando ele recebeu aquele sinal, não perdeu tempo: no mesmo dia propôs casamento à jovem.

Essa "luz verde" é importante para o homem saber que há uma chance, uma abertura para ele. Homens têm o ego delicado. Se ele achar que não tem chance, provavelmente não vai arriscar. Então, a mulher tem que dar a luz verde e *aí* deixar que ele venha atrás.

Note, porém, que há uma grande diferença entre dar a luz verde e se atirar nos braços do rapaz. Muitas mulheres não sabem diferenciar. Algumas correm atrás quando ele mostra o mínimo de interesse e, é claro, fracassam. Você tem que aprender a jogar esse jogo direito.

Como se joga esse jogo? As regras básicas são:

1. Ela dá um sinal de que está interessada
2. O rapaz avança com uma iniciativa
3. Ela contém o interesse, se esquiva e deixa o rapaz vir atrás dela

Como a mulher dá sinais de que está interessada? Normalmente, pelo jeito de sorrir, a troca de olhares, quando ri das piadas sem graça dele, fala dele para as amigas (e uma dessas amigas "acidentalmente" comenta com ele o que ela disse), a forma como ela passa a mão no cabelo (e se fizer isso enquanto olha e sorri para ele, há poucos sinais mais óbvios que esses, por exemplo, segurar uma faixa dizendo "Ei, olhe para mim, idiota!"), quando

[3] A linda história de Rute, uma jovem viúva, é contada em apenas quatro capítulos em um livro da Bíblia que leva o seu nome. Vale a pena conferir.

continua a conversa sem necessidade e quando muda a voz ao falar com ele (mais doce e alegre).

Se ele está interessado em você e recebe um ou mais desses sinais, com certeza virá atrás e demonstrará o interesse em algo mais que amizade. Se não estiver interessado, porém, nada disso irá adiantar. Não se ofenda e nem tente intensificar os sinais (esqueça a ideia da faixa; só irá assustá-lo e ele poderá obter uma medida cautelar contra você, *stalker!*).

Esses sinais funcionam e por isso devem ser usados com cuidado. Se você não quer atrair atenção indesejada de certos homens, não emita esses sinais. Não ria das gracinhas dele, não olhe nos olhos, não dê conversa. Às vezes, a mulher quer ser simpática demais e acaba gerando uma fila de *stalkers* atrás dela.

Suponha que você conseguiu dar o sinal para o cara certo, ele entendeu a jogada e veio falar com você. Parabéns! Porém, o jogo ainda não está ganho. Agora você tem que conter o seu interesse, ainda que por dentro esteja como uma garotinha pulando em cima da cama ao receber a notícia de que vai para a Disneyworld. Mantenha a calma. Agora o trabalho é dele. Deixe-o conquistá-la. Lembre-se dos Padrões e siga-os à risca.

É assim que você vai ganhar esse jogo[4].

O PRIMEIRO ENCONTRO

Ah, nada como a ansiedade do primeiro encontro! Se há alguma certeza sobre isso, é que alguma coisa irá dar errado ou acontecer diferente do que você esperava. Não é o fim do mundo. Você não está sozinho. Com algumas dicas, porém, alcançará o seu principal objetivo: garantir o segundo encontro.

Cristiane

Nosso primeiro encontro como namorados foi em casa. Meus pais estavam de viagem naquele fim de semana, então chamaram uma amiga da família, a Vera, para segurar a vela (não inventei só para rimar, esse é o nome dela mesmo). Renato e eu sentamos no sofá da sala para assistir a um filme e o meu irmão, de seis aninhos, quis ficar de vela número dois com a gente. A minha irmã, um ano mais nova que eu, passava toda hora pela sala, por alguma razão. Não sei o que deu nela naquele dia.

[4] Sei que soa um tanto antirromântico chamar esse processo de "jogo". Parece que tira a beleza da paixão e da espontaneidade de um encontro que deveria ser fruto do destino, não de algo intencional e calculado. Entenda, porém, que se você analisar as histórias mais românticas de casais que se conheceram e se tornaram felizes, você verá que essas mesmas regras básicas foram seguidas. O resultado final pode ser uma linda história de amor, mas por trás dela houve um processo trabalhoso e inteligente de ambas as partes.

Ficamos a tarde toda assistindo TV e sendo assistidos também.

Não que quiséssemos que não houvesse ninguém em casa para ficarmos totalmente sozinhos. Isso não seria apropriado e nem eu aceitaria. Mas as constantes interrupções e a curiosidade bizarra dos meus irmãos pelo meu namorado fizeram com que o nosso tempo naquele primeiro encontro fosse de pouco proveito.

O Renato foi bem compreensivo e hoje rimos muito daquele dia quando nos lembramos. Mas aqui vai uma dica: evite que o primeiro encontro seja marcado por interrupções de terceiros a ponto de vocês nem poderem conversar.

Se isso acontecer inesperadamente, não fiquem chateados. Vá devagar e se prepare melhor para o segundo encontro. Se os seus pais insistirem que vocês se encontrem em casa, compreenda o lado deles. Use isso como uma oportunidade de ganhar a confiança deles.

Mais algumas dicas para você, mulher:

- Dê um trato em sua aparência e vista-se com discrição. Ponha uma bela roupa (mesmo se for apenas ficar em casa). Mas não apele para o sensual. Não ponha uma saia curta demais ou um decote que hipnotizará seu namorado e fará todos os homens no restaurante ficarem olhando. O objetivo é fazê-lo se interessar por você, não apenas por seu corpo. A sensualidade da mulher não está em sua pouca roupa, mas em seu mistério. O erotismo mais forte está na imaginação. Então, deixe espaço para a imaginação.
- Lembre-se, você tem uma beleza singular. Não existe mulher feia. O que existe é mulher preguiçosa ou que não sabe se arrumar. Se tem dificuldade na escolha do que vestir ou na maquiagem, peça ajuda a uma amiga mais entendida.
- Se vocês forem a um restaurante e você tiver alguma restrição alimentar, avise-o com antecedência. Não espere sentar à mesa de um restaurante de sushi para dizer: "Xiii, eu sou alérgica a peixe". E não vá pedindo o item mais caro do menu, mesmo que ele possa pagar.
- Se ele não ligar de volta, não se sinta a pior mulher. Outros pretendentes irão aparecer. Em hipótese alguma você deve ligar para ele para perguntar se ele lembra de você, muito menos para saber por que ele não ligou.

A primeira impressão conta, e muito. Algumas dicas simples para o homem não farão mal algum:

- Não marque encontro por mensagem de texto. Seja homem de verdade e ligue para ela ou fale pessoalmente. Arrisque um não, se preciso for. Mandar mensagem, apesar de conveniente, é não comprometedor e casual demais para uma ocasião tão importante — afinal, vocês nunca mais irão se encontrar pela primeira vez. Falar ou ligar demonstra coragem, maturidade e autoconfiança — e isso é muito mais atraente para a mulher do que tentar decifrar uma mensagem de texto.
- Dê um trato em você. Vá de *homo sapiens*, não de *neandertal*. Serviço completo na higiene pessoal: cabelo cortado, barba feita, cabelo do nariz aparado (você não irá acreditar quantas mulheres desistem no primeiro encontro porque fixaram nos cabelos saindo do nariz dele o tempo todo), unhas cortadas, banho tomado, um toque de colônia, roupa limpa e adequada para a ocasião e — muito importante — bom hálito (se não se lembra da última vez que viu um dentista, aceite isso como um lembrete).
- Se for pegá-la de carro, por favor certifique-se de que ele esteja limpo por dentro e por fora.
- Se forem a um restaurante, pontos básicos de etiqueta: vá na frente ao entrar, deixe-a ir na frente quando o *maître* os guiar até à mesa e puxe a cadeira para ela (resista à tentação de puxar muito para ela cair no chão, caso venha à mente um *flashback* do jardim da infância).
- Quando a conta chegar, não expresse surpresa com o valor nem entre em pânico. Apenas pague, ainda que tenha de combinar com o garçom de voltar mais tarde para lavar pratos (depois de deixá-la em casa, é claro).

E as próximas dicas se aplicam a ambos:

- Não fique falando do seu último relacionamento, de todos os erros seus e os do ex.
- Não fale demais de você. Deixe a outra pessoa falar, não domine a conversa. Mas fale também, não fique como uma coruja, só olhando e ouvindo.
- A regra de ouro: não fique o tempo todo se elogiando, contando vantagens e inventando qualidades que você não tem só para impressionar. Nunca minta, pois além de falta de caráter, é sinal de falta de confiança em si mesmo. Lembre-se de que a autoconfiança é a qualidade mais sexy em uma pessoa. Por mais que a verdade lhe seja desfavorável, a mentira é muito pior.
- Não tenha uma explosão de sinceridade no primeiro encontro, de fazer voar pedaços da verdade nua e crua sobre o seu passado colorido. Nem todos estão preparados para ouvir sobre os desastres na sua vida logo de cara. Você não deve esconder o seu passado, mas espere alguns encontros

para fazer certas revelações. Nunca deixe o namoro chegar ao noivado sem antes revelar o que pode causar decepção se descoberto ou revelado depois.

- Mesmo se o encontro correr maravilhosamente bem, não se empolgue soltando um "eu te amo" de cara, logo antes de citar os nomes dos cinco filhos que você planeja ter. Não dá para saber se realmente ama alguém nos primeiros encontros. Não use essas palavras levianamente e suspeite se o outro usar.
- Se nesse primeiro encontro você viu logo que não quer encontrar essa pessoa novamente nem se ela for a única doadora de órgão compatível para salvar a sua vida, então não dê a ela falsas esperanças. Seja gentil, agradeça, mas não prometa que irá ligar ou aguardar contato com ansiedade. Considere a experiência como válida e parabenize a si mesmo por ter tentado.

As condições em que o relacionamento se inicia podem se tornar um fundamento duvidoso e comprometer o futuro do casal. Por exemplo, uma relação que começou por traição inevitavelmente colocará em questão a fidelidade futura do traidor. Quem se encontrou numa balada ou via aplicativo de relacionamento casual poderá questionar a seriedade do outro. Por isso, é importante prestar bastante atenção a essa etapa. Alguns encontros poderão acontecer até que nasça a certeza de formalizar um namoro. Seja paciente aqui e não vá com muita sede ao pote. Se ela precisa de mais tempo, colabore. Se você sente que a outra pessoa precisa de mais contato e mais informações, vá no ritmo dela. Não se apresse. Não vá assustando a pessoa com uma atitude de "olha aqui, comigo é ou não é, não tem essa de ficar esperando não". Calma, Sr. Nervosinho! Você poderá ficar solteiro por muito tempo com essa atitude.

Quanto menos conhecidos um do outro vocês forem, mais longo terá de ser esse período de encontros pré-namoro. Permita-se conhecer e dar a conhecer. A não ser que o primeiro encontro tenha deixado mais do que claro que a pessoa é inamorável, dê uma chance ao segundo e terceiro encontros. Às vezes, a primeira impressão precisa mais de um encontro para ser formada.

Quando chegar o momento de oficializar o namoro, aí, sim, a bela história de vocês estará pronta para começar!

Vai cair na prova!

1. *O primeiro contato entre os pretendentes é memorável e tende a ditar o ritmo e clima do namoro. Se você já está namorando, qual sua visão sobre como tudo começou? Faria algo diferente?*

2. *Quais dos Padrões Namoro Blindado você está precisando implementar? Decida como vai começar a fazer isso imediatamente.*

Poste em nosso Facebook (fb.com/livronamoroblindado) ou em sua rede social preferida:

Meus padrões agora são Padrões Namoro Blindado! #namoroblindado

CAPÍTULO 15

OS PAIS e a família

A NÃO SER QUE VOCÊ SE CASE com alguém que nasceu de uma árvore, a verdade é que todo mundo casa com a família do cônjuge, sim. Quando ouvir alguém minimizar o fato de não se dar bem com a família do namorado, usando a exclamação "Eu vou casar com ele, não com a família dele!" — balance a cabeça em negação, respire fundo e diga: "Sabe de nada, inocente". Depois dê um exemplar de *Namoro Blindado* para ela.

Gostando ou não, todos somos produtos de nossa família de origem. Além dos mesmos genes e sangue, toda a nossa criação, hábitos, costumes e primeiras experiências foram influenciados por nossos familiares. Eles também se tornaram nossas referências na vida. E simplesmente não há como você se desligar disso. É possível, mais tarde na vida, com muito autoconhecimento e esforço, mudar certos comportamentos ruins que herdamos de nossa criação. Mesmo assim, muitas vezes o que acontece não é uma mudança, e sim uma melhor consciência de quem somos, do porquê de certos comportamentos e da capacidade de melhor administrá-los.

Por exemplo, herdei uma característica do meu pai que eu sempre desprezei nele: guardar a raiva de quem o machucou e tratá-lo com silêncio. Tenho várias memórias de momentos horríveis entre meu pai e minha mãe, de quando eles se desentendiam e a atitude dele era dar as costas para ela e ir embora. Ele voltava no final do dia, mas permanecia calado e ignorando ela e até os filhos por dias ou semanas. O recorde dele foi oito meses!

Eu odiava aquilo. Prometia a mim mesmo que nunca iria agir assim com minha futura esposa. Mas, para minha surpresa — e muito mais da Cristiane — quando nos casamos, passei a tratá-la da mesma forma.

Cristiane

Meu primeiro contato com meu sogro foi exatamente durante uma dessas maratonas de silêncio que ele fazia. O Renato me levou na casa dos pais dele para me apresentar. Minha sogra me recebeu superbem, sentamos na sala e começamos a conversar. Nenhum sinal do meu sogro, que estava no quarto. Constrangida, minha sogra foi chamá-lo para me cumprimentar, mas ele não saía da toca. Seguimos com nossa conversa.

De repente, meu sogro sai do quarto, que ficava no andar de cima da casa, e começa a descer a escada espiral que dava para a sala onde nós estávamos. Eu pensei: "finalmente vou conhecer o pai do Renato". Mas antes de terminar de descer a escada, ele para a uns três degraus do final, vira e olha para nós, sentados no sofá. Nossa conversa dá lugar ao silêncio. Todos estamos olhando para ele, esperando algum tipo de saudação. Com a cara mais séria que já vi, ele continuou com os olhos fitos em mim por alguns segundos. Não disse uma palavra. Virou as costas, terminou de descer as escadas e foi embora pela porta da cozinha.

Mal sabia eu, na altura, que estava vendo uma prévia de como o Renato agiria comigo muitas vezes depois de nos casarmos.

Você pode imaginar a minha vergonha naquela situação. Mas apesar de tudo aquilo e dos anos que vi meu pai tratando minha mãe assim, passei a agir exatamente como ele. A razão? Nunca aprendi nada diferente. Ele era, bem ou mal, minha referência de homem e marido. Não aprendi a sentar e dialogar com compostura porque não via isso em casa. Eu simplesmente não tinha ideia de como isso era feito na prática.

O meu pai, por sua vez, nunca teve pai. Filho de mãe solteira, viu o pai apenas uma vez, aos cinco anos de idade. O que poderia esperar dele? Não o culpo. Ele teve ainda menos que eu.

Passaram-se doze anos do meu casamento para eu finalmente reconhecer meu problema de raiva e aprender a dominá-la. Isso fez uma enorme diferença em nossa relação, somado ao meu entendimento das origens familiares da Cristiane.

Ela traz muitos traços do pai e da mãe. O jeito de falar, pensar, decidir, agir, reagir — vem quase cem por cento dos pais. A relação que teve com a irmã, que é pouco mais de um ano mais nova, também teve grande impacto[1] em sua personalidade.

[1] Um exemplo: se a pessoa vem de uma família bem afetiva, esperará demonstrações de carinho do cônjuge quando se casar. Se ela vem de uma família afetivamente fria, terá dificuldade de dar carinho. Um detalhe muito importante a ser observado — em você mesmo e no outro.

Hoje, temos plena consciência das nossas heranças familiares e sabemos administrar nossos comportamentos numa boa. Mas levou muito tempo para chegar aqui! Dizer que não nos casamos com a família um do outro seria negar o óbvio.

É por isso que, em um Namoro Blindado, vocês não devem evitar nem desprezar o contato com os pais um do outro. Ao contrário, devem envolvê-los o quanto antes e desenvolver esse contato durante todo o namoro. Essa parte é imprescindível para os namorados se conhecerem bem.

E tudo deve começar pelo pedido de consentimento aos pais dela.

A PERMISSÃO E O PAPEL DOS PAIS

Pode nos chamar de antiquados, mas acreditamos que o rapaz deve pedir a permissão dos pais da moça para namorá-la — independentemente da idade dela. Não é apenas questão de cavalheirismo e respeito, mas também de inteligência. Os pais são provavelmente as duas pessoas mais influentes e importantes na vida de qualquer pessoa. Você realmente quer ignorar a opinião de tais pessoas na vida de sua namorada? A última coisa que você quer é um relacionamento tenso com seus futuros sogros — ou de seus pais com seu futuro marido.

Incluir os pais em uma das decisões mais importantes de sua vida não apenas os honra, mas também pode ser de grande benefício para você.

Isso não quer dizer que terá de seguir exatamente os desejos deles. Uma vez adulto, você tem a liberdade de escolher seu futuro parceiro — e os pais devem respeitar isso. Porém, consultá-los sobre essa escolha, ainda que eles possam discordar dela, mostra o respeito que merecem.

A maioria dos jovens não consulta os pais com respeito ao namoro. Às vezes nem os informa. Os coitados só vão saber depois, nem sempre nas melhores circunstâncias: "Mãe, esse aqui é o Betinho. Ah, e eu estou grávida". Essa atitude pode ser motivada pelo desejo de se tornar independente e "adulta", mas a verdade é que não há nada mais infantil do que esconder o namorado dos seus pais.

Além disso, você perde muito ao excluí-los dessa parte de sua vida. A não ser que você tenha sido presenteado com pais disfuncionais, eles são mais experientes na vida; provavelmente sabem um pouco sobre casamento bom e ruim; conhecem você muito bem — e lhe querem bem. Portanto, não seja surdo e cego ao que dizem. Por que ignorar o conselho e a sabedoria das pessoas que provavelmente querem mais o seu bem que qualquer outra? Não embarque sozinho em uma decisão tão importante em sua vida. Não confie no seu coração ou em sua experiência limitada.

Cristiane

Eu altamente recomendo que você, mulher, condicione o início do namoro ao pedido de consentimento dos seus pais ou, na ausência deles, de quem cumpre o papel de pai ou mãe em sua vida. Foi isso que eu fiz. Assim que você estiver certa de que quer dizer sim ao namoro (e isso pode levar um tempo e alguns encontros), diga ao seu pretendente que você e seus pais apreciam a moda antiga e que gostaria de que ele fosse à sua casa conhecê-los e pedir a benção deles. Isso trará alguns benefícios muito importantes para você:

1. Eliminará os caras que não são sérios e não querem compromisso.
2. Ele a respeitará muito mais durante o namoro, pois se comprometeu não somente com você, mas também com sua família.
3. Não precisará ficar escondendo nada de seus familiares.
4. Iniciará a relação facilitando o contato do seu namorado com sua família de origem, o que deverá colocá-lo em posição de fazer o mesmo por você – deixá-la conhecer a família de origem dele.

Só aqui você já vai ganhar muito tempo, pois esse contato acelerará muito o conhecimento de quem vocês realmente são.

"Mas eu gosto muito dele e tenho medo de espantá-lo ao dizer que deve falar com meus pais" – você se preocupa. Acredite, por mais que goste dele, você não precisa de um rapaz que foge dos seus pais.

Talvez o seu medo seja invertido: você teme que *seus pais* espantem o rapaz! Novamente, se ele realmente gosta de você, vai encarar o desafio. É trabalho dele conquistá-los. E aqui vai uma dica de ouro:

Normalmente, o rapaz tem que conquistar o pai da moça e a moça tem que conquistar a mãe do rapaz.

Se as razões não são óbvias para você, não se preocupe. Apenas faça, porque funciona!

É claro que, quanto mais idade a mulher tem, o pedido de consentimento é mais uma notificação do que um pedido em si. Se você tem 40 anos, por exemplo, certamente seus pais não precisam consentir o seu namoro, mas ainda assim, uma visita do seu pretendente para se apresentar não fará mal algum e lhe dará os mesmos benefícios acima.

Eu diria, como uma diretriz e não como regra, que se a moça está abaixo dos 21 anos, os pais devem dar a permissão; dos 21 aos 29, o consentimento; e dos 30 para cima, mandá-la ir tomar banho e fazer o que bem quiser pois já está bem grandinha... Ou mais ou menos isso. É claro, a mulher madura pode decidir por si só, mas é uma questão de respeito comunicar os pais.

QUANDO OS PAIS NÃO APROVAM O NAMORO

O que fazer?

Primeiro, procure entender o porquê. Pais podem desaprovar um pretendente por muito boas razões ou por preferências e caprichos que não devem ser levados em consideração. O rapaz ter histórico de não trabalhar ou durar pouco no emprego é uma boa razão. Você ter de terminar a faculdade antes de pensar em namorar é uma preferência.

Às vezes, você terá de procurar a real preocupação dos seus pais, que nem sempre pode estar aparente na desaprovação deles. Por exemplo, "nada de namoro antes de terminar a faculdade" provavelmente quer dizer que eles não querem que você vá mal nos estudos por estar distraída com namorado. Nesse caso, pode negociar com eles que não continuará o namoro se suas notas caírem abaixo de um determinado padrão, por exemplo.

Por mais irracionais que pareçam as razões de seus pais, seja paciente, considere e procure entender as verdadeiras preocupações. Se têm bons argumentos contra o namoro, procure ouvi-los. Talvez seja esclarecedor também consultar outras pessoas maduras e sensatas, caso ache que seus pais não estejam sendo razoáveis. E se você vê que as opiniões tendem a concordar com a de seus pais, é melhor que você pare de sonhar com uma história de amor à *la* Romeu e Julieta. Como no tal romance, é provável que não dê certo.

Em alguns casos, os pais podem ser incoerentes em suas objeções. Apresentam razões que indicam apenas preferências ou caprichos, não verdadeiros argumentos plausíveis. Se você tem boas razões para dar uma chance ao relacionamento e idade para tomar suas próprias decisões, pode ser que tenha de prosseguir sem o consentimento deles.

Porém, tenha em mente que mesmo que você esteja certa e o seu relacionamento prove mais tarde que as preocupações deles estavam erradas, você ainda precisará conquistar a aprovação deles eventualmente. Isso porque nem você nem seu namorado querem uma situação permanente de inimizade com seus pais. A melhor coisa é sempre procurar ter a aprovação e a benção dos pais de ambos, se possível.

Para os pais lendo este livro e que têm filhos adolescentes: considere bem os pontos que explicamos no Capítulo 3, sobre como saber se está pronto ou não para namorar. Converse com seu filho a respeito de cada ponto. Manter o diálogo aberto é importante para que seu filho ou filha não sinta a necessidade de fazer nada escondido de você.

Seu papel é importante no sentido de guiar seu filho sobre como agir quando surgir um sentimento por alguém. Deixe bem claro para a filha sua expectativa de que o rapaz venha falar com você; e para o filho, que ele deve fazer o mesmo com os pais da moça.

Seja um pai presente (mas não sufocante) nesse período crucial. Mesmo que o pretendente não se encaixe nos ideais que você sempre sonhou para um genro ou nora, procure trazê-lo para perto a fim de conhecê-lo melhor. Só assim você poderá ter conversas significativas com seu filho sobre o relacionamento. E talvez os seus medos se provem infundados ao conhecer melhor a outra pessoa.

NAMORO À MODA ANTIGA: POR QUE FUNCIONA

Você é quem você é em casa. Por isso, uma das melhores formas de vocês se conhecerem é namorar em casa — isto é, para quem mora com os pais ou outros parentes. Não estou dizendo que nunca devam sair para um programa a dois, tampouco que devam namorar em casa sozinhos. Mas por que namorar em casa, com a presença de familiares, é uma ótima opção?

- Você tem a oportunidade de conhecer a pessoa no seu habitat natural. Há poucas coisas mais pessoais do que a casa e a família de alguém. Não tente tirar ou "roubar" seu namorado(a) da família só para si, de forma possessiva, ciumenta ou apenas para evitar as chatices familiares. É no seu habitat natural que melhor conhecemos a pessoa. No cinema, restaurante etc. não somos 100% nós mesmos como em casa. Aproximem-se da família um do outro em vez de se distanciarem.
- Observar como sua namorada(o) trata os pais e interage com outros familiares. O modo como tratamos nossos pais é ótimo indicador de como trataremos nosso cônjuge. O velho ditado "bom filho, bom marido; boa filha, boa esposa" é muito verdadeiro. Como ele trata a mãe? Como ela trata o pai? Filhos que xingam os pais, não se importam com eles ou não os ajudam, costumam se tornar péssimos cônjuges.
- Note o que o outro admira nos pais. O homem costuma buscar as qualidades da mãe na futura esposa. A mulher, as do pai no marido. Inversamente, costumamos odiar os defeitos de nossos pais e ser muito sensíveis a eles se forem presentes em nosso cônjuge. Uma filha que cresceu vendo o pai alcoólatra pode ter alta sensibilidade com qualquer vício do namorado. Vocês devem observar isso muito bem enquanto namoram, pois será uma boa prévia do casamento e das expectativas mútuas.

- Como ele(a) fala dos pais? Falar mal dos pais pode indicar mágoa, rebeldia e incompreensão, entre outros, no coração do seu namorado. São sinais terríveis de como ele se comportará no casamento também. A dificuldade de respeitar os pais continuará no trato com o futuro marido ou esposa. Nunca fale mal de seus pais, e, menos ainda, critique os pais do outro!
- A família e o lar de sua namorada são um caos? Será que ela quer casar apenas para sair daquele ambiente e não mesmo por amor? É mais comum do que você imagina.

Namorar em casa pode ser limitador em alguns aspectos, mas você não encontrará uma maneira melhor, mais rápida e mais verdadeira de se conhecerem.

Cristiane

Renato e eu namorávamos em casa uma vez por semana. Conversávamos bastante nesse dia. Almoçávamos com minha família e isso foi ajudando meus pais a conhecê-lo melhor e vice-versa. Às vezes saímos para ir ao cinema ou caminhar no parque – mas sempre acompanhados de minha irmã ou irmão. É claro que, às vezes, gostaríamos de privacidade, mas garanto que a única coisa que teríamos feito com mais privacidade era o que não deveríamos. Até nisso namorar em casa nos ajudou, a nos guardarmos para o casamento.

Aos cinco meses de namoro, o Renato me pediu em casamento. Ele não tinha uma aliança para me oferecer, apenas a sua palavra. E eu aceitei.

Nos próximos cinco meses, aprendi a cuidar da casa, das roupas, a cozinhar e comecei a ler um livro sobre intimidade no casamento. Tudo com a aprovação e direção da minha mãe, que ficou 100% encarregada da festa do casamento. Em dez meses, estávamos casados.

OS BENEFÍCIOS DO CASAL MENTOR

Os pais da Cristiane foram nossos grandes mentores desde antes do nosso namoro começar. O pai dela foi quem me orientou com respeito à diferença de idade em meu relacionamento anterior; a mãe dela me notou e buscou referências sobre mim; eles fizeram questão de acompanhar o nosso namoro de perto sem ser sufocantes; orientaram a Cristiane durante toda a preparação para o casamento; confiaram em mim a ponto de dizerem para ela no dia do casamento: "Minha filha, a partir de hoje não tem mais papai e mamãe. Quem vai cuidar de você agora é o seu marido"; e com um conselho sábio para cada um de nós, meu sogro ajudou a salvar nosso casamento em um momento de crise (fato que contamos em detalhes no livro *Casamento Blindado*). Acima de tudo, o exemplo do casamento deles, que já dura mais de 44 anos, serve como um padrão para nós.

Assim como todo mundo precisa de um bom médico, um bom advogado e um bom mecânico, todo casal precisa de um casal modelo como mentor. Idealmente, os pais seriam esse casal, mas às vezes vocês terão de escolher outro casal — tios, avós, amigos ou líderes na igreja, por exemplo. Um casal mentor precisa não somente ser exemplo de bom casamento, mas também não ter medo de corrigir e orientá-los quando necessário.

A jovem inexperiente precisará de conselhos em certas situações; melhor que os receba de uma boa e experiente esposa do que de uma amiga solteira que pouco ou nada sabe do assunto. O rapaz também, de tempos em tempos, se beneficiará de uma conversa franca com seu mentor, como de pai para filho, que poderá aliviar e evitar muitas dores de cabeça no relacionamento. Uma palavra sábia pode mudar sua vida.

Sejam humildes e não tentem fazer tudo sozinhos. Procurem um casal que vocês admirem e façam uso de suas experiências, erros e acertos.

QUEM É SEU REFERENCIAL?

Todo ser humano se comporta por imitação. Nós observamos alguém que tem qualidades que admiramos e buscamos aquilo para nós mesmos. Quando você vê uma celebridade protagonizando uma campanha publicitária, é porque aquela marca está explorando essa característica humana. Eu admiro a celebridade A; ela usa o produto B; logo, eu quero esse produto.

Essa equação não funciona apenas na publicidade, mas nos relacionamentos também. Instintivamente, admiramos certas pessoas que consideramos exemplos de pai, mãe, marido e esposa, homem e mulher. Elas se tornam nossos referenciais, pessoas a quem nos remetemos sempre que avaliamos nosso comportamento e o do parceiro também.

O meu referencial de mulher, até me casar com a Cristiane, era minha mãe — uma mulher forte, guerreira, pau para toda obra, que dava conta de cuidar de quatro filhos e um marido que nem sempre foi fácil e que se fazia contente com pouco para que nós tivéssemos um pouco mais.

Nos primeiros anos do meu casamento, eu media a Cristiane por esses padrões. E sempre a achava em falta. Eu queria nela as qualidades de minha mãe. Não que ela não tivesse qualidades. Tinha muitas, mas eu a achava deficiente nos quesitos que minha mãe tinha de sobra.

Eu não entendia que o meu referencial de mulher, apesar de ser bom, estava prejudicando meu casamento.

O seu referencial de homem ou de mulher pode ajudar ou prejudicar seu namoro e casamento.

Como os pais têm um papel tão influente em nossas vidas, é inevitável que, para bem ou mal, eles se tornem nossos referenciais. Parte da blindagem do namoro é ter consciência do que vocês admiram e também do que desprezam em seus pais. Vocês irão procurar naturalmente um no outro o que admiram em seus referenciais — e rejeitar o que desprezam. É importante que tenham consciência do impacto desses referenciais e façam as devidas compensações para não serem injustos um com o outro.

Por exemplo, era injusto da minha parte querer que a Cristiane tivesse algumas características de minha mãe. Elas tiveram vidas e criações totalmente diferentes, além de uma diferença de idade de 25 anos... Eu tive de aprender a apreciar a Cristiane como ela é, sem impor nada a ela. Por outro lado, por mais que eu admire meu pai por suas muitas qualidades, tive de usar outros homens como referenciais de marido nas questões em que ele não foi exemplo para mim.

Não despreze o histórico familiar de vocês, especialmente se for problemático. Pais separados, que não foram referenciais, um irmão problemático que desestruturava toda a família, vícios, desrespeito, abuso constante etc. — podem causar grande impacto na personalidade e comportamento de uma pessoa. Por exemplo, um estudo mostrou que filhos de pais divorciados são estatisticamente duas vezes mais propensos a se divorciarem também.

Todos trazemos na bagagem as coisas boas e ruins que herdamos de nossas famílias. Ao longo do relacionamento, vocês têm que ter essa conversa, descobrir mais sobre as bagagens familiares que cada um traz e o que elas significam para o relacionamento.

Isso não quer dizer que bagagem pesada e ruim automaticamente desqualifica uma pessoa para se casar. Mas significa, sim, que essa pessoa e seu futuro cônjuge terão de lidar com ela de maneira eficaz e inteligente para que não destrua o relacionamento. Isso é possível, mas não será uma tarefa pequena. Se não houver de ambas as partes essa consciência, determinação e habilidade para lidar com as bagagens pessoais e as do parceiro, melhor não se casarem.

Entenda que histórico ruim e falta de referencial positivo não são desculpas para continuar no erro. Se seu namorado(a) tem um comportamento derivado da falta de bons exemplos familiares, ele pode mudar seus referenciais, como qualquer pessoa inteligente. Mas se não o faz e, ao contrário, se mantém como vítima, você não deve se casar com alguém assim.

Todo mundo sabe que seus pais causaram alguns "traumas" em você (assim como você causará em seus filhos). E daí? Só porque eles o "torturaram" durante seus primeiros vinte anos não significa que podem continuar para o resto de sua vida. Assuma a responsabilidade por seus erros e comportamento.

Chega um momento na história de uma família em que alguém tem de quebrar os padrões destrutivos que correm em suas veias.

CONHECENDO OS CÍRCULOS SOCIAIS

O velho ditado "diz-me com quem andas e eu te direi quem és" é uma grande verdade. Não cometa o erro de não conhecer quem são as pessoas no círculo social do seu namorado(a). Quão bem você as conhece? Há alguém que ainda não foi apresentado a você?

É claro que não terá acesso a todas as pessoas nos círculos sociais do namorado logo no início do namoro. Mas, à medida em que o relacionamento vai ficando mais sério e caminhando para o noivado, vocês devem ir conhecendo as pessoas no círculo familiar e de amizades um do outro.

Você pode usar o diagrama abaixo para avaliar quão bem (ou mal) estão neste ponto:

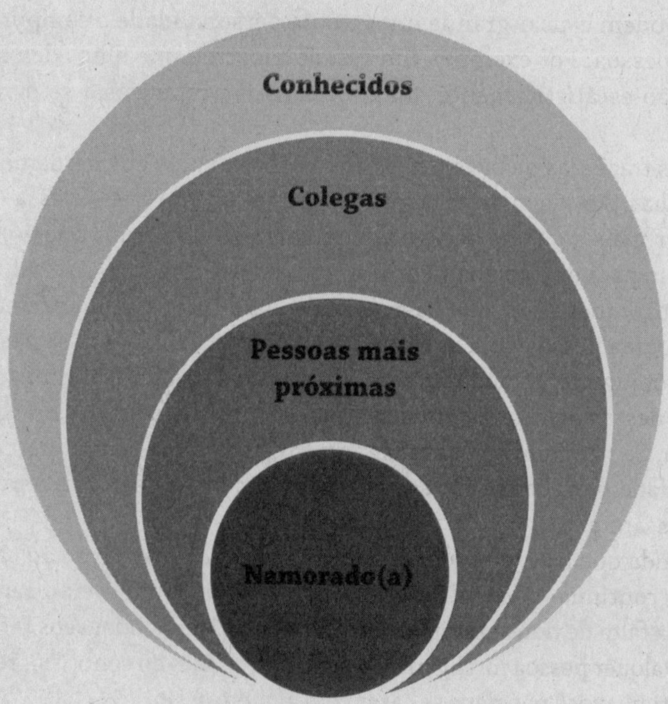

Faça este exercício. Coloque o nome da pessoa amada no círculo menor e vá preenchendo os maiores com nomes de quem você já conhece na respectiva categoria.

Pessoas mais próximas: familiares, parentes e amigos. Estas são pessoas muito importantes, que você deve procurar conhecer pessoalmente.

Colegas: na escola, no trabalho ou outro local de frequência. Alguns podem se tornar tão próximos e influentes quanto os do círculo interior. Atenção para nomes de pessoas constantemente citadas em conversas, presentes em ligações e trocas de mensagens.

Conhecidos: não fazem parte do convívio diário, mas todos têm um histórico de como se conheceram e o que significaram. Podem ser simplesmente "alguém que estudava na mesma faculdade" ou até mesmo um ex-namorado.

Talvez você queira usar uma lista em vez de círculos. Basta escrever o título no topo e os nomes logo abaixo. Exemplo: Pessoas mais próximas: pai, mãe, irmãos etc. Faça como for melhor para você — mas faça. O resultado visual pode ser muito elucidante. Há alguém importante na vida do seu parceiro de quem você pouco sabe a respeito? Alguém que ele procura evitar que você conheça? Conversem sobre isso.

Lembre-se de que este exercício é uma via de mão dupla. Não apenas procure conhecer o círculo social do outro, mas verifique se você também já revelou o seu. Nada de esconder ninguém!

Outra forma muito eficaz é compartilhar um com o outro as agendas de contatos no celular. Vocês trocam os celulares e um de cada vez lê os nomes na agenda de A a Z. Se há algum nome que você não conheça, você pergunta mais sobre aquela pessoa e o outro explica a conexão. O mesmo pode ser feito com os contatos em suas redes sociais.

Alguns podem achar isso um exagero ou "falta de confiança". Enfatizo, porém, duas coisas. Primeiro, este exercício não deve ser feito no espírito de pegar o outro fazendo algo errado, e sim na intenção de agilizar o conhecimento mútuo. Segundo, lembre-se do conselho: "Confie, mas verifique". Confiança só pode existir na presença de transparência. Qualquer omissão intencional na troca de informações em um relacionamento apenas gera desconfiança.

Vai cair na prova!

1. *Qual a opinião de seus pais a respeito do seu namoro? Quais preocupações deles você acha válidas? Você já conquistou a admiração dos pais dele(a)?*

2. *Qual casal vocês poderiam usar como referência para o relacionamento? Por quê? Quão bem você os conhece? Que tal pedirem que eles sejam seus mentores?*

Poste em nosso Facebook (fb.com/livronamoroblindado) ou em sua rede social preferida:

Agora entendo por que, querendo ou não, a gente se casa com a família do namorado, sim. #namoroblindado

CAPÍTULO 16

COMO CONDUZIR o namoro?

UMA DAS MINHAS PRIMEIRAS namoradas deixou uma marca inesquecível no meu coração adolescente — e não foi de amor, foi de dor. Morávamos bem próximos, na mesma rua, estudávamos em colégios diferentes. Eu sabia a hora que ela chegava da escola, então, quando dava, ficava de olho da janela de casa para vê-la passar e sorrir para ela. Ah, as paixões de adolescentes...

Um belo dia, lá estava eu na janela, como de costume, quando vi uma cena que partiu meu coração. A uns 100 metros de casa, na esquina, vejo chegar um rapaz em uma moto, com uma garota agarrada a ele na garupa. Ele para, ela desce e dão um beijo de despedida. Ele vai embora e ela vem caminhando pela calçada. Sim, era minha namorada. Ela passa em frente de casa, olha para cima com olhar de quem torcia para eu não ter visto o que aconteceu, mas a minha cara não deixava dúvidas: eu estava totalmente decepcionado.

Não sei o que doeu mais: o beijo, a tentativa dela de esconder (ele poderia tê-la deixado à porta de casa, em vez de na esquina), vê-la agarrada ao cara ou o fato de que ele tinha uma moto e eu uma bicicleta... Isso sem contar o que eu *não vi* — o que rolou entre eles antes do que eu vi. Afinal, eles estudavam na mesma escola.

Brigamos. Não terminei, pois gostava muito dela, mas o namoro nunca mais foi o mesmo. Até que acabou. Tudo isso teria sido evitado se ela entendesse o conceito de exclusividade no namoro.

EXCLUSIVIDADE

O namoro é um treino para o casamento. Se no casamento marido e mulher devem ser exclusivos um do outro, a exclusividade deve, obviamente, começar no namoro. Isso costumava ser mais claro antigamente, mas hoje a facilidade de ficar e manter contato com várias pessoas online ao mesmo tempo tem deixado o assunto mais cinzento.

Alguns gostam de deixar suas opções em aberto, mesmo depois de iniciar um namoro. "Vai que não dá certo?" — justificam. Além disso, a adrenalina do flerte é muito forte, especialmente na adolescência. Saber que alguém está interessado em você, mesmo que você já esteja comprometido, é uma massagem no ego difícil de resistir. E se esse alguém tiver uma moto, então[1]...

Por isso, oficializar um namoro hoje requer uma conversa franca sobre exclusividade. Vocês precisam esclarecer: "A partir de agora, não vou manter nem iniciar contato para fins de relacionamento com mais ninguém".

O seu caráter deve estar acima do seu ego. Infidelidade, além de ser uma falha de caráter, pode fazê-lo perder o grande amor de sua vida.

Nem todos conseguem perdoar uma indiscrição do parceiro. E mesmo que consigam e acabem se casando, aquela manchinha continuará semeando desconfiança por anos, até depois de casados. Não vale a pena.

Embora você nunca deva ceder à tentação de trair sua namorada ou namorado, não se preocupe muito com o sentimento de tentação. Esses pensamentos são naturais. É normal você notar outro alguém atraente, mesmo quando está sendo fiel no seu namoro. O que não é normal é alimentar esses pensamentos e agir sobre eles. Se eles vierem, reconheça-os e escolha tirá-los de sua mente. Isso se chama domínio próprio e deve fazer parte do seu caráter durante o namoro, casamento e a vida toda.

E se já houve algum ato de infidelidade no seu namoro? O que fazer?

Primeiro, considere. A traição foi um caso isolado ou já faz parte de um padrão de comportamento? Foi resultado de estupidez e falta de bom senso ou uma atitude sem-vergonha e intencional? Houve sinceridade no reconhecimento do erro ou tentativa de mentir e escondê-lo? Houve mudança total de comportamento, incluindo rompimento total de contato com a outra pessoa? Há um esforço pela reparação da confiança no sentido de investir mais na relação e provar o contrário?

Nem sempre é um caso de terminar o relacionamento, dependendo do contexto. Em última análise, porém, julgue o infiel por suas atitudes e não por promessas ou palavras. Não deixe que seus sentimentos atrapalhem o seu juízo aqui. Se as atitudes estão mostrando falta de caráter e desrespeito para com você, encerre o relacionamento sumariamente. Não importa o quanto goste da outra pessoa.

Gostar muito de alguém não é suficiente para manter um bom relacionamento. É preciso que haja uma troca de respeito, fidelidade e compromisso.

[1] Quero deixar bem claro, caso minha ex esteja lendo isso, que não guardo mágoas — apenas lembranças da dor. E da cena, é claro.

Se apenas você está lutando pelo relacionamento, mesmo depois do erro do outro, acorde e caia na real: não há mais relacionamento aqui.

Se você deixou de ser exclusiva na vida do seu namorado (ou exclusivo na vida da sua namorada), ou se não o faz mais se sentir exclusivo na sua, há um problema no relacionamento. Nunca, jamais aceite ser a segunda, terceira, nem a primeira pessoa na vida do outro. Sua posição deve ser a única. Há quem aceite esta conversa: "Meu amor, você é muito mais importante que a fulana... você é a primeira na minha vida". Não se sinta lisonjeada com isso. Se há primeira, há segunda. Você não deve ser nem uma, nem outra. Deve ser a única.

Por isso, a partir do momento em que oficializarem o namoro, devem se livrar de todo contato com os ex. Não há mais razão para ter o ex no celular, em rede social, fotos, nem ficar ressuscitando-o nas conversas de vocês. Comentários do tipo "Ah, minha ex gostava de filmes românticos também!", "O meu ex sempre me levava com ele nas viagens, que estranho você não querer que eu vá" etc. — não vão ajudar em nada. Respeite seu namorado e exija o mesmo respeito em relação a pessoas do sexo oposto.

Sim, há um tipo de ciúme que é bom e justo. O conceito de ciúme justificável se baseia na ideia de que há certas coisas que temos todo o direito de reivindicar como nossas e que não devem ser compartilhadas com qualquer outra pessoa. Quando alguém está namorando você, você tem o direito de reivindicar exclusividade.

Ter medo de exigir isso é sinal de insegurança. Muitas pessoas, erroneamente, veem o ciúme como uma fraqueza. Ao contrário, não ter ciúme não é natural nem saudável. Tentar suprimir sua indignação natural quando está com alguém que não para de flertar com outras pessoas é um grande erro. Não tenha medo de exigir exclusividade nem de impor limites. E se o outro não está preparado para lhe oferecer isso, termine.

SE DANDO A CONHECER

Um dos objetivos principais no namoro é que vocês deixem de ser estranhos um para o outro. Vocês não poderão se tornar futuramente marido e mulher se não deixarem de ser estranhos. Estranhos não confiam um no outro porque não se conhecem totalmente. Portanto, a confiança virá quando vocês abrirem o coração um para o outro.

Às vezes, a pessoa já está casada há 10 anos ou mais e só então descobre certas coisas do parceiro. Ou seja, ele permaneceu um estranho para ela porque não foi totalmente aberto. A partir daquele momento, a confiança é abalada.

Hoje, as pessoas parecem não ter nenhum constrangimento de abrir a blusa, o sutiã, o zíper e as pernas para outras, mas quando se trata de abrir o coração, a dificuldade é tremenda. Escondem o que verdadeiramente são e nunca se deixam conhecer. Jamais conhecerão a verdadeira intimidade. Intimidade não é sexo. Você pode ter sexo com um estranho, mas não intimidade. Vocês só serão verdadeiramente íntimos quando abrirem o coração um para o outro.

Por isso, mantenha a roupa no corpo, mas, depois de se sentir seguro no relacionamento, não tenha medo de se abrir com a outra pessoa e revelar suas imperfeições e defeitos. Só assim vocês criarão confiança um no outro e verdadeira apreciação. Você não é perfeito, portanto não finja ser. Nunca subestime o poder da honestidade em atrair o sexo oposto e demonstrar grande força de caráter. Esconder algo sobre si mesmo durante o namoro é, além de desonesto, apenas adiar problemas.

Ninguém deve descobrir fatos importantes sobre o parceiro depois do casamento, que poderiam ter sido revelados antes.

Sim, há riscos em se abrir e falar quem você realmente é, porém, se não assumir riscos, nunca conseguirá alguém que o ame como você é.

A pergunta que vocês terão de responder no final das contas é: **"Eu quero cuidar dessa pessoa pelo resto da minha vida e fazê-la feliz apesar de seus defeitos?"**. É isso o que realmente importa, e não se vocês morrem de amores um pelo outro, sentem atração física, se o emprego dele é bom ou se as curvas dela são perigosas.

FAZENDO TEMPO PARA VOCÊS

Nenhum relacionamento pode sobreviver sem que as partes dediquem tempo a ele. Se não está preparado para investir tempo na relação, não comece uma.

Não há uma regra de quanto tempo de contato as pessoas devem investir no namoro. O que deve existir é compromisso e contato com regularidade suficiente para que os dois se conheçam e o relacionamento progrida para uma conclusão. Se vocês não têm compromisso de se verem; se o contato é raro e imprevisível; se outras coisas ou pessoas estão sempre à frente do namoro; se a relação não está saindo do lugar — então, na verdade, não há namoro.

Por outro lado, namorar não exige que vocês fiquem horas ao telefone, se vejam todos os dias ou várias vezes por semana. Vejo muitas pessoas alegarem que não têm tempo para um relacionamento porque estão na faculdade, trabalhando muito, cuidando dos pais doentes ou embarcando em projetos muito importantes. Na verdade, nada disso apresenta necessariamente um impedimento.

O que normalmente acontece é que a pessoa está sendo guiada por seu egoísmo ou pela ideia de que *depois*, mais tarde, poderá cuidar da sua vida amorosa. Depois de acabar a faculdade, depois da pós-graduação e mestrado, depois de se estabelecer na carreira, depois que os pais morrerem, depois que houver paz no Oriente Médio. São essas pessoas que chegam à meia idade solteiras e amargas, reclamando que nunca tiveram sorte no amor...

O que elas não tiveram foi bom senso.

Com bom senso, você pode encontrar tempo para um encontro semanal de qualidade ou uma ligação durante o almoço ou no final do dia. Namorar não precisa ser uma experiência vampírica, onde a outra pessoa suga todo seu tempo e energia para si.

Cristiane

Saudade era algo que os namorados sentiam quando se viam pouco; que a esposa sentia ao ver o seu marido sair de casa cedo pela manhã e só voltar tarde da noite. Algo que nos inspirava a escrever cartinhas que só chegavam dias ou semanas depois pelo correio – e, quando as recebíamos, traziam um sorriso aos lábios. Só que a saudade morreu quando a era da Internet chegou.

Hoje todo mundo se fala o tempo todo por WhatsApp, Messenger, Skype, e-mail e outros aplicativos. E por mais que a Internet tenha facilitado muitas coisas, também prejudicou outras. E um dos maiores prejuízos foi dentro dos relacionamentos.

É difícil ver um rapaz com saudade da namorada, afinal, ela está conectada com ele a todo tempo. E se ele se esquecer de lhe dar um bom dia, ela vai ficar mal-humorada com ele... É quase como se já estivessem dormindo juntos. São os últimos e os primeiros a se falarem diariamente.

A princípio, parece que não há nada de errado com isso. Chegam até a pensar que estão se conhecendo melhor. Mas será? Como é que você vai saber se ele gosta mesmo de você se estão o tempo todo conectados? Se no dia e na hora em que ele liga, você deixa tudo de lado e o atende? Sabe como isso se chama? Namorada de plantão. Se você está sempre disponível para o seu namorado, qual o incentivo para conquistá-la? A mensagem que você passa é que já está na dele.

A saudade faz bem para o relacionamento. Ela aumenta em seu namorado a vontade de vê-la e querer lhe agradar. Faz ele pensar em você mais vezes e planejar um futuro ao seu lado... A saudade faz o homem querer casar logo. Preciso dizer mais?

Já o homem não deve ficar com esse ar de mistério, pois isso só aumenta a insegurança da mulher. Não deve ser um grude, mas também não deve deixá-la se perguntando se deve começar a procurá-lo no cadastro de pessoas desaparecidas...

Nunca deixe o outro sentir como se fosse mais um item na sua agenda, que mal cabe entre seus outros afazeres. Muitos homens perguntam: "O que as mulheres querem?". A resposta é: toda mulher quer a atenção não dividida do seu amado. Ainda que isso não seja possível o tempo todo, ela quer saber que você se esforçou para estar com ela e quer aproveitar todo momento que estiverem juntos.

E o que os homens querem? Homens se sentem másculos quando conseguem agradar a mulher. Nada faz um homem desligar mais rápido de uma mulher do que quando ela se faz impossível de agradar — especialmente se, ainda por cima, ela mastiga de boca aberta. Mulher, não seja mimada, enjoada, difícil de agradar. Se ele tenta, faz um esforço, reconheça, seja grata. Não fique colocando defeito em tudo o que ele faz ou falando como ele poderia ter feito melhor.

NAMORO À DISTÂNCIA

Enquanto no passado nossos pais e avós quase sempre namoravam e casavam com alguém que morava na mesma rua, bairro ou cidade, a sociedade globalizada e conectada de hoje tornou os relacionamentos à distância muito mais comuns. Isso traz seus desafios e peculiaridades.

Em um sentido mais abrangente, todo casal enfrenta a "distância" — seja por dias sem se ver por causa do trabalho, viagem ou outro compromisso; seja por uma distância emocional ou mental, quando um está muito focado em uma coisa, como preparando-se para exames, por exemplo. Porém, o que os ajuda a superar essa distância é saber que ela é temporária e que logo se unirão novamente. Nenhum relacionamento pode resistir à distância por um tempo longo e indeterminado.

Por isso, uma das questões mais importantes em um relacionamento à distância é: quando vocês finalmente poderão estar juntos? Se a resposta é indefinida, se não há planos coerentes e prazos realistas, então é melhor reconhecer: esse relacionamento não é prioridade na vida de um ou ambos e, portanto, não tem futuro.

Para vingar, um relacionamento à distância precisa de:

1. **Razão válida e digna para a distância**
2. **Contato periódico e descritivo**
3. **Um plano e prazo para o fim da distância**

Vamos entender cada ponto.

1. **Razão válida e digna para a distância** — por exemplo, ele está servindo o Exército ou a trabalho; ela está fazendo um intercâmbio em Paris; vocês se conheceram online e ele mora no Azerbaijão e você na Baixada Santista (ainda que a razão de você ter iniciado esse relacionamento me escape ao entendimento). Todo mundo pensa ter uma razão válida e digna para estar em tal lugar, mas você terá de ser juiz disso. Ela quer namorar, mas primeiro quer fazer parte de uma expedição para salvar as baleias no Oceano Antártico sem previsão de volta? Talvez a prioridade para ela agora sejam as baleias, não você. Sim, você foi trocado por um mamífero marinho.

   E, a propósito, se vocês se encontraram online e ele não faz planos para vir conhecê-la pessoalmente dentro de três meses, corte o contato. Ele não está a fim de você. Ou é um príncipe nigeriano que primeiro precisa que você lhe envie dez mil dólares para desembaraçar a fortuna que o pai deixou para ele[2]. Caia fora. E nunca, jamais você, mulher, deve viajar para ir conhecer um cara que conheceu na Internet.[3]
2. **Contato periódico e descritivo** — um relacionamento à distância pode ter um lado muito positivo: vocês só podem conversar. E conversar é a alma do namoro. Combinem dias e horários e conversem sobre tudo com riqueza de detalhes. Já que vocês não se veem, é importante descrever suas situações, atividades e experiências para que o outro possa se transportar para elas. Sejam transparentes para evitar desconfianças. Mas lembrem-se dos Padrões Namoro Blindado, senhoritas: é ele quem tem de tomar a iniciativa do contato e não fiquem esticando a conversa. Continue o assunto da próxima vez — e que não seja daqui a uma hora. A regularidade do contato deve ser o suficiente para o relacionamento não morrer, mas também para deixar vontade de se encontrarem pessoalmente o quanto antes.
3. **Um plano e prazo para o fim da distância** — este é o ponto mais importante. De quem e do quê depende o fim da distância? Encerrar um projeto, mudar de cidade, terminar um curso, juntar uma quantia de dinheiro? Quais os planos para isso se concretizar? Há um prazo realista? A pessoa vive adiando esse prazo ou está se esforçando ao

---

[2] O "príncipe nigeriano" é um golpe antigo, praticado na internet por estelionatários internacionais, que entram em contato dizendo representar o tal príncipe. Obviamente, depois de cair no golpe, a pessoa nunca mais recebe resposta do bandido, que some com o dinheiro dela.
[3] Mais sobre relacionamentos online no site namoroblindado.com

> máximo para cumpri-lo? Você está preparado para esperar? Diz o Provérbio: "A esperança que se adia faz adoecer o coração".[4] Não se submeta a um relacionamento sem metas e planos. Lembre-se de que, além do tempo que vocês passarem longe, quando estiverem juntos, vocês precisarão de mais um tempo para se conhecerem melhor pessoalmente. Isso pode facilmente estender o namoro para dois, três anos ou mais, dependendo do tempo que passarem à distância. Por isso, se esse tempo faz adoecer seu coração, melhor reavaliar se deve continuar o relacionamento ou não.

Muitos relacionamentos à distância não suportam a ausência prolongada devido à questão da carência afetiva e as oportunidades de preenchê-la com alguém mais próximo. A fidelidade de ambos será testada e, por isso, a confiança um no outro precisa ser fortalecida. Novamente, o princípio "confie, mas verifique" pode ser útil aqui.

Por exemplo, para prevenir qualquer desconfiança, você pode tomar esta iniciativa: apresente à sua namorada alguém que faz parte do seu dia a dia enquanto você está à distância (desde que não seja aquela loira *caliente* que fica dando em cima de você no trabalho o dia todo). Além de essa pessoa cumprir o papel de testemunha de seu bom comportamento, essa atitude mostrará que você fala para outros que tem uma namorada. O que, para ela, é muito reconfortante.

Como você pode ver, um relacionamento à distância não vem sem desafios extras. O ideal mesmo é que você não entre em um. Mas se entrar ou já estiver, fique consciente desses desafios e preparado para enfrentá-los.

NOVIDADE *VERSUS* TÉDIO

Há um paradoxo no namoro: vocês namoram para se conhecer, mas quanto mais conhece da outra pessoa, mais chance de ficar entediado com ela, pois acaba a novidade. É aí que alguém vai dizer ou pensar: "Nosso namoro está chato".

Porém, o tédio só tomará conta se vocês não souberem renovar a relação e conduzi-la sempre adiante, para a próxima fase.

Para começar, um namoro blindado não se estende por anos e anos, por isso as chances de ficar chato são mínimas. Se vocês namorarem, noivarem e casarem em até dois anos ou menos, como recomendamos, ficará difícil entrar na monotonia. Isso porque estarão sempre conduzindo o namoro para a próxima fase, que já traz em si uma novidade. O começo do namoro é uma

[4] Provérbios 13.12

fase; o conhecimento e as descobertas são outra fase; o amadurecimento e decisão de noivar iniciam a nova fase de preparação para o casamento... Não há como ficarem entediados.

O problema é quando se namora sem essa estrutura, sem alvo e sem planejamento — uma poça de água parada, destinada apenas a secar ou juntar mosquitos.

Porém, além da progressão das fases, vocês precisam saber renovar a relação com eventuais surpresas agradáveis.

O ser humano adora boas surpresas. Elas trazem oxigênio em meio a rotinas maçantes. Uma das atrações do adultério é exatamente quando a adrenalina de ter um caso se torna muito mais excitante do que, por exemplo, a rotina de lavar a louça do jantar toda noite em um casamento vazio de entusiasmo.

Uma de nossas principais funções no relacionamento é procurar fazer a vida um do outro mais excitante. Isso não quer dizer que você tenha que levar sua namorada para pular de paraquedas ou fazer um safári no Zimbábue. Apenas, de vez em quando, procure agir de forma "premeditadamente espontânea". Ou seja, faça planos para surpreendê-la. Faça algo inesperado que mostre o quanto você pensou nela. Uma carta escrita à mão que chega pelo correio e exala um suave perfume ao ser aberta, fará brilhar até o dia mais nublado da vida dela. Ficará na memória e entre seus pertences mais afetuosos por muito tempo depois de se casarem... É apenas um exemplo.

Cristiane

Um alerta, porém: cuidado com as expectativas hollywoodianas. São elas que muitas vezes geram uma *sensação de tédio*, porque os levam a comparar o relacionamento de vocês com os de casais de pombinhos em filmes românticos. Evitem. Vivam a realidade, fiquem longe das comparações e escrevam o próprio roteiro da história de vocês.

6 COISAS QUE VOCÊ NÃO DEVE FAZER

Há certas coisas que você simplesmente **não** deve fazer nem aceitar durante um namoro blindado:

1. **Tentar mudar a outra pessoa.** Resista à tentação de fazer da outra pessoa a encarnação de todos os seus sonhos e desejos. Você só fará papel de chato. Todos nós tendemos a melhorar com o tempo, dadas as boas influências e melhores conhecimentos, por exemplo. Isso acontece com a maioria das pessoas, mas é um ato voluntário, não por imposição.

2. **Ficar controlando a maneira de vestir do outro.** Primeiro uma ressalva: mulheres, desculpem, mas vocês não são melhores juízes sobre quão sensual certa roupa fica em vocês. Se o seu namorado lhe dá um toque, considere. Ele é homem e sabe como outros homens reagirão ao seu modo de vestir — sem contar ele mesmo. Isso não quer dizer que ele pode ditar o seu guarda-roupa. Se for o caso, tenham uma conversa inteligente a respeito e cheguem a um consenso. Mas fique alerta a excessos dele, sinais de insegurança que o fazem querer controlar suas roupas e todos os seus passos. E se ele se veste estilo caipira dos anos 80 e você como uma garota da cidade, cuidado com o ego dele ao fazer algum comentário. A lição aqui é que vocês não são marido e mulher ainda. A posição de vocês no namoro é mais de observar e conversar. Não tente controlar. Você quer naturalidade da outra pessoa, não conformidade. Relacionamento são duas pessoas caminhando para se tornarem uma e não uma pessoa tentando extinguir a identidade da outra. Dê espaço ao seu parceiro, deixe-o desenvolver e ser quem é, sem tentar dominá-lo.
3. **Ficar sustentando ou ajudando com dinheiro.** Tudo bem, em uma situação esporádica você contribuiu com o combustível do carro porque o cartão dele bloqueou; ou ajudou a pagar a conta do celular dela porque ela teve que pagar os remédios da mãe. Mas isso não deve se tornar um hábito. O problema aqui é a confusão de expectativas. Ela continua namorando com você porque realmente gosta ou porque você pagou toda a dívida do cartão de crédito dela? Quem sabe se ela continuar por mais uns meses você paga também os cartões das lojas? Ele promete que vai casar com você porque a ama ou porque ama sua grana?
4. **Dominar a comunicação ou se omitir nela.** Homens e mulheres costumam ter problemas de comunicação no relacionamento. Para elas, o problema geralmente é que o homem não fala o suficiente, especialmente sobre o relacionamento. Para eles, o problema é que geralmente ela fala demais, *especialmente sobre o relacionamento*. Por isso eles fogem do assunto, para não correrem o risco de estender a conversa até as três da manhã. Fujam dos extremos, atinjam o equilíbrio.
5. **Roubar o seu parceiro.** Uso "roubar" aqui no sentido figurado (mas para cleptomaníacos, serve o literal também). Deixe-me explicar. Havia uma lei bíblica interessante com respeito ao roubo. Era a lei da restituição[5]. A punição por roubo não era cadeia, e sim pagar de volta o que roubou em dobro. Em alguns casos, a restituição chegava a cinco vezes mais o que foi roubado. Era uma forma de multa com o objetivo não

[5] Êxodo 22.4, 7-9

apenas de reparação do erro, mas também de reabilitação do ladrão. Não se acreditava, como hoje, que um ladrão pudesse ser reabilitado passando anos na companhia de outros criminosos. Em vez disso, se ele fosse obrigado a pagar uma alta multa, isso seria mais eficaz em fazê-lo sentir o mesmo que fez a vítima passar e em desmotivá-lo a repetir o erro. Há uma lição aqui para reparar as pisadas de bola em seu relacionamento. Inevitavelmente, você causará dor e ofensa ao seu parceiro. Vai dizer o que não devia, vai perder a paciência e mostrar o seu pior lado. É nesse momento que você "rouba" algo da outra pessoa — o respeito, a atenção, o direito de discordar, o tempo, o bem-estar etc. Quando isso acontecer, experimente aplicar a lei bíblica da restituição para fazer as pazes. Para cada medida de dor que você causou, proporcione a ela duas medidas de alegria. Para cada descuido, seja duas vezes mais atento da próxima vez. Para cada palavra dura, cinco palavras de desculpas e amor. Ou seja, redobre seus esforços para fazer reparação ao dano causado. Só assim você poderá se redimir do que roubou. Pratique também pedir e dar o perdão. Pedir perdão é uma das coisas mais importantes em um relacionamento — acompanhado de mudança, é claro.

6. **Fazer questão de picuinhas.** Não seja um perfeccionista aporrinhante que cria um problema de qualquer errinho bobo do companheiro. Se você não aprender a engolir alguns girinos no namoro, não se aventure a se casar, pois vai morrer engasgado com os sapos. Brigas no namoro, só aquelas que valem a pena mesmo. Cuidado com a infantilidade.

Aí está o que você não deve fazer no namoro. Mas saiba também que há três coisas essenciais que você deve fazer o tempo todo, de forma iterativa:

1. **Agir certo.** É o que temos explicado detalhadamente até aqui.
2. **Observar e avaliar.** É o que vamos destrinchar no próximo capítulo.
3. **Concluir e decidir.** Para ou continua? Para onde vai este namoro? Cremos que você estará capacitado para isso ao final do livro.

Então, agora vamos treinar os seus olhos.

Vai cair na prova!

1. Vocês já se comprometeram à exclusividade no namoro?

2. Quão satisfeito você está com o tempo dedicado ao namoro?

3. Para quem namora à distância: Vocês estão atentos às três necessidades desse tipo de namoro?

Poste em nosso Facebook (fb.com/livronamoroblindado) ou em sua rede social preferida:

Gostar muito de alguém não é o suficiente para manter um bom relacionamento. É preciso saber conduzir o namoro. #namoroblindado

CAPÍTULO 17

O que OBSERVAR na pessoa

UMA ALUNA SUPERFRUSTRADA NOS ESCREVEU. Atente para isso, aluno, pois vai cair na prova!

Sou casada há 3 anos e namorei meu marido por quase 3 anos, entre namoro e noivado. Infelizmente, fui conhecê-lo de verdade somente depois que casei.

Durante o namoro e noivado, conversamos sobre diversos assuntos, nossa família, sonhos, projetos etc., porém hoje vejo que ele não foi muito verdadeiro. O que mais me incomoda é ele não ser o líder de nossa família.

Estamos reformando nossa casa e contratamos vários serviços, mas o projeto está atrasado quase 20 dias. Deixei ele resolver tudo, pois é formado em engenharia civil. Pedi diversas vezes para ele ficar mais em cima dos prestadores de serviços para que eles cumprissem os prazos, e me disse que eu era muito apressada, sempre quero as coisas pra "ontem".

Até que fiquei muito nervosa e resolvi eu mesma fazer isso. Liguei ontem lá e cobrei meus direitos, pois havia pago e eles não haviam cumprido. As coisas começaram a funcionar e eu o alertei que se ele tivesse feito como tínhamos conversado, talvez já estivéssemos morando na casa.

E agora, sempre que acontece algum problema na casa, ele me passa o telefone pra EU ligar e brigar com as pessoas.

Creio que esse papel deveria ser dele, pois ele é o HOMEM da casa. Estou errada?

Não, ela não está errada, mas a pergunta a essa altura é irrelevante. Ela namorou por quase três anos e mesmo assim não "conheceu" o namorado o suficiente para evitar a frustração que está vivendo hoje. É fato que conhecer é um processo que continua após o casamento e nunca acaba. Até hoje eu estou me conhecendo e conhecendo a Cristiane de formas novas e mais maduras. Mas o erro que a maioria comete no namoro é não observar o comportamento do outro nem saber interpretá-lo corretamente. Até conversam, mas não observam, como ela disse acima: *"...conversamos sobre diversos assuntos... hoje vejo que ele não foi muito verdadeiro"*. Hoje ela vê. Mas poderia ter visto antes.

A questão provavelmente não é que ele mentiu para ela. O que aconteceu foi que ela presumiu coisas baseada nas conversas que tiveram. Posso imaginar:

— Quando a gente se casar, eu gostaria de morar em uma casa bem arrumadinha — ela disse.

— Concordo. A gente pode fazer uma reforma. Como você sabe, eu sou engenheiro civil, entendo dessas coisas— respondeu ele.

Na cabeça dela, ela já sonhava com a casa do jeito que queria, o marido engenheiro civil cuidando de todos os aspectos do projeto e ela entrando na casa novinha com tudo pronto ao som de música de comercial imobiliário. Só que não foi isso que ele falou. Ela *presumiu* assim. E talvez você não a culpasse de tal suposição.

A falha, porém, foi que durante quase três anos de namoro e noivado ela não notou um pequeno grande detalhe: a personalidade passiva e descansada do namorado. E isso, honestamente, não dá para esconder. Com certeza ele sempre foi passivo e descansado, mesmo antes de conhecê-la. Mas ela não o observou ou não soube interpretar o que isso significaria para ela mais tarde.

Ela, como uma mulher de atitude, decidida e de personalidade forte, certamente iria se frustrar com um marido mais devagar, como o projeto da reforma veio a confirmar. No sentido de atitude e iniciativa, ela, para todos os efeitos, é o homem, o líder da casa. E agora, como pode administrar isso sem perder o casamento e a sanidade mental? Essa, afinal, é a pergunta que interessa.

A solução que apresentamos a ela não vem ao caso aqui[1], mas esta situação bem típica ilustra a importância de saber observar e interpretar o que você vê na outra pessoa.

---

[1] É bom considerar: se ele é mais devagar que você, que tal resolver que isso não será um problema, fazendo o que você faz bem: ser rápida e decidida? Isso também é parceria. Ele pode não ser o líder em resolver a situação da reforma, mas não significa que deixe de ser líder em outros aspectos. Nem sempre essas diferenças vão exigir término da relação, podem apenas requerer certos ajustes nas expectativas. O que ele faz bem, deixe-o fazer. O que ela faz bem, deixe-a fazer — mesmo que seja um assunto que normalmente seria resolvido pelo "homem da casa".

Mantenha os olhos bem abertos antes de se casar, e meio fechados depois.

— Benjamin Franklin

Pois é, Benjamin. Infelizmente, a maioria faz o contrário: fecha os olhos durante o fogo da paixão e só os abre depois de casados.

Namoro é tempo de olhar tudo, não de dar uma de cego!

Se você chegou até aqui no livro, você já enxerga mais e melhor do que a maioria. Mas ainda há algumas coisas que você precisa observar.

O ENCONTRO DAS PERSONALIDADES

Já explicamos em detalhes no capítulo 3 sobre a importância de um caráter íntegro e como identificá-lo. Faça a tarefa, se ainda não a fez. Mas não cometa este grave erro: confundir caráter com personalidade.

Caráter está relacionado às qualidades morais de uma pessoa; personalidade está relacionada às qualidades comportamentais e temperamentais dela. Por exemplo, você pode ter três amigos de ótimo caráter — todos igualmente honestos, responsáveis e justos. Mas em termos de relacionamento, você pode se dar muito bem com um, mais ou menos com outro e só querer evitar o terceiro. A razão? Cada um tem uma personalidade diferente. São de bom caráter, mas o temperamento e o comportamento de cada um facilitam ou dificultam o relacionamento com você.

E mais: alguém pode ter um péssimo caráter, mas uma personalidade superagradável. Cafajestes que o digam.

Personalidade é a parte externa de nós mesmos. Tem a ver com a maneira que nos projetamos para os outros, como fazemos os outros reagirem a nós. Como uma pessoa se projeta para você e como você se sente em relação à maneira de ela ser é muito importante para o relacionamento, ainda que o caráter seja naturalmente mais importante. Afinal, não adianta a maçã estar vermelhinha e brilhando por fora se por dentro estiver cheia de bichos.

Dá para perceber como a coisa é delicada?

Muitos relevam falhas no caráter do outro porque ele tem uma personalidade muito agradável. "A gente se dá tão bem!" Outros relevam uma personalidade difícil porque veem na outra pessoa um excelente caráter.

- O que você quer, idealmente, é alguém com as duas qualidades: ótimo caráter e personalidade superagradável.
- O que você não quer, em qualquer circunstância: alguém com mau caráter, seja de personalidade agradável ou não.

- O que você às vezes acaba tendo que administrar: alguém com bom caráter, mas com personalidade difícil.

E, é claro, o seu caráter e a sua personalidade, não só os da outra pessoa, também são partes fundamentais nessa equação.

O estudo das diferentes personalidades típicas das pessoas é algo fascinante, mas além da finalidade deste livro. Para nossos fins, porém, vamos a uma panorâmica essencial.

Segundo estudiosos, existem quatro tipos básicos de personalidade, que eu rotulo assim para fácil compreensão:

TIPOS BÁSICOS DE PERSONALIDADE

Realizadores	Sociais

Perfeccionistas	**Pacíficos**
	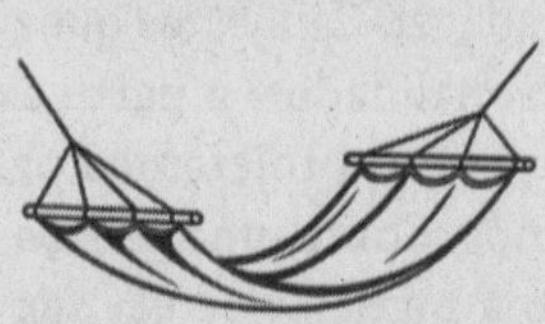

1. **Realizadores:** são pessoas que gostam de estar no controle de tudo. Estão sempre ocupadas e atarefadas. Se você vir um Realizador parado, sem fazer nada, cheque o pulso dele. Se quer algo feito, dê a responsabilidade para eles. Como um rolo compressor, eles irão passar por cima de tudo e todos e fazer o que tem de ser feito. São líderes natos.
   - *Como interagem com os outros três:* Costumam se irritar com todos eles. Acham que os Perfeccionistas são muito devagar e detalhistas; que os Sociais só querem saber de brincadeira; e que os pacíficos são moscas mortas. Não ligam muito para os sentimentos dos outros.

2. **Sociais:** são pessoas que gostam de interagir com outras, querem se divertir, brincar, fazer graça, rir, sair, ir para festas, estar com pessoas, aproveitar a vida. Quando estão em um grupo de pessoas (o que é quase sempre), são os mais falantes e os que animam os demais.
   - *Como interagem com os outros três:* Os Sociais estão sempre tentando animar ou trazer um pouco de alegria para os outros. Costumam dizer para os Realizadores: "Você trabalha demais, tire uma folguinha!". Para os Perfeccionistas: "Já está bom o suficiente! A vida é curta demais para se preocupar se o quadro na parede está a 90 graus em relação ao chão!". Para os Pacíficos: "Você está triste? Aconteceu alguma coisa? Vou te levar a um lugar que você vai adorar, é muito divertido!". Os Sociais precisam muito da atenção de todos.

3. **Perfeccionistas:** são pessoas que acham algo errado em tudo. Sempre têm uma crítica para melhorar alguém ou alguma coisa. Se você quer algo feito direito, dê para elas. São excelentes no que fazem. Mas não espere rapidez. Elas despendem muito tempo e energia na realização de tarefas porque buscam fazer tudo certinho — e se orgulham disso.
   - *Como interagem com os outros três:* Ressentem os Realizadores e são rápidos para apontar o defeito deles: "Você faz, mas não faz direito". Acham que os Sociais só querem curtir a vida: "Você não leva nada a sério, por isso não vai para frente". E se irritam com os Pacíficos, sem necessariamente mostrar sua irritação: "Você pode melhorar, tenha mais ambição". São pessoas sensíveis e introspectivas, que muitas vezes preferem fazer as coisas sozinhas.

4. **Pacíficos:** são pessoas que costumam se dar bem com todos, pois priorizam agradar e conviver em paz. Não gostam de confronto e são facilmente influenciadas a mudar seu ponto de vista ou aceitar o dos outros. Preferem "ruminar" — analisar, ponderar as coisas internamente.
   - *Como interagem com os outros três:* Basicamente, procuram não incomodar. O lema delas: "Não fui eu, não fiz nada, não quero problema com ninguém, está tudo bem".

Agora olhe novamente para o diagrama dos quatro Tipos Básicos de Personalidade. Qual dos quadrantes mais se aproxima do seu temperamento? Você provavelmente se identificará com dois ou até três, porém, se sentirá mais próximo de um quadrante. A maioria das pessoas é predominantemente um deles, secundariamente outro, seguidos de traços dos outros dois.

Por exemplo, eu me identifico mais com o perfil Realizador/Perfeccionista. Isso quer dizer que eu valorizo muito fazer as coisas, mas fazê-las bem-feitas. Por isso, faço o que tiver de fazer para ter bons resultados. Meu menor quadrante é o Social.

Já a Cristiane se identifica mais com o perfil Realizadora/Social, o que significa que ela é excelente em fazer as coisas acontecerem, se dá bem com as pessoas, delega com facilidade e valoriza atividades de entretenimento como recompensa por trabalhar tão duro. O menor quadrante dela é o Pacífico.

Dá para perceber os pontos de choque de nossas personalidades?

RENATO	PONTOS DE CHOQUE	**CRISTIANE**
Realizador	Nenhum	**Realizadora**
Perfeccionista	X	**Social**
Pacífico	X	Perfeccionista
Social	X	Pacífica

Se você leu *Casamento Blindado*, vai entender ainda melhor este quadro acima. Como pode ver, nossas personalidades são bem diferentes. E isso esteve no centro de muitos dos nossos problemas de casamento por doze anos.

O único ponto em comum que temos, em termos de intensidade, é o de Realizador. Mesmo assim, porque a Cristiane só passou a exercer o potencial dela depois de doze anos de casada, até esse ponto em comum se tornou um problema para nós. Ela se sentia inútil por não estar fazendo mais do que cuidar da casa e de mim.

Além disso, note que o perfil Social dela é o segundo mais importante, enquanto que para mim é o último. Isso explica nossas brigas e desentendimentos quando ela queria sair, passear, ver gente e eu queria ficar em casa, isto é, quando não estava trabalhando.

O meu trabalho foi um grande empecilho em nosso casamento, porque eu me dava tanto para ele e quase nada para a Cristiane. Não é difícil de entender quando você percebe que meus dois principais perfis têm a ver com realizar muitas coisas e fazê-las bem-feitas, ou seja: trabalho, trabalho, trabalho.

Note que o último perfil dela é o Pacífico, o que quer dizer que ela não me deixava em paz em meio a todos esses desencontros... Ela não é o tipo de pessoa que fica calada quando algo não está do gosto dela.

"Ah, Renato e Cris, mas vocês conseguiram superar tudo e hoje estão muito bem!" — você diz. Sim, de fato. Porém, não sem muita dor por muitos anos de casamento, até que desistimos de mudar um ao outro e decidimos nos adequar. Para que nosso casamento funcione, esse sacrifício é permanente. Na verdade, hoje nem parece mais sacrifício, pois estamos muito bem ajustados e aprendemos a praticar o amor inteligente. Mas ah, se soubéssemos disso desde o namoro...

Cristiane

O que tudo isso quer dizer é que vocês têm de estar atentos às suas personalidades e aos potenciais pontos de choque que elas oferecem. Sim, há casais que possuem tipos de personalidade muito diferentes e, mesmo assim, fazem o relacionamento funcionar. É inegável, porém, que dependendo das personalidades, vocês terão de fazer algum esforço – talvez muito ou mesmo extremo – para conviver bem. Lembra da aluna frustrada do início deste capítulo? O que ela está vivendo são as consequências do choque da personalidade dela com a do marido.

Você já ouviu falar no termo "incompatibilidade de gênios"? É o que se costuma colocar nas sentenças de divórcio como causa da separação – uma espécie de expressão curinga para justificar por que o casal não deu certo. O que esse termo quer dizer, em muitos casos, é exatamente que o casamento não resistiu ao choque das personalidades do casal. Portanto, não subestime a importância de aprender a lidar com isso desde o namoro.

Uma das coisas a ter em mente é que nossa personalidade é algo praticamente imutável. Você pode até, com esforço, atenuar certos comportamentos, mas, no geral, continuará tendo aquela personalidade como base. Se você é uma pessoa que adora estar à frente das coisas, por exemplo, pode, por necessidade, se esforçar para cumprir o papel de coadjuvante, seja no trabalho, no casamento ou em outra situação social. Mas aquilo não lhe será natural. Então, em um relacionamento para a vida toda, você precisa aprender a não se chocar com a personalidade do outro. Isso requer um entendimento daquela personalidade e o que é mais importante para ela.

Por exemplo, Renato e eu somos Realizadores. Logo, nossa necessidade principal é estar à frente de realizações que consideramos importantes. Eu tive de aprender a não podar o desejo do Renato de trabalhar e fazer bem o seu trabalho. É uma necessidade da personalidade dele. Mas é minha também, e eu não sabia. Por isso, tive de me desenvolver como pessoa e passar a realizar meu potencial. Enquanto não fiz isso, fui frustrada e o frustrava também. Do mesmo modo, o Renato teve de entender minhas necessidades sociais e não bater de frente com elas. E assim por diante. Foi assim que nos acertamos.

De modo geral, estas são as necessidades básicas dos quatro tipos de personalidade que precisam ser preenchidas para uma boa convivência:

- **Realizadores:** precisam de reconhecimento, elogio e permissão para realizar seus projetos. Gostam de ouvir: "Você é muito trabalhador. Tudo que é posto em suas mãos você resolve".
- **Sociais:** precisam de atenção, companhia, aceitação e aprovação à sua maneira de ser. Gostam de ouvir: "Você é um barato! Você alegra minha vida".
- **Perfeccionistas:** querem que as pessoas sejam sensíveis aos seus sentimentos e opiniões; precisam de tempo para fazer as coisas "direito", como acham que merecem ser feitas; querem alguém que lhes ouça, entenda e mostre empatia; e, especialmente, que sua "arte" seja notada, afinal, se esforçaram tanto e levaram tanto tempo para realizá-la... Gostam de ouvir: "Perfeito!".
- **Pacíficos:** como não pedem muito, o mínimo que querem é respeito por quem são. Não force demais a barra com eles. Se você passar dos limites, não fique surpreso se eles manifestarem um lado psicopata que a maior parte do tempo está adormecido dentro deles... "Nossa, o que deu nele?" – é o que as pessoas geralmente comentam depois de testemunharem um surto desses. Dê a eles espaço. Gostam de ouvir: "É um amor de pessoa, tão bonzinho".

Todos os tipos de personalidade têm suas vantagens e seus defeitos. Quando não sabe lidar com a pessoa, você erra tentando mudá-la e fazê-la do seu jeito. Queremos que os outros sejam parecidos conosco, por isso tentamos mudar o parceiro. O problema é que não funciona. Temos de conhecer nós mesmos e também o outro; e cada um deve procurar atender às necessidades do outro, sem tentar mudá-lo.

A chave aqui é: dadas as diferenças de personalidade, vocês estarão dispostos a ceder e sacrificar um pelo outro durante toda a vida?

Tire alguns minutos agora e preencha o quadro a seguir com os seus tipos de personalidade e, se você estiver em um relacionamento, os de seu namorado(a). Baseando-se nos quadrantes explicados anteriormente, comece com a característica mais predominante e termine com a menos presente. Daí identifique os pontos de choque e o que eles representam para o seu relacionamento:

VOCÊ	PONTOS DE CHOQUE	NAMORADO(A)

Pense em situações e experiências que vocês já viveram que exemplifiquem as personalidades de vocês. Cite uma ocasião em que elas se chocaram:

Quais as necessidades básicas do seu tipo de personalidade? E as de seu parceiro? (Atente para as duas primeiras que escreveu no quadro.)

Qual o tipo de personalidade menos predominante em você e seu parceiro? Como elas podem estar afetando o seu relacionamento?

CAPACIDADE E SINERGIA INTELECTUAL

Um homem que se casa com uma mulher intelectualmente mais desenvolvida do que ele, certamente sentirá dificuldade de lhe oferecer liderança e segurança. Se ele se sente inferior a ela, suas tentativas de ser um bom marido, pai e líder serão frustradas — ou por sua própria falta de habilidade, ou por resistência dela, ou por tentar anulá-la para se fazer forçosamente superior. O resultado, normalmente, é que ele ou se torna abusivo para tentar dominá-la ou se abstém de responsabilidade, deixa que ela tome a frente de tudo e se anula na relação. Seja como for, o relacionamento se tornará insustentável.

Enfatizamos, porém, que desenvolvimento intelectual não tem nada a ver com nível escolar nem cultural. Trata-se da capacidade de agir com sabedoria e inteligência diante das várias questões da vida. O fato de um homem ter estudado e se formado para uma profissão não quer dizer que seja inteligente de um modo geral. Se ele é um doutor, mas não sabe tratar sua mulher com respeito, mostra falta de inteligência para a vida.

Por outro lado, uma mulher pode não ser diplomada, mas ter grande inteligência e sabedoria para lidar com todo tipo de pessoa e em diferentes situações.

Uma pessoa que erra e não reconhece seu erro, mostra que não é inteligente. Tampouco alguém que gasta seu dinheiro sem nenhum planejamento. E isso independe de escolaridade. Tal pessoa será uma trava em sua vida.

O casal precisa ter uma sinergia intelectual para que ninguém sinta que o parceiro não o acompanha nos assuntos e no modo de ver a vida. Como são as conversas de vocês? Seu namorado(a) tem dificuldades com assuntos intelectualmente mais profundos? Há um desejo e um esforço mútuo de continuar desenvolvendo intelectualmente a vida toda? Ela prefere assistir a horas e horas de entretenimento na TV e foge de qualquer leitura de qualidade? Detesta estudar? Ele tenta podar seus sonhos e liberdade porque teme ficar para trás?

Se você se casar com alguém que demonstra falta de inteligência, ele não se desenvolverá nem deixará que você se desenvolva. Incrivelmente, inteligência é ainda mais importante do que dinheiro, pois se vocês forem um casal inteligente, vocês prosperarão juntos. Cuidado com a pessoa que pode anular você.

Não deixe que a paixão cegue o seu entendimento. Se perceber que não há sinergia nem capacidade intelectual entre vocês, é melhor não prosseguir.

O HUMOR

Humor aqui não se trata exclusivamente da habilidade de rir ou fazer rir, ainda que esta seja muito importante na vida a dois. Afinal, qual outra forma de viver juntos a vida toda? Vários estudos já mostraram que o senso de humor é a segunda qualidade mais atraente em alguém. A primeira, obviamente, é a qualidade do saldo bancário desse alguém... Mas agora sério: mulheres que descrevem o que procuram em um homem para um relacionamento, invariavelmente citam bom senso de humor como uma das qualidades principais.

Isso tem base científica. É provado que homens que fazem a mulher rir são vistos por ela como mais sociais e mais inteligentes, portanto, mais interessantes para um relacionamento. E também: mulheres que riem para um homem, seja das piadas dele ou por simpatia, são consideradas mais atraentes por ele.

Quer dizer: se você é homem, melhore suas habilidades de fazer sua namorada rir[2]. Se você é mulher e quase sempre reage ao senso de humor do seu namorado com uma cara séria e de desprezo, a previsão desse relacionamento não é muito boa.

Mas humor é muito mais que isso. Trata-se do estado de espírito padrão de uma pessoa. Todos podemos variar nosso humor dependendo das circunstâncias, mas sempre retornamos para o nosso estado de espírito padrão. Se você é uma pessoa cujo padrão de humor é reclamar, então você pode ter momentos de alegria e satisfação, mas logo voltará ao seu estado original de zangão. "O filme foi legal, mas foi longo demais." "Que calor!" "A comida estava boa, mas não gostei do garçom." "Que frio!" Haja paciência para aguentar você. Seu namorado(a) precisará de um curso de serviço de atendimento ao cliente para lidar com todas as suas reclamações!

Qual é o seu estado de espírito padrão? Você é normalmente bem ou mal humorado? Para você a vida é cheia de oportunidades, aventuras e lições ou cheia de injustiças, dificuldades e tristezas? O copo está meio cheio ou meio vazio?

O seu humor está relacionado à sua maneira de ver a vida e às suas reações a ela.

Esta é uma das características mais importantes que você tem de observar não só em você, mas no outro. Afinal, se vocês se casarem, você passará o resto da vida ao lado daquela pessoa. Imagine aguentar alguém cujo padrão de humor é negativo, difícil ou sempre para baixo... Ou pior: imprevisivelmente bipolar! E se aquele ditado é verdadeiro — "se ele é assim agora, imagine quando ficar velho" — você está perdido.

Uma pessoa cujo humor padrão é positivo, espirituoso e agradável será excelente companhia para a vida toda. As brigas serão poucas e terminarão com conclusões positivas.

Fique atento a isto: se depois de um tempo de namoro a companhia daquela pessoa passa a ser desagradável para você, é hora de reavaliar a relação.

---

[2] Mas cuidado. Seu senso de humor pode não ser o dela. A piada errada pode se voltar contra você. Conhece aquela do namorado que perdeu a namorada por uma piada?

A HONRA À PALAVRA

Cristiane

Uma vez Jesus deu um ensinamento muito forte, mas que poucos entendem e menos ainda praticam. Ele falou da importância de sermos fiéis à nossa palavra. Vou parafrasear aqui, mas o sentido é igual. Ele disse:

> *Os antigos disseram aos seus pais que deviam cuidar de cumprir rigorosamente todo juramento que fizessem ao Senhor. Mas Eu digo: vocês não precisam jurar. Qual o sentido de jurar pelo céu, pela terra, por Deus, por sua mãe ou por sua vida, se vocês não têm nenhum controle sobre eles? Basta que o sim de vocês realmente seja "sim" e que o não realmente seja "não". E digo mais: qualquer desvio disso é porque sua palavra foi inspirada pelo diabo.*[3]

Uau! Tire uns segundos para digerir isso.

Você já disse alguma vez "Eu juro por *** que é verdade!", "Juro por *** que vou fazer..."? Ou alguém já jurou para você? Pois é, jurar é um costume de quem quer dar uma forcinha à sua palavra. Mas se a palavra de alguém precisa de uma força, logo, é porque ela é fraca. Se é fraca, é porque voltou muitas vezes atrás, não cumpriu o que prometeu, mentiu, mudou de ideia. E isso vem da pessoa, não tem nada a ver com Deus nem com a mãe dela. Na verdade, segundo Jesus, se há alguém por trás dessas palavras dúbias, é o próprio diabo.

Cuidado com quem muda suas palavras toda hora ou não cumpre o que prometeu. Essa pessoa provavelmente não irá manter a palavra de compromisso de casamento. Observe o cuidado que seu namorado tem com as palavras e promessas, mesmo (e especialmente) as menores. Ele marcou com você às 19 horas e chegou 20h30? Ela disse que teve de sair com a mãe, mas depois você descobriu que a mãe estava trabalhando? Os menores detalhes mostram o caráter da pessoa.

Quando o assunto é casamento, o que mais garante seu futuro é o compromisso que a pessoa mostra com a própria palavra. A palavra é a pessoa e vice-versa. São inseparáveis. Beleza e dinheiro passam. A honra à palavra é a verdadeira beleza e o que dá segurança.

Casamento é uma forma de contrato, um pacto ou aliança. De que vale se entre os envolvidos há alguém que não tem palavra? Esta é a razão principal por trás dos divórcios. Foram pessoas que falharam com sua palavra, seus votos trocados no altar no dia do casamento.

---

[3] Mateus 5.33-37

Uma vez, em meio a uma das brigas mais feias que Renato e eu tivemos, eu disse para ele: "Se for para continuar assim, é melhor a gente se separar!". Na verdade, eu não queria separar, apenas queria uma reação dele. E ele, sem hesitar, com muita raiva e firmeza, me disse: "Nunca mais fale essa palavra! Nós nunca vamos nos separar!".

Aquela reação dele não resolveu o nosso problema na hora, mas me deu muita segurança. Me fez entender que, por pior que fossem os nossos problemas, ele estava comprometido com nosso casamento. E isso nos faria encontrar a solução de alguma forma. E foi o que aconteceu.

Quando você se casa com alguém de palavra, tem essa segurança.

Quando uma pessoa de palavra diz "até que a morte nos separe", ela quer dizer isso mesmo. Foi isso que Jesus ensinou. Aceitar continuar com alguém que não honra sua palavra, que mente para você ou para outras pessoas, não cumpre seus compromissos, volta atrás no que disse, não está nem aí com a palavra do próprio Deus – é suicídio matrimonial. É se casar com um mensageiro do próprio diabo. Aviso dado!

OLHO NO DINHEIRO

Você já deve ter visto uma pegadinha popular na Internet que mostra um lado desprezível de muitas mulheres. Em uma versão, um rapaz de boa aparência está nas proximidades de uma faculdade e tenta abordar alguma estudante com a intenção de convidá-la para sair. Ele está de pé na calçada, encostado em um lindo carro esportivo novinho, estrategicamente estacionado ali. Uma moça passa e ele puxa conversa, dizendo que acaba de chegar na cidade, não conhece nada, está com fome e quer saber se ela pode indicar um bom restaurante para ele. "Mas tem que ser algo de primeira", ele enfatiza. A moça, claramente lisonjeada e impressionada com o carrão, passa a mão nos cabelos e mantém o sorriso enquanto tenta dar direções. Ele se faz de incapaz, diz que vai se perder e pergunta se ela não quer ir com ele para mostrar o caminho. Esboçando uma leve hesitação, a moça diz sim. Então o rapaz agradece e faz como se fosse entrar no carro esportivo. Só que ele dá a volta, passa direto e vai para o carro estacionado logo atrás, que é uma lata velha. Imediatamente, a moça desiste da ideia e segue caminho apressada.

Essa pegadinha já foi feita em vários países, sempre com os mesmos resultados. Sim, apela um pouco para estereótipos masculinos e femininos, mas a conclusão inevitável é: se o homem tem dinheiro, ele vai levar a garota inocente para o restaurante, a casa, e, eventualmente, a cama. É como alguém disse da obra “50 tons de cinza”: será que se o Christian Grey fosse pobre, a Ana teria se apaixonado por ele?

Nunca, jamais se apaixone por dinheiro.

Problemas relacionados a dinheiro estão entre as principais razões de brigas de casal e divórcio. O assunto é sério. A questão não é se o casal tem pouco ou muito dinheiro — senão, não haveria pobre casado nem rico divorciado. A questão é que poucas coisas falam mais sobre você do que a maneira como lida com dinheiro. O que esse lado da vida está dizendo sobre você? E sobre seu namorado?

Seu relacionamento com dinheiro revela muito sobre sua personalidade. Como seu namorado lida com as responsabilidades financeiras? Ele paga as contas em dia ou tem dívidas? Se sustenta, depende dos pais ou sonha em ganhar na loteria? (Por falar nisso: homem que não se sustenta, nem tem perspectiva de vir a se sustentar, não deve se meter a namorar, muito menos casar. Ele não é homem ainda, não importa a idade.)

Note que não me refiro necessariamente aos que não se sustentam por dificuldades econômicas passageiras, mas aos que se mostram incapazes ou acomodados demais para se tornarem independentes financeiramente. Por exemplo, seu namorado pode ter um ótimo nível de vida — mas ser bancado pelos pais. Ele mesmo não sabe trabalhar, não tem uma profissão, é acomodado e irresponsável. Que futuro ele pode lhe oferecer?

Quando o homem e a mulher são responsáveis com o dinheiro, ainda que comecem do pouco, eventualmente terão muito.

Educação financeira é algo que se pode aprender, ninguém nasceu sabendo. Mas é preciso no mínimo que a pessoa seja um estudante disposto. Esta disposição é uma qualidade importante de se observar. Se a pessoa tem a atitude de “eu sei o que estou fazendo” quando claramente é ignorante, como irá aprender?

Um outro fator normalmente negligenciado: observar a generosidade (ou ausência dela) na outra pessoa.

Uma das qualidades mais belas em alguém é a generosidade com alegria. Pessoas que têm uma atitude pobre, insatisfeita, nunca se sentem realizadas, pois sempre querem algo que não têm. Elas não creem na abundância de Deus. Acham que não há o bastante nesse mundo para todos e, assim, vivem tentando tirar proveito dos outros para si. Querem guardar o que têm, pois senão vai faltar. Desconfiam das pessoas. Têm a mentalidade da escassez. Quando alguém está feliz, elas estão tristes, pois na mente delas não há felicidade para todos.

Cuidado com esse tipo de pessoa. Casamento é se doar o tempo todo. Case com alguém assim e essa pessoa estará sempre querendo tirar de você, não dar.

Generosidade é atraente porque exala segurança. O generoso diz com suas atitudes: "Eu creio que terei mais amanhã. De alguma forma, não irá faltar para mim". Isso é fé, confiança. Por isso, pessoas generosas atraem outras para si, enquanto pessoas mesquinhas as afastam.

Ser rico é saber viver contente com o que tem sem perder a visão de melhorar. O rico que nunca está feliz com o que tem, é pobre. Ele não tem contentamento interior; e sem contentamento não pode haver alegria. E sem alegria, não há riqueza. Ninguém tem a vida, os filhos, o casamento ou o trabalho perfeito. É preciso aprender a valorizar o que se tem.

Note atitudes marcadas por egoísmo, desonestidade, mesquinhez, desperdício, falta de controle, imediatismo, ganância, materialismo, preguiça, falta de objetivos e planejamento, malandragem, segredos, ingratidão e outras características que vão gritar para você: "Canoa furada!".

CRIANDO COM A LÍNGUA

Os padrões Namoro Blindado podem dar a impressão de que você e a outra pessoa devem ser perfeitos, sem erro algum; que qualquer desvio do esperado já é causa para terminar o relacionamento. Não é assim. Sabemos que todos nós somos um trabalho inacabado e ao longo da vida temos muito que melhorar.

Você precisa usar de discernimento. Uma coisa é uma laranja podre. Você não conseguirá recuperá-la, por mais que tente. É melhor jogar fora. Outra coisa é uma banana verde. É dura, não dá para engolir, mas com o tempo e as condições certas, pode amadurecer e ficar muito boa. Seu namorado é uma laranja podre ou uma banana verde?

Às vezes a pessoa erra porque é imatura, sem noção. Precisa de uns toques para ir amadurecendo e melhorando.

Em um namoro blindado, vocês devem se sentir livres para dar dicas um ao outro sobre coisas constrangedoras ou inaceitáveis. Se ele fala com você de maneira áspera, por exemplo, pode ser que ele não perceba. Se veio de uma criação em que a grosseria era a forma de expressar insatisfação, essa forma de falar pode parecer natural para ele em um momento de raiva. Cabe a você apontar isso. Se ele for humilde, procurará mudar.

Porém, é preciso saber criticar. Não esmague o espírito da outra pessoa nem a humilhe. Você pode, com a sua língua, matar ou transformar aquela pessoa em alguém melhor.

Da mesma forma que Deus criou o mundo com palavras, podemos criar um ao outro com palavras. Elogiar alguém faz o dia daquela pessoa. Da mesma forma que Deus criou a beleza do mundo sem esforço, podemos criar pessoas lindas com muito pouco esforço. Tudo o que precisamos são palavras que levantam e reconhecem as qualidades de alguém. Namorar deve ser algo agradável e edificante. Jamais humilhe a outra pessoa.

Palavras duras são difíceis de esquecer.

Por outro lado, quer fazer a outra pessoa se sentir bem e abrir uma conversa com tom positivo? Elogie-a.

Quando precisar criticar, saiba fazê-lo com tato. Use as palavras certas. Reafirme seus sentimentos e compromisso e foque no comportamento, não na pessoa: "Eu gosto muito de você e estou comprometida a fazer nosso relacionamento funcionar. É por isso que eu não entendo por que você me agride com palavras...".

Também esteja preparado para ouvir. Nem sempre o que você observa é a história completa. Julgar alguém como se você tivesse alguma habilidade divina para entender por que a pessoa age de certa maneira é condená-la sem nunca saber os desafios e as dificuldades que ela enfrenta.

E agora, o capítulo que todos estavam esperando. Que rufem os tambores!

Vai cair na prova!

Em um namoro blindado, mais importante que conversar, sair juntos e gostar um do outro é observar. O que você tem observado em seu comportamento ou no do outro que é preocupante? Use sua razão acima dos seus sentimentos e decida o que vai fazer sobre isso.

Poste em nosso Facebook (fb.com/livronamoroblindado) ou em sua rede social preferida:

Meus olhos estão treinados a observar o que realmente importa em um #namoroblindado.

CAPÍTULO 18

SEXO e NAMORO

EU SEI QUE A TENTAÇÃO de começar a ler o livro por este capítulo, ou avançar logo para aqui, é muito grande — principalmente se você é homem. Mas se você fizer isso, estará perdendo informações preciosíssimas que farão este capítulo ter mais sentido para você. Leia o livro desde o início e siga a sequência de capítulos até aqui. Prometo que você apreciará muito este conselho depois de segui-lo. E este capítulo estará aqui, em toda sua glória, esperando por você.

SEXO COMO VOCÊ NUNCA ENTENDEU

Há milhares e milhares de anos, antes de existir religião, igreja, sacerdote, cartório, DJ e vestido de noiva, cerimônia de casamento também não existia. Hoje, quando se fala em casar, pensa-se na data, no local da cerimônia e da festa, no oficiante, nos convites e nos convidados, no bolo, no vestido e na decoração, no filme e nas fotos, nos comes e bebes, nos votos, na limusine e na lua de mel... uma longa lista de preparativos. Mas nada disso fazia parte da ideia original do casamento.

Se nada disso acontecia, como era realizado um casamento? Grosso modo, em três simples passos:

1. A família do rapaz solicitava à família da moça permissão para os dois se casarem.
2. O dote pela moça era combinado e pago.
3. O jovem casal ia para a tenda e consumava o casamento com o ato sexual.

Isso mesmo, com o ato sexual. Após a noite de núpcias, quando saíam da tenda, tendo consumado o ato conjugal, o casal era marido e mulher. Não havia cerimônia, apenas um acordo sério entre as partes e a consumação desse acordo na cama. Quer dizer, fazer sexo significava estar casado. Isso não era questão de costume nem de tradição, mas de um entendimento profundo sobre o que é o sexo, na verdade. Esse entendimento foi passado pelo próprio Criador.

Quando Deus criou o homem e a mulher, não houve cerimônia de casamento. Simplesmente, "Deus os abençoou e lhes disse: Frutifiquem, multipliquem-se[...] Por isso, deixa o homem pai e mãe e se une à sua mulher, tornando-se os dois uma só carne"[1].

Sob esse entendimento, podemos dizer:

Sexo é a união física, mental, emocional e espiritual que faz um homem e uma mulher se tornarem um.

O sexo foi a maneira que Deus designou para formalizar a aliança de casamento entre homem e mulher. Casamento é a junção de duas vidas para resultar em uma só. Daí, mais tarde, surgiu a ideia da aliança de casamento, o anel, como um símbolo dessa união homogênea. Mas o primeiro símbolo do pacto matrimonial era o sangue derramado pela virgem na noite de núpcias. Aquele sangue representava não apenas a virgindade da noiva, mas também a responsabilidade de cuidar dela que o homem passava a assumir. Ela entregou a vida para ele. Agora, ele se torna responsável por guardá-la e protegê-la com sua própria vida. Era um pacto de sangue — vida por vida, por toda a vida.

Apesar de muita coisa ter mudado culturalmente desde então, ainda hoje, no código civil da maioria das sociedades está previsto o direito de anular o casamento caso não haja relação sexual. Ou seja, mesmo com todas as tradições e costumes que foram sendo acrescentados ao longo dos séculos, mantém-se a ideia principal: se não houver sexo entre o casal, não há casamento.

E mais: até o passado recente (seus pais ou avós podem confirmar isso), quando uma jovem solteira aparecia grávida, o costume era "engravidou, agora tem que casar". Não estou aqui validando esse costume, apenas dando um exemplo de uma prática que perdurou por milhares de anos desde o início da humanidade — a prática que partiu do entendimento que sexo = casamento.

A mensagem era clara: se não quer casar, não faça sexo! Se quer fazer sexo, case-se! Sexo não era recreação para solteiros.

Apenas nas últimas décadas isso tem sido apagado das mentes das pessoas através da divulgação do sexo livre e descompromissado. A mensagem hoje é exatamente o contrário: separar o sexo do casamento, como duas coisas diferentes.

[1] Gênesis 1.28; 2:24

Um dos grandes responsáveis por essa mudança de atitude para com o sexo é o movimento de liberação da mulher. Não me entenda mal, somos totalmente a favor dos muitos ganhos e avanços que a mulher tem alcançado como resultado desse movimento ao longo das últimas décadas. Porém, por outro lado, algumas consequências com respeito ao sexo e relacionamento amoroso têm sido desastrosas, especialmente para elas.

Quando o feminismo ganhou força na década de 1960, um dos focos era a liberação sexual da mulher. A ideia era combater atitudes opressoras como o controle do homem sobre o corpo dela, estupro, violência doméstica, assédio e objetificação sexual — um combate muito digno e necessário. Afinal, por milhares de anos muitas mulheres foram vítimas da opressão masculina, exercida não por todos os homens, mas por homens ignorantes ou perversos. A proposta era tirar a mulher dessa opressão e dar a ela direitos iguais sobre o seu corpo, liberdade para ser sexualmente ativa fora do casamento, direito ao aborto, acesso a contraceptivos e autonomia sobre sua sexualidade.

Hoje, o aborto é legalizado em um número crescente de países; o acesso a contraceptivos é quase universal; mas a maior mudança alcançada por elas, de longe, foi a autonomia sexual. Atualmente, a mulher solteira que é sexualmente ativa, assim como o homem, não é mais vista com desaprovação pela sociedade em geral, ao contrário: a sua liberdade sexual se tornou símbolo do seu "poder".

Porém, considere apenas três subprodutos dessas conquistas e seus efeitos na vida amorosa:

- O sexo hoje está definitivamente divorciado do casamento. Fazer sexo não significa mais estar casado, nem estar casado significa mais ter uma vida sexual ativa, sadia e exclusiva.
- A mulher está muito mais desvalorizada sexualmente aos olhos dos homens. Removida a barreira do casamento para levá-la para a cama, o sexo casual se tornou muito mais fácil para eles. Não há mais necessidade de compromisso, nem de casar para morar junto.
- Naturalmente, as relações amorosas estão mais descartáveis, o sexo está banalizado e o verdadeiro amor desacreditado.

Quer dizer, no que diz respeito à vida amorosa, a única liberação que houve foi a liberdade para errar, se desvalorizar e sofrer mais. A vida amorosa de muitas mulheres se tornou vítima do próprio feminismo.

Podemos concluir que o feminismo não combate o machismo, apenas o fortalece. Assim como o machismo deu à luz o feminismo, um extremo apenas fortalece o outro. Polarizar os sexos jamais resolverá os problemas entre o homem e a mulher. O que é preciso é fugir dos extremos e voltar ao plano original: homem e mulher cuidando, valorizando e respeitando um ao outro. E a maneira como ambos veem o sexo é o início dessa volta — a volta ao entendimento divino sobre o assunto.

O HORMÔNIO DO AMOR

A bioquímica da mulher confirma o entendimento divino: sexo não é uma simples fonte de prazer físico, casual e temporário. O ato sexual está diretamente ligado ao compromisso que ela espera do parceiro.

Oxitocina é um hormônio que a mulher libera durante o ato sexual, especialmente no momento do orgasmo. O homem também produz oxitocina, mas em menor quantidade. Esse hormônio é responsável pelo aumento da confiança na outra pessoa e pela intensificação do apego emocional. Quer dizer, ao ter relação sexual, o corpo da mulher a influencia para confiar e se apegar ao homem com quem ela se relacionou.

Agora dá para entender o que está por trás daquela tão esperada ligação que a mulher anseia receber no dia seguinte de ter se relacionado com um homem. Vários estudos já mostraram que, mesmo quando a mulher vai para a cama com alguém sabendo que é casual, ela tem uma alta expectativa de um contato da parte dele depois. É o grande conflito entre a natureza feminina e o que as normas que sociedade atual ditam para a mulher. A sociedade diz: "se eles podem, nós podemos. Pega, mas não se apega". Mas a natureza da mulher não consegue acreditar nessa mensagem.

O cérebro feminino espera que depois do ato sexual haja compromisso e valorização da parte do homem. E quando isso não acontece, ela começa a associar o sexo com sentimentos de rejeição. E sabe como o corpo dela responde? Pasme: passa a produzir menos oxitocina, ou seja, torna-se mais difícil para ela confiar e se apegar a um homem. Se o próprio corpo passa a desacreditar no amor, imagine a mente dela...

Deus estava certo. Sexo é a cola que faz os dois serem um. Mas se após a relação sexual essa união não acontece, cada encontro sexual seguido de separação resulta em um crescente estrago emocional, especialmente na mulher. O homem consegue separar bem sexo de compromisso. Para ele, sexo é sexo. Se ela foi para a cama com ele, ele presume que foi pelas mesmas razões que ele: para satisfazer um desejo e ter um momento gostoso. Nada mais. Só que ela não estava pensando apenas no momento gostoso. Ela pensava no felizes para sempre. Por isso:

O sexo não foi feito para ser casual, e sim algo valorizado e planejado para acontecer como parte do início de uma relação amorosa duradoura e fiel: o casamento.

A MARCA NA MEMÓRIA

Eu gostaria de fazer um teste com você. Você vai fechar os olhos por alguns segundos e pensar na memória mais triste, dolorosa ou infeliz que você tem da sua infância. Em seguida, inverta: busque a memória mais feliz, afetuosa, que lhe trouxe grande satisfação.

Faça isso agora, depois continue a leitura.

...

Provavelmente você não precisou mais do que alguns segundos para lembrar de uma experiência muito ruim ou muito boa que o marcou. Por que não foi difícil lembrar? Por causa das fortes emoções associadas ao que aconteceu.

Aquela experiência teve um impacto emocional, mental e psicológico muito forte em você. E por isso ficou gravada em sua memória. Talvez um acidente grave. A bronca ou disciplina mais séria que você sofreu de seus pais. Uma situação embaraçosa na escola. Enfim, algo que provocou em você emoções fortes como raiva, medo, choque, vergonha, decepção, tristeza etc. A mesma coisa se aplica à sua memória feliz.

Emoções são a tinta que escreve nossas memórias.

Nosso cérebro fotografa todos os eventos carregados de emoção que passamos ao longo da vida. Essas memórias, boas e ruins, servem como referência para guiar dois principais comportamentos ao longo da vida:

1. O esforço para evitar coisas ou situações desagradáveis, para que nunca mais se repitam.
2. O esforço para buscar coisas ou situações prazerosas que queremos experimentar de novo ou mais intensamente.

Um trauma nos faz reunir todos os nossos esforços para não passarmos pela mesma experiência novamente. Por exemplo, alguém que quase se afogou quando criança pode, ainda hoje, evitar piscina e mar com toda determinação.

Já uma experiência superfeliz tem o efeito contrário: podemos passar a vida toda nos esforçando para replicá-la. Um momento de glória durante um jogo de futebol quando garoto pode fazê-lo jogar futebol todo fim de semana na vida adulta, até que a artrite não o permita mais.

O que isso tem a ver com sexo?

Há alguma coisa mais marcante do que a primeira experiência sexual? Ninguém esquece sua primeira vez, tenha ela sido boa ou ruim. A pior ou melhor experiência sexual sempre será inesquecível. E querendo ou não, essa memória afetará seu comportamento em relação ao sexo pelo resto de sua vida. Você quer se ver se esforçando para repetir uma ótima experiência ou evitar a recorrência de um desastre?

Quando aconselhamos casais com problemas sexuais, quase sempre podemos rastreá-los às experiências sexuais que um ou ambos tiveram antes do casamento. É típico, por exemplo, uma mulher que sofreu abuso sexual na infância não ter nenhuma vontade de fazer sexo com o marido. Ou um homem que foi sexualmente promíscuo e usou mulheres apenas para seu prazer sexual não conseguir satisfazer sua esposa sexualmente. É o poder da memória afetando seus comportamentos.

A verdade que poucos querem admitir é:

Quando o sexo é feito fora do casamento, ele costuma ser frustrante para a mulher e egoísta para o homem.

O homem normalmente pensa em ter prazer, liberar aquele desejo acumulado. Nessa adrenalina, os sentimentos e expectativas da mulher ficam em segundo plano para ele. E ela, é claro, fica a ver navios — sem prazer durante, muito menos depois do ato, quando percebe que ele não está mais tão ligado nela depois que conseguiu o que queria.

E isso vai deixando marcas na memória. Mais tarde, mesmo no casamento, ambos inconscientemente são influenciados por essas marcas. Ele quer o prazer dele. Ela já não acha que fazer sexo seja essencial, prefere um carinho ou uma conversa. Dá para entender por que atualmente um dos maiores problemas no casamento e uma das maiores causas de divórcio é a falta de sexo?

Se o sexo é o que inaugura o casamento, acaba o sexo, acaba o casamento.

Quando as coisas não vão bem no quarto, não vão bem na sala nem em outros lugares.

Falando em divórcio, aqui vai uma descoberta curiosa, mas pouco divulgada. Vários estudos conceituados revelaram que casais que se casam virgens têm uma taxa de divórcio menor do que aqueles que eram sexualmente ativos antes do casamento — e mais satisfação na cama, também. Mas isso não nos surpreende.

Quando o casal se guarda sexualmente e se prepara para a noite de núpcias, as chances de eles terem uma experiência sublime são muito maiores. O encontro é marcado não por culpa, pressa, desconfiança (será que ele vai me ligar amanhã?) ou egoísmo. Não é algo forçado nem roubado. Ao contrário, há expectativa, consenso, preparação, entrega, confiança, segurança

— e tempo para se conhecerem e fazer a experiência sexual cada vez melhor.

As memórias e associações ao sexo são positivas para os dois. E por isso, ao longo do casamento, seus esforços naturalmente focarão em reproduzir aquela experiência agradável. Por isso, mais satisfação, menos divórcios.

Cristiane

Renato e eu nunca "perdemos" nossa virgindade. Sabemos exatamente onde ela está: a minha eu entreguei a ele, e a dele está comigo. Não fomos mais um número nas experiências sexuais de outras pessoas. Nos casamos virgens e nossas experiências confirmam as descobertas desses estudos. Sem bagagens negativas nesta área, nossa lua de mel foi muito especial e ao longo de 25 anos de casamento, nunca tivemos problemas relacionados ao sexo. É claro que, enquanto namorávamos, fomos tentados como qualquer casal. Mas nossa decisão de nos guardar e preparar para a noite de núpcias foi uma das melhores coisas que fizemos em nosso namoro. E isso se reflete até hoje em nosso casamento.

Uma das perguntas que mais ouvimos quando mencionamos nosso tempo de casado é: "Nossa, vocês parecem que se casaram ontem! Como fazem para manter a chama do amor acesa?". Na verdade, elas querem dizer: "Como fazer para o sexo continuar bom com a mesma pessoa depois de tantos anos?". A pergunta já sugere que o casal tem que inventar e empenhar um esforço fenomenal para isso... Não é verdade. Quando você acertou lá atrás, e tem boas memórias como referência, é tudo muito natural.

Não estamos querendo diminuir ou dizer que os solteiros que não são mais virgens estão condenados a uma vida sexual frustrada depois do casamento. Nada disso. Reforçamos o assunto das marcas na memória e como elas afetam a vida sexual para benefício de ambos. Quem é virgem, continue guardando sua virgindade para criar as melhores memórias durante as núpcias. E quem não é mais, entenda o impacto de uma experiência sexual e saiba agir daqui para frente com sabedoria: guarde-se a partir de agora e prepare-se para criar novas e melhores memórias a partir do casamento.

Tendo dito tudo isso, entenda uma coisa: você vai encontrar dois grupos de mulheres com opiniões bem divergentes sobre as experiências sexuais antes do casamento.

O maior grupo, são aquelas que irão relutantemente confirmar que se sentiram usadas, enganadas, desvalorizadas, descartáveis, rejeitadas, fáceis e ridículas por terem tido relações sexuais que não se traduziram em relacionamentos de compromisso. E o outro grupo, bem menor, mas muito mais barulhento, que dirá: "meu corpo é meu, eu o uso como quiser", "por que o homem pode, mas a mulher não?", "eu pego mesmo, não estou nem aí", "quero aproveitar a vida" – e coisas do tipo.

Mulheres que pensam assim normalmente já tiveram várias experiências ruins e chegaram ao ponto de desacreditar no amor e nos homens – ou foram convencidas por mulheres que tiveram tais experiências. São mulheres que podem estar em um estágio avançado de estrago emocional e psicológico. Há esperança para elas também, se quiserem aceitar a verdade e abraçar o entendimento divino, em vez da cultura deste mundo.

Cabe a você usar sua inteligência, analisar os resultados de cada comportamento e chegar às próprias conclusões.

Não ouça suas amigas solteiras nem celebridades que trocam de parceiros e que são trocadas a cada poucos meses. Ouça quem está do lado de cá, pegando os pedaços dos casamentos destruídos por problemas sexuais que tiveram início muito antes de se casarem.

É fácil ceder aos desejos sexuais durante o namoro. O difícil é lidar com as consequências do sexo feito fora do contexto apropriado.

Não estrague a intimidade futura de vocês por razões fúteis no namoro. Se vocês se guardarem no namoro, progredirão para uma intimidade maravilhosa no casamento. Quem respeita a espera para tê-la por completo, a respeitará por completo para sempre.

"MAS NÓS VAMOS NOS CASAR"

Ok, eu não quero questionar aqui os seus poderes de vidência, mas você sabe quantas pessoas já tiveram certeza de que iriam se casar e nunca chegaram ao altar? E quantas tiveram a certeza de que tinham encontrado o amor de suas vidas e hoje estão desamparadas e solitárias? Não precisa ir longe. Talvez você conheça alguém. Talvez até você mesmo.

Não, não dá para ter certeza de que vocês vão se casar até que se casem. Na dúvida, pergunte a alguém que foi abandonado no altar.

Mas este é o argumento mais usado por namorados que querem se tornar sexualmente ativos antes do casamento: "Qual o problema, a gente vai se casar mesmo". Um problema, entre tantos, é que vocês irão diminuir em muito suas chances de se casarem de fato, depois de irem para a cama.

Na realidade, isto é o que normalmente acontece depois que os namorados passam a fazer sexo:

- Quando o namorado não desaparece logo depois, o namoro passa a ficar chato porque ela começa a ficar muito mais apegada a ele e com altas expectativas (graças à oxitocina).

- O namoro passa a ficar à deriva, sem a progressão normal para o casamento, afinal, ele já não vê mais tanto benefício em estar casado.
- Como o namoro vai se estendendo por tempo indefinido e nada de casamento, a ideia de ir morar junto passa a ser atraente, tipo um bem bolado: menos contas para ele, um *namorido* para ela.
- Lua de mel? Esqueça. Ainda que improvável, se eles realmente se casarem meses ou anos lá na frente, terão no máximo uma meia-lua de pão nosso de cada dia. Nada novo, nem especial.

A mulher ir para a cama com um homem antes do casamento realmente é o cúmulo da irracionalidade. Ela pensa que se ela se entregar logo, acelerará a intimidade. Acha que dando ao homem o que ele quer, ele vai amá-la e apreciá-la por isso. Aí é que ela se engana. A mulher que faz isso apenas revela suas profundas inseguranças. Ela teme que, se não ceder, o homem a deixe. Mas a verdade é o contrário.

A mulher não deve se entregar logo de cara, mas manter um certo mistério sobre si mesma, que é o que a mantém interessante para o homem. É a motivação da caça, a fascinação pelo desconhecido. Por que somos atraídos por mistérios? Por que o homem é obcecado pelos mistérios do espaço, por descobrir outras galáxias, se há vida em outros planetas etc.? Porque o desconhecido nos atrai. Somos fisgados por coisas novas, que mexem com a nossa imaginação e curiosidade. Mas, quando já não há novidade, é como ter de ouvir alguém contar uma piada que você já conhece.

Esperar para ter a intimidade sexual até o casamento é a melhor maneira de fortalecer o namoro e se tornarem íntimos. O homem erra aí, insistindo em fazer da relação uma perseguição sexual. Mas depois que ela cede, a relação vira um tédio, pois não há mais nada para descobrir... Não há mais prazer maior a ser alcançado nem mais obstáculos. O resultado é desde o comodismo até a perda de interesse.

Revelar seu corpo destrói o senso de mistério e, com ele, a intimidade. Logo o sexo vira rotina e um tédio. Vai chegar um dia em que vocês vão estar fazendo amor e seu namorado vai estar jogando vídeo game no celular. Outro dia ele vai lhe dizer: "Vamos lá, rápido, o jogo vai começar"; e terminará dizendo: "Cadê o controle remoto?".

O sexo é uma ferramenta poderosa para firmar compromisso, intimidade e segurança no relacionamento. Mas, quando usada para meros fins recreativos, egoistamente ou por manipulação, você a desperdiça e estraga tudo.

Se você entender o sexo como ele realmente é — *uma união física, mental, emocional e espiritual que faz um homem e uma mulher se tornarem um* — você verá que quando ele é feito fora do contexto do casamento, gera-se uma brecha na intimidade do casal.

Por exemplo, se atribuirmos uma escala de 1 a 10 para cada componente de uma relação íntima total, o melhor sexo possível que um casal poderia experimentar seria assim:

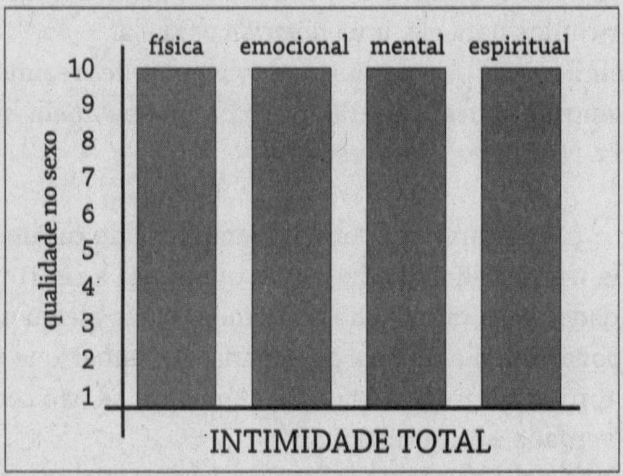

Este nível de satisfação só pode ser alcançado quando há uma troca total em todos os componentes que afetam a intimidade sexual. O único contexto em que isso é possível, obviamente, é o casamento. É nele que o casal tem a expectativa de compromisso total no corpo, nos sentimentos, nos pensamentos e no espírito.

Mas, fora desse contexto, ocorre várias brechas na intimidade:

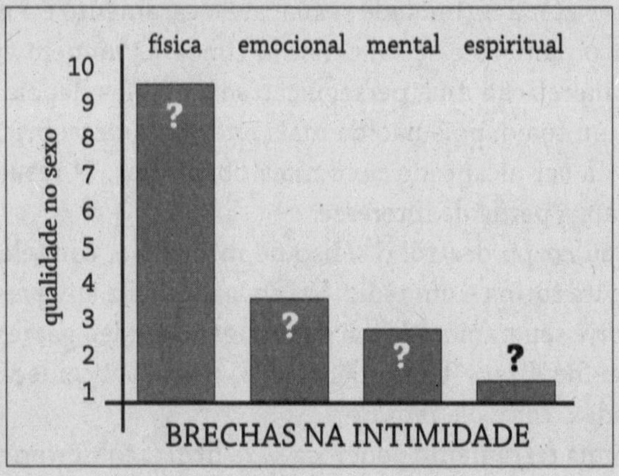

O único componente sexual que pode alcançar o máximo de satisfação fora do contexto do casamento é o físico, e olhe lá. Os demais são crivados de dúvida. Ela pode pensar: "será que ele me ama?", "será que vamos nos casar mesmo?", "com certeza vamos ficar juntos para sempre, não vamos?", "será que ele vai me ligar amanhã?".

E ele pode pensar... Bem, na hora ele só vai pensar uma coisa: "Bingo!". Mas depois... "será que ela espera que eu vá casar com ela?", "tomara que ela não fique grávida"[2], "espero que o pai dela não descubra", "será que ela está esperando que eu ligue?".

Ela se torna mais apegada; ele, mais escorregadio. E são essas brechas na intimidade que causam confusão por causa das diferentes expectativas. Assim, está armado o palco para vários problemas no relacionamento.

COMO VAMOS SABER SE SOMOS SEXUALMENTE COMPATÍVEIS?

"Mas e se nós nos casarmos e descobrirmos depois que não existe química sexual entre nós? Não faria mais sentido fazer sexo durante o namoro para ter certeza de que combinamos sexualmente?"

Essas perguntas parecem muito justas e cobertas de razão. Afinal, ninguém quer se casar e ter uma surpresa desagradável na cama depois. Baseado nessa crença, um crescente número de namorados se torna sexualmente ativo em poucos dias ou semanas após o início do namoro. O que eles não sabem, porém, é que esse raciocínio é falho. Tanto que praticamente em nenhuma outra área do relacionamento há insistência em fazer um "test-drive" para testar a compatibilidade.

Por acaso, quando o namorado não tem certeza se vai ser compatível com a sogra, por exemplo, ele pede para ir morar com ela primeiro para ver se vão se dar bem depois de casado? Ou quando quer testar se a namorada vai ser uma esposa que administra bem o dinheiro, ele dá o seu salário todo para ela, todo mês? Nunca. A insistência no test-drive é basicamente exclusiva ao sexo. Conveniente, não?

E o que quer dizer "incompatibilidade sexual", afinal? Digamos que, depois de casado, o marido mostra que tem a mania de colocar a toalha molhada em cima da cama — uma irritação comum para muitas mulheres. Seria isso "incompatibilidade doméstica"? Razão para divórcio? É claro que não. O que os dois irão fazer é chegar a uma maneira de resolver isso da forma que funcione melhor para os dois — com diálogo, paciência e novas tentativas. É assim em todas as outras áreas de divergências no casamento. Não é diferente na sexual.

O que muitos rotulam de "incompatibilidade sexual" nada mais é do que diferenças naturais durante a intimidade que todo casal terá de harmonizar ao longo do casamento. Sexo, como qualquer parte de um relacionamento, é algo

[2] Você não imagina quantas jovens engravidam sem querer e têm seus planos de vida destruídos porque agora precisam voltar sua atenção para a criança. E quantos otários estão pagando pensão alimentícia (e continuarão até que o filho se torne adulto) por não terem conseguido manter seu passarinho na gaiola...

que tem de ser aprendido. Nenhum casal vai se deitar pela primeira vez e "ta--dá!" — a mágica sexual está completa. Isso só existe nos filmes. Na vida real, eles terão de trabalhar juntos por um tempo para se acertarem. Não ser "sexualmente compatível", na verdade, está ligado à falta de conhecimento, de desenvolver a afinidade sexual ou algum problema em outra área do relacionamento.

Mas quando o casal está comprometido e harmonizado nas outras áreas do relacionamento, eles naturalmente encontrarão o caminho para a afinidade física também. Alcançar a compatibilidade sexual não é álgebra nem trigonometria, quando o foco é dar prazer ao outro e não priorizar o próprio prazer. Quando você foca no outro, você também terá prazer. Homens, podem grifar a última frase.

Compatibilidade sexual começa nas outras áreas — comunicação, cuidado, atenção, encontro de mentes, confiança, compromisso etc. Se houver algum problema no quarto, é a qualidade do relacionamento fora dele que irá ajudar a resolvê-lo. Salvo por alguma doença ou deficiência nos órgãos sexuais, a parte física do prazer sexual é a menos desafiadora. E se vocês não se acertarem no começo, não se preocupem: terão a vida toda juntos para desenvolver essa intimidade. Essa é a regra, na verdade.

Quando a poeira da paixão e da novidade baixar depois dos primeiros anos de casamento, o verdadeiro perfil sexual de vocês irá sobressair e revelar este fato pouco conhecido:

> *A maioria dos casais é, na verdade, sexualmente incompatível. Isto é, um tem mais desejo que o outro, um é mais ousado que o outro ou quer mais frequência que o outro. Eles se resolvem buscando o equilíbrio e se adaptando, como em todas as outras áreas do relacionamento.*

O melhor sexo que você vai ter não será em um encontro de uma noite em um motel ou durante o namoro — nem nos primeiros anos do seu casamento. Os melhores anos de um casal, sexualmente falando, normalmente acontecem na maturidade do casamento, quando eles estão casados por muitos anos.

Um estudo com milhares de mulheres casadas indicou que o ápice sexual do casal variava entre 16 a 24 anos de casamento. Isso sim é lógico e faz todo sentido: quanto mais e melhor você conhece alguém sexualmente, melhor será o sexo entre vocês. Os namorados e solteiros pegadores que me desculpem, mas são os bem casados de muitos anos que estão realmente se divertindo na cama! E a surpresa: maioria deles começou com alguma incompatibilidade sexual.

Mas digamos que um casal de namorados faça o test-drive e se ache totalmente compatível sexualmente. A questão é: compatibilidade sexual é garantia de que o casamento dará certo?

Estudos sugerem que uma vida sexual apaixonante pode manter um relacionamento por até três anos. Depois disso, se não houver mais substância em outras áreas da relação, a casa cai. Já aconselhamos casais que não tinham problema algum na cama, mas viviam um inferno no relacionamento. Como também outros que tinham uma boa vida sexual antes de casarem e depois, devido a conflitos em outras áreas, passaram a ter problemas na cama também. Claramente, se dar bem sexualmente hoje não quer dizer felicidade matrimonial automática amanhã.

Sim, problemas na cama podem surgir até anos depois da lua de mel. A esposa pode engordar, o marido pode passar por estresse ou sérios problemas de saúde etc. — e aí? Vocês irão se separar por causa disso? Que tipo de amor seria esse? Sexo é uma grande parte do casamento, mas o casamento é muito maior do que sexo. E se você não crer nisso, casamento não é para você.

Uma outra coisa que precisa ser considerada diante da proposta do test-drive é: como testar a compatibilidade sexual dentro de um contexto de dúvida? "Olha, eu não sei se vou ficar com você, mas quero experimentar para ver se eu gosto." Quão romântico e reconfortante! Poderia haver brecha maior na intimidade? Entenda:

> *A própria ausência de compromisso e a presença da dúvida arruinarão a experiência sexual de qualquer forma, tornando-a incompleta, especialmente para ela. Não servirá como referência alguma para avaliar a compatibilidade sexual.*

É como testar um carro no calor do deserto para ver como ele desempenharia na neve.

Um outro lado do test-drive é que, como a própria ideia sugere, a conclusão poderá ser insatisfatória. Alguém poderá dizer "não gostei". Logo, não rolará casamento e o outro será rejeitado como "mercadoria estragada". Você gostaria de ser essa pessoa?

Considere outro cenário: imagine que você ainda não conheça sua futura esposa, mas neste exato momento outro alguém a esteja "testando". Como você se sentiria sobre isso? Se não deseja isso para você, por que desejaria para os outros? Se você fosse mesmo comprar um carro, gostaria de levar aquele que já foi testado por vários clientes ou um 0km?

Desculpe toda essa analogia, se você não for mais virgem. Não estamos querendo idolatrar a virgindade aqui, nem feminina nem masculina. Em nossa opinião, você não é uma mercadoria estragada nem está além de encontrar a felicidade sexual quando se casar porque já foi sexualmente ativo antes. É que a própria ideia de fazer um "test-drive" é ridícula em si mesma. Tão ridícula que as próprias concessionárias de automóveis já estão abandonando a opção de test-drive, especialmente as de marcas mais caras.

Um amigo meu me contou a experiência que teve recentemente quando foi comprar um carro de uma marca alemã. Ele já havia feito toda a tarefa de casa, checado na Internet os detalhes do modelo do carro que queria, lido sobre ele em revistas especializadas, até que finalmente foi a uma concessionária. Então perguntou ao vendedor se podia fazer um test-drive. Eis o que o vendedor lhe disse:

— Senhor, nossos carros não estão disponíveis para um test-drive. Temos tanta certeza da qualidade deles que garantimos a satisfação de nossos clientes. O senhor quer saber as opções de compra?

Uau! Que confiança no produto, hein? Pois é, sua namorada é muito mais que um produto. Por que insistir em um test-drive como se ela fosse inferior ou houvesse algo errado com ela?

Se você quer ter um namoro blindado, insista no seu valor próprio e também recuse o test-drive. Você não é um produto que precisa ser testado. Se o seu namorado insistir, apenas responda: "Eu me garanto. Agora, se você quiser colocar um anel no meu dedo e marcar a data de casamento, podemos conversar sobre o nosso futuro".

Dito isso, há sim algumas coisas com respeito a sexo de que vocês precisam se certificar durante o namoro:

- **Atração sexual:** você se vê fazendo sexo com aquela pessoa pelo resto da vida? Há desejo sexual entre vocês? Se alguma parte do corpo ou o porte físico da pessoa lhe dá reações de quem acabou de chupar um limão, isso não é um bom sinal.
- **Visão do sexo:** se você acha que sexo não é tão importante no casamento ou o vê como algo sujo, só para o prazer do homem etc. — não se case. Muitas mulheres desenvolvem essa visão, especialmente as que passaram por abuso na infância ou relacionamentos abusivos. Ambos devem ver o sexo como ele é: algo extremamente bom, prazeroso e divino.
- **Dúvidas sobre a preferência sexual**: se sentir mais atraído por pessoas do mesmo sexo.
- **Problemas de saúde:** alguma deficiência física ou doença que possa afetar o desempenho sexual.
- **Desvios sexuais:** quando a pessoa sente prazer sexual por meio de coisas, atividades ou situações inusitadas que não sejam o ato sexual em si, por exemplo, sentir prazer em bater ou apanhar do parceiro (sadomasoquismo)[3].

---

[3] Existem mais de 100 comportamentos considerados desvios sexuais pela psiquiatria, como *podolatria* por exemplo — fetiche por pés. Se você capricha no cabelo e na maquiagem, põe um lindo par de sandálias e percebe que seu namorado fica olhando mais para os seus pés do que para o seu rosto... você já sabe.

A não ser que essas questões sejam resolvidas antes ou durante o namoro, não se aventure em casar. E sobre isso, sim, vocês devem conversar e esclarecer.

Conversar francamente sobre sexo, sem constrangimento e sem levar a conversa para o sensualismo, é muito importante para o casal que entra em um estágio maduro do namoro. Faz parte de praticar o amor e a fé inteligentes. Ainda que vocês só tenham a experiência prática de algumas coisas depois do casamento, é prudente abordar este tema antes.

Essa inteligência que você está aprendendo aqui lhe será muito mais útil em definir a compatibilidade sexual entre vocês do que qualquer test-drive. E se nada do que explicamos até aqui o convenceu, então prepare-se para uma informação científica que eu considero no mínimo alarmante.

Talvez você ainda pense: "E daí se eu fizer sexo com uma pessoa e não me casar com ela?". Bem, você pode querer reconsiderar depois de saber os resultados de um estudo de 2005 publicado no respeitado *The American Journal of Medicine*.

O estudo investigou a presença de DNA masculino em mulheres e como elas poderiam ter adquirido esse DNA. Não é normal, mas cientistas descobriram há muitos anos que um número significante de mulheres tem DNA masculino em seu sangue. Esse DNA veio de algum lugar, pois a maioria das mulheres não nasce com ele.

O estudo identificou as possíveis fontes de transmissão, que foram: gravidez, aborto espontâneo, um irmão gêmeo ou *relação sexual*.

Traduzindo: você pode adquirir células com DNA do seu parceiro sexual, através de sua corrente sanguínea, que se alojarão para sempre em algum órgão do seu corpo, inclusive o cérebro. Essas células são como uma marca dos amantes do passado, um pedaço de história viva dentro de você. Dá um novo sentido à frase "Não consigo tirar meu ex da minha cabeça", não dá?

Imagine: você pode estar casada com um homem e ter DNA de outros com quem você já fez sexo. O que isso pode significar para os filhos que vocês venham ter? Terão eles uma partezinha dos seus ex-namorados?

Cientistas continuam a investigar, mas o que sabemos até aqui já é assustador. Uma coisa é certa:

Quanto mais parceiros, mais bagagens, mais explicações, mais comparações... e mais DNAs!

Cristiane

Renato e eu não sabíamos de nada disso quando namoramos. Teria sido muito esclarecedor se soubéssemos. Nossa decisão de não fazer um test-drive foi baseada em nossa fé. Ainda que não entendêssemos exatamente o porquê, confiávamos que Deus sabia o que era melhor para nós. E hoje vejo que Ele, como sempre, estava perfeitamente certo. E era tudo para o nosso bem.

Se você já passou pelas mãos de muitos homens ou é um homem que já teve várias mulheres, esse mesmo Deus lhe dá o perdão, o poder de se perdoar e também o poder para começar de novo. Esse recomeço não será sem memórias, mas você poderá escrever novas e melhores memórias do que aquelas, e elas serão seu novo referencial. Creia.

Os conselhos de Deus podem parecer limitadores a princípio, mas no final são libertadores. Você fica livre de muitos problemas ao segui-los. E olha que nós não precisamos tentar usar de argumentos morais ou bíblicos aqui para convencê-la de que se entregar sexualmente fora do contexto do casamento é uma má ideia. Estudos científicos robustos e conclusivos sobre o assunto provam este fato – e seus autores não são moralistas nem religiosos.

De fato, se há uma área em que há clareza e consistência nas conclusões de estudiosos é exatamente nos riscos que o sexo fora do casamento apresenta. Aliás, não é só sexo. A coisa vai mais longe. Outros estudos já mostraram: morar junto antes de casar também pode ser péssimo para a sua relação.

E se há uma coisa que o sexo leva você a pensar é que seria ótimo se vocês morassem juntos. Mas será que é mesmo?

Vai cair na prova!

Por que o sexo fora do casamento é, na melhor das hipóteses, apenas uma fração do que pode ser?

Se já se entregou sexualmente em um namoro que não deu certo, quais foram as sequelas emocionais e psicológicas que ficaram com você? Você teria feito diferente se soubesse o que aprendeu aqui?

Poste em nosso Facebook (fb.com/livronamoroblindado) ou em sua rede social preferida:

Implicações do sexo no namoro: por que nunca me explicaram isso antes? #namoroblindado

CAPÍTULO 19

O NAMORIDO

VOCÊS SE GOSTAM MUITO e estão se vendo cada vez com mais frequência. O cineminha, o restaurante, a caminhada pelo shopping já não são mais novidade. O relacionamento está intenso e vocês quase já não fazem mais nada sem envolver o outro. Viagens juntos, planos, discussões sobre política, religião e aquecimento global — vocês já fizeram de tudo um pouco. Até contas um do outro já pagaram e, quem sabe, também têm ignorado todos os nossos conselhos do capítulo anterior. Sim, vocês dormem juntos de vez em quando, um na casa do outro.

Inevitavelmente, tudo indica que a coisa mais prática e inteligente a fazer é... morar junto. Pagar um aluguel só, reduzir as contas, economizar no transporte para ir e vir, se ver todos os dias... Por que não? Casamento? Mais para frente. "A gente não precisa disso. Não é um pedaço de papel que vai definir a nossa relação. Além do mais, não temos dinheiro para casar agora. E também é bom morar junto antes de casar para ver se somos compatíveis. O importante é que estamos superfelizes — mais felizes do que muitos casais de papel passado, na verdade."

Bem-vindo à nova norma nos relacionamentos. O que outrora era inaceitável e desaprovado pela maioria da sociedade, agora é praticamente regra. Eu chamo esse fenômeno de "normalização do anormal" — o processo social que, ao longo de alguns anos ou décadas, transforma algo incomum em nova regra de conduta.

Nos Estados Unidos, mais da metade dos casamentos são precedidos de um período morando junto. E o Brasil, como bom seguidor cultural, está no mesmo caminho. A motivação principal dessa prática é a crença de que morar junto antes de casar é uma boa forma de evitar o divórcio. Mais uma crença, como você verá, baseada em mentira.

Antigamente, essa prática rara se chamava "juntar os trapos", se amancebar, amasiar ou amigar — sempre um termo pejorativo. Mais recentemente, uma forma mais leve e até divertida de descrevê-la tem sido cunhada: o "namorido". Ele não é mais apenas um namorado, mas também não é um marido, pois ainda não se casaram no papel. Para mim, o termo resume em si um dos principais problemas desse arranjo conjugal: a dúvida. É namorado ou marido?

E a dúvida é um dos maiores responsáveis por separações e relacionamentos fracassados. É ela que gera desconfiança, incerteza, ciúme, possessividade, contas separadas, medo de perder a pessoa amada, suspeitas, insegurança e tantos outros comportamentos nocivos ao casal. É a própria dúvida que leva os casais ao seguinte raciocínio: "se não der certo, a gente se separa". E é este "se" que fica lá no fundo dos pensamentos dos dois e se apresenta mais forte nos momentos em que a relação está em crise.

Um casal que se casa pode ter dúvidas sobre o relacionamento também. Sim, é claro. Mas elas não chegam nem perto das que permeiam os pensamentos e comportamentos de quem apenas mora junto.

MORAR JUNTO E A QUALIDADE DE RELACIONAMENTO

Uma pesquisa recente mostrou que a forma de os casais tomarem decisões pode ter um efeito duradouro na qualidade do relacionamento. Os casais que discutiram cuidadosamente as etapas importantes no relacionamento, especialmente aqueles que esperaram para fazer sexo e planejaram bem o casamento, reportaram melhor qualidade e satisfação depois de casados do que aqueles que gradualmente foram deixando as coisas acontecerem.

Não é difícil entender por quê. Uma conversa sobre ir morar junto não se compara com meses de consideração e planejamento que normalmente fazem parte de uma discussão sobre casamento. E isso se traduz em melhores decisões. Somos muito mais propensos a defender e lutar por algo que levamos muito tempo para decidir e conquistar do que por uma coisa rápida e pouco considerada.

O casal que se conheceu, se apaixonou intensamente[1] e em três meses estava morando junto é mais propenso a considerar essa decisão um erro mais tarde. Já o casal que namorou, noivou e se casou em dois anos diante de dezenas de amigos e parentes, provavelmente manterá que a decisão foi certa, mesmo muitos anos depois.

Um outro estudo da mesma autora, a professora universitária e psicóloga Galena Rhoades, a levou a concluir:

[1] Já notamos que relacionamentos "intensos" costumam sofrer uma decadência escondida na própria palavra que os descreve. In-ten-so. Primeiro, o relacionamento é intenso. Passada essa breve fase, ele fica tenso. No final, a pessoa fica só. Intenso. Tenso. Só. Alerta dado.

Morar junto para testar uma relação acaba por ser associado à maioria dos problemas nos relacionamentos. Talvez, se uma pessoa estiver sentindo a necessidade de testar a relação, ele ou ela já saiba algumas informações importantes sobre como o relacionamento pode desenrolar ao longo do tempo.

Ou seja, a pessoa tem dúvidas baseadas em fatos do relacionamento que ela já sabe que poderão ser problemáticos lá na frente. O estudo também concluiu que:

Os casais que moraram junto antes de se casar têm uma probabilidade maior de se divorciar do que os que aguardaram até o casamento.

A conclusão, por sinal, é consistente com vários outros estudos semelhantes. Mais uma vez, a crença popular é desmentida pelos fatos.

Mas o que acontece quando o casal decide "namoridar", que pode ser tão nocivo para o casamento depois?

Uma coisa é o efeito "como chegamos aqui?" — o momento na relação em que o casal se dá conta de que não considerou bem as decisões importantes da relação. Elas simplesmente "aconteceram". De repente se conheceram, de repente fizeram sexo, de repente estavam morando juntos, de repente ela engravidou, de repente se casaram. Não houve planejamento nem necessariamente uma conversa para decidir ou discutir eventos importantes na relação. Isso pode fazer com que um ou os dois mais tarde se sintam como se tivessem sido enganados e amarrados a uma situação que não queriam: o casamento. Especialmente com aquela pessoa.

A partir dessa percepção, o sentimento básico é de frustração. E essa frustração contamina todos os comportamentos do casal na relação. É como assinar um contrato de celular porque a despesa inicial e as prestações eram baratas, mas depois se sentir amarrado por dois anos ou mais com um aparelho ultrapassado e um serviço ruim. Se fosse fácil, você cancelaria aquele contrato sem pensar duas vezes. Mas o custo é muito mais alto para cancelar, então, relutantemente, você fica, mas odiando aquela situação a cada momento. É exatamente assim que muitos namoridos se sentem.

Outro efeito negativo provém das diferentes expectativas e motivações entre o casal. A mulher normalmente vê o morar junto como um passo para o casamento. Raramente ela se acomoda nessa condição, ao contrário, sempre espera que, mais cedo ou mais tarde, ele venha pedi-la em casamento. Morar junto para ela é uma forma de garantir que outra não tomará o seu lugar na vida dele.

Já o homem costuma ver o morar junto como uma conveniência: sexo quando quiser, dividir as contas e alguém para cuidar das roupas e da comida dele. Por isso, não vê necessidade alguma de casar, já que desfruta de todas as conveniências de um casamento — sem a necessidade de assinar nada nem gastar com cerimônia e festa cara.

Essas diferenças geram tensões inevitáveis e vão desgastando a relação. Isso porque enquanto ela vê nele um marido, ele vê nela apenas uma namorada com benefícios. A mensagem emitida por essa hesitação em atar o nó é de que os dois permanecem "disponíveis no mercado", ou seja, o senso de que se aparecer alguém mais interessante, o outro poderá ser trocado (por isso o nível de infidelidade entre namoridos é maior que entre casais casados).

Se eles chegam a se casar, o relacionamento muitas vezes já está cansado e machucado por várias desavenças anteriores.

Cristiane

Considere este cenário. Digamos que o namorado está louco para ter relações sexuais com a namorada, mas ela não cede porque quer esperar até o casamento. De repente, ele vê que há grande benefício em se casar. Finalmente a terá toda para si. Vai morar com ela, passar os dias e as noites com ela, viajar com ela, será cuidado, terá roupa, comida e casa bem administradas... Então, vê que faz todo sentido ser casado.

Mas, se ela vai logo morar junto com ele e começa a agir como esposa, de repente, o casamento pode parecer um mau negócio. Ele vai se casar e receber em troca nada além do que já tem. Só os gastos do casório, na verdade.

Logo, se uma mulher realmente quer um homem interessado em se casar, deve deixá-lo ver que há certos benefícios que só virão com o casamento. Aí, sim, ele vai focar no lado positivo, no que vai ganhar ao casar e não no que vai ter de abrir mão. Falando assim, pode parecer que exigir casamento antes de ir morar junto é chantagem, mas a verdade é que o casamento é o cenário natural, exclusivo, que o sexo exige para ser um ato de amor verdadeiro.

É o que o Renato costuma explicar através da analogia da vaquinha.

No passado, para se beber leite era necessário possuir uma vaca. Você tinha de comprar a vaca, dar pasto para ela, um curral, limpar o cocô da vaca (que não era pouco), cuidar bem da saúde dela — e no final, ainda tinha de tirar o leite para beber. Hoje não. Você só abre a geladeira e toma. Quem, em sã consciência, compraria hoje uma vaca para poder beber leite?

Da mesma forma, antigamente havia um "custo" para o homem levar a mulher para casa e fazer sexo com ela. Ele tinha de conseguir a permissão dos pais para namorá-la, conquistar o amor dela, pedir a mão dela em casamento, preparar uma casa para morar com ela, casar com ela — e só então vinham as alegrias das núpcias. E depois tinha de continuar casado com ela até a morte.

É difícil entender por que muitos homens hoje não querem casar? Por que comprar a vaca quando podem beber leite de graça?

Não, não estou chamando ninguém de vaca. Isso é apenas uma analogia para estimular a pensar. Todo mundo quer algo em troca. Você também, mulher, quer certas coisas do homem que ele só pode oferecer quando for seu marido. Você ganha também. Não sejamos fingidos. Por isso:

Morar junto é um passo mais longe, não mais perto do casamento.

Eu sei que muitas mulheres modernas temem ser tachadas de antiquadas e moralistas se insistirem em se guardar para o casamento. Esse medo, somado ao outro, de perder o namorado se ela não ceder, faz com que ela baixe seu valor em nome da modernidade. Mas isso é apenas um reflexo de quão pouco elas entendem o raciocínio masculino. Antes de fazer qualquer coisa, o homem quer saber o que vai ganhar com isso.

E quanto à experiência que se ganha na convivência?

As pesquisas mostram que toda aquela "experiência" de morar junto pode levar péssimos hábitos para o casamento.

Casais que moram junto costumam ter deficiências nas habilidades de resolver conflitos. São menos predispostos a se sacrificar um pelo outro e a demonstrar apoio quando o outro precisa. Isso se deve à mentalidade de solteiro que se mantém, ainda que parcialmente, no entendimento de um ou ambos. E essa dificuldade de dar e receber apoio pode levar o casal a táticas manipuladoras para conseguir o que querem um do outro. Por exemplo, o namorido pode ter o costume de sair no fim de semana com os amigos, como sempre fez antes de ir morar junto. Ela, na intenção de provocar ciúme nele, decide sair com as amigas para curtir uma balada. A atitude acaba gerando outros conflitos no relacionamento, como desconfiança e ressentimento.

Quando o casal finalmente decide atar o nó, esses maus hábitos de lidar com conflitos são levados para o casamento. A comunicação entre eles é pobre e, por isso, dificilmente conseguem resolver conflitos satisfatoriamente. Ou seja, morar junto os ensinou maneiras erradas de lidar com as dificuldades da vida a dois.

Poucas crenças têm crescido tanto atualmente, mas sem nenhuma prova que dê respaldo, como a crença de que morar junto antes de casar é bom para o relacionamento.

É claro que você pode encontrar casais que moram juntos e não são casados, ou moraram juntos antes de se casarem, e que, aparentemente, são muito felizes. (Note aqui o "aparentemente". Só eles mesmos sabem a realidade e a qualidade do relacionamento. Longevidade também é outro teste importante.) Não estamos descartando essa possibilidade. O que estamos dizendo é que as provas mostram que *as chances de dar certo são bem menores do que de dar errado.*

Façam o que fizerem, nunca, jamais morem junto, a não ser que se casem. Se vocês estão namorando ou noivos e a vontade de fazer sexo e morar junto é muito forte, vocês só têm uma de duas soluções: ou vocês esperam ou se casam.

> *Mas, se vocês não podem dominar o desejo sexual, então casem, pois é melhor casar do que ficar queimando de desejo.*[2]

Se vocês não podem casar ainda, então vamos ver como podem dominar esse desejo.

SEXO: RESISTINDO À TENTAÇÃO

Um rabino participava de um *talk show* de televisão na Austrália quando recebeu uma ligação de um jovem chamado Brian, de vinte e cinco anos. O jovem disse que amava muito sua namorada, mas estava frustrado porque ela não entendia que ele era "viciado em sexo". Brian sentia que "precisava" dormir com outras mulheres, mas a namorada não aceitava. O rabino perguntou a Brian se ele já tinha sentido desejo de ter relações sexuais com sua mãe ou irmã. "É claro que não", ele respondeu. O rabino então fez um teste:

— Brian, imagine que você está em um barzinho, flertando com uma mulher linda na outra ponta do balcão.

— Ok.

— De repente, o namorado dela aparece: um lutador de UFC alto, forte, com cara de mau e segurando um facão. Você ainda continuaria dando em cima dela?

Depois de uma pausa, Brian admitiu:

— Provavelmente eu não arriscaria.

— Senhor Todo-Poderoso! — exclamou o rabino — É um milagre! Você está curado do seu vício! Parabéns. Agora vá para casa e volte para sua namorada, se ela ainda o aceita.

Aqui vai um poderoso fato que você precisa internalizar:

---

[2] Conselho do Apóstolo Paulo aos solteiros em 1 Coríntios 7:9

Não é possível fazer sexo toda vez que você sente vontade.

A primeira vez que você sentiu vontade de fazer sexo foi na puberdade, quando descobriu que seu aparelho de fazer xixi também servia para outra coisa muito mais prazerosa. Desde aquela descoberta até a morte, você sentirá desejo sexual milhares de vezes, especialmente quando estiver namorando, o que é totalmente normal. Porém, sentir desejo não quer dizer que sempre poderá satisfazê-lo — mesmo quando for casado. E que bom por isso. Imagine se fosse possível, a qualquer hora que desse vontade, ter relação sexual com alguém... A sociedade simplesmente entraria em colapso. E caras como Brian virariam carne moída nas mãos de algum namorado violento.

Mas, como Brian descobriu, junto com nosso desejo sexual, Deus nos deu autocontrole. E ainda que uma pessoa se ache viciada em sexo, ela pode se controlar quando quiser — ou dadas as circunstâncias apropriadas.

É um insulto muito grande o que é ensinado nos filmes, livros, escolas, pela cultura popular e até por muitos médicos: que não dá para controlar nossos impulsos sexuais e, portanto, é melhor promover a masturbação e a camisinha. É como se fôssemos um bando de animais movidos apenas por nossos instintos. Doenças sexualmente transmissíveis[3] estão se alastrando como nunca e arrasando a vida sexual de muitos jovens, alguns para sempre. Isso porque não são ensinados que a camisinha não protege cem por cento contra doenças. Não aprendem que os dois tipos de sexo mais seguros são: aquele que você não tem e aquele que é feito entre dois parceiros saudáveis e exclusivos (como no casamento).

Quando vocês se casarem, também terão de resistir às tentações sexuais fora do casamento. Sim, mesmo pessoas casadas são tentadas quando encontram alguém sexualmente atraente, especialmente o homem. Mas se ele não aprendeu a se controlar no namoro, como de repente terá o domínio próprio para se controlar numa situação de tentação por outra mulher, digamos, no trabalho?

Imagine que você se casa com seu namorado e um dia descobre que ele fez sexo com uma mulher no trabalho porque "não conseguiu" se controlar? Se isso é totalmente inaceitável no casamento, por que aceitamos a falta de controle no namoro?

---

[3] Como o próprio nome indica, são aquelas transmitidas por contato sexual (mesmo sem penetração), como donovanose, HIV (aids), HLTV, HPV, cancro mole, sífilis, entre outras. Nem sempre apresentam sintomas, mas podem causar problemas graves como infertilidade, câncer e morte. Algumas causam sequelas inclusive nos filhos. Para a lista das mais perigosas DST e sintomas, acesse: http://rna.to/sexoDSTs

"Não consigo me controlar", na verdade, é uma desculpa idiota. Se conseguimos nos controlar quando dirigimos um carro ou quando usamos algum equipamento perigoso, então conseguimos nos controlar para não fazer sexo, mesmo quando sentimos vontade.

A ideia de que não podemos controlar nossos hormônios, que quando nosso corpo pede sexo temos de lhe obedecer, é pura falta de responsabilidade. É claro que a tentação é grande, mas também somos tentados com a preguiça e o egoísmo, por exemplo. Mesmo assim, não ficamos na cama o dia todo nem agimos como idiotas, colocando nossas necessidades à frente das dos outros. Você não cede a essas coisas. Então por que aceitar a ideia de que você não tem nenhum controle sobre seus desejos sexuais?

A tentação sempre vai existir, e não há como eliminá-la. Mas você pode fazer coisas para não cair, bem como diminuir as oportunidades de tentação.

Há duas maneiras de resistir. Uma é controlar a sua vontade por força própria, por exemplo: "Eu quero, mas não vou fazer isso". Porém, não podemos confiar que sempre teremos esse autocontrole. Por isso, a outra maneira é colocar limites para que vocês fiquem impossibilitados de dar vazão à sua vontade, mesmo que queiram. Ou seja, vocês criam circunstâncias inibidoras e de prevenção.

F.I.D.E.L.L.I.

Aqui vão **sete pontos** aos quais você deve atentar em relação a isso:

Frear. Quando um está avançando todos os sinais e passando dos limites, cabe ao outro ser o freio. E a mulher normalmente tem mais condições de frear o homem do que vice-versa, pois ela demora mais do que ele para chegar ao limite. Use esse poder, mulher. Não tenha medo de ele ficar chateado com você. Depois, ele reconhecerá o seu valor e ficará grato por isso. E não use carícias sexuais como forma de apaziguar os ânimos depois de uma briga ou por gratidão por ele ter feito um grande favor a você. Um "obrigado" basta! Aliás, o que pensar de um cara que espera sexo em troca de algum favor?

Da mesma forma, se você é um homem sério e sua namorada fica se esfregando em você, mesmo quando você puxa o freio, saia fora enquanto há tempo. Ela está mostrando que não serve para você.

Instigar. Se vocês provocarem um ao outro com conversas sensuais ou toques e contatos sedutores, obviamente cairão em tentação. Por exemplo, alguém nos perguntou se "beijo de língua pode" no namoro. Não há uma lei contra isso, mas de modo geral, não é sábio começar o que vocês não poderão terminar. Portanto, se uma coisa leva à outra e você não quer essa outra, melhor não começar aquela uma coisa.

Distrair. Sexo pode ser visto como uma distração — e entre solteiros, uma enorme distração. É difícil até pensar em outra coisa quando estão juntos. Mas é possível substituir essa distração por outras. Tirem o foco do sexo e coloque-o em outras coisas e atividades proveitosas e divertidas. Um passeio de bicicleta, uma tarde de aventura juntos na cozinha preparando um lanche para os dois, uma caminhada com direito a um sorvete, um jogo de perguntas... As opções são ilimitadas. Vocês irão gastar as energias, aliviar a tensão, se divertir e conhecer um ao outro muito mais.

Evitar. A sociedade sensualizada de hoje significa que há alusão ao sexo praticamente em tudo. É difícil, mas vocês devem consumir o mínimo de conteúdo que provoque suas tensões sexuais — como filmes picantes, por exemplo. Mensagens insinuantes, músicas sugestivas, roupas sensuais, longas conversas telefônicas ou pelo WhatsApp tarde da noite enquanto cada um está em sua cama, são coisas que inevitavelmente afunilarão para o sexo.

Lugar. Este é um dos pontos mais importantes: não fiquem a sós em casa, no quarto ou qualquer outro lugar. Namorar em lugar público ou sempre com pessoas por perto com certeza inibirá qualquer tentativa de partir para o físico — a não ser que vocês estejam em um lugar favorável à pegação, como uma balada. Lembre-se de que namoro não é para despir o corpo, e sim para despir a alma, a mente e o espírito. Escolham bem os lugares onde vão passar tempo juntos.

Limites. Limites existem em todo lugar para nos proteger de ferir a nós mesmos e a outros, como o limite de velocidade nas estradas, por exemplo. Quando vocês colocam certos limites, estão mostrando grande respeito e cuidado um com o outro. Algumas partes do corpo da outra pessoa, por exemplo (especialmente aquelas que você não tem no seu), devem estar fora do seu alcance. Sexo não é apenas quando há relação sexual total, mas também carícias sexuais como toques nas partes íntimas, sexo oral e esfregação. Não se engane. Respeitar esse limite é um sinal fundamental de sua capacidade de respeitar o outro em outras coisas também. Talvez você pense em maneiras de burlar esses limites e levar sua namorada para a cama ou pedir certas carícias, mas além de uma falha de caráter, isso é uma forma de engano e roubo. E se ela realmente se apaixonar por você e interpretar o sexo como um sinal de seu amor verdadeiro? Quando ela descobrir a verdade, se sentirá completamente traída. Você terá roubado dela o seu bem mais precioso: seu coração. Imponham e respeitem os limites.

Interesse. Fique atento à possibilidade do sexo se tornar o interesse principal entre vocês ou até mesmo uma obsessão. No caminho de satisfazer suas necessidades ou desejos egoístas, ela pode usar o sexo como forma de prender o rapaz, para se sentir amada ou até mesmo engravidar. Por sinal, basta ver o número crescente de mães solteiras para entender que filho não segura namorado. Não caia nessa. Ele, por sua vez, pode insistir em pedir a famosa "prova de amor" ou favores sexuais em troca de algo que ele fez. Se ele fizer isso, diga que você vê o sexo como um prêmio que espera por vocês na noite de núpcias. Explique que você está pronta para entregar esse prêmio a ele logo após um "sim" e uma aliança de casamento no altar para firmar o compromisso de amor com você por toda a vida. Ao dizer isso, uma destas três coisas irá acontecer:

a. Ele vai ficar roxo de raiva e explodir em mil pedaços diante dos seus olhos.
b. Ele vai correr de você mais rápido que um corredor jamaicano, sem olhar para trás.
c. Ele vai respeitá-la muito mais por sua atitude e dizer que está preparado para esperar.

Seja qual for a reação dele, você saberá que tipo de homem ele é e se está interessado em você ou em seu corpo.

Guarde o acrônimo desses sete pontos: **FIDELLI**. Praticando esses conselhos, vocês conseguirão permanecer fiéis um ao outro, a si mesmos e a Deus.

A verdade é que não há razão alguma, salvo por motivos egoístas, para fazer sexo antes de casar. Pense comigo.

Se vocês querem fazer sexo, então é simples: casem-se! Porém, se vocês dizem "Ah, mas não nos conhecemos bem ainda, não estamos prontos para casar...", então por que raios você iria fazer sexo com alguém que ainda não conhece bem ou que diz que não está pronto para casar com você?

Cristiane

"Mas a carne é fraca", muitos dizem. "É difícil resistir". Como sempre, as pessoas tiram algo do contexto bíblico para se desculpar por suas fraquezas. De fato, Jesus disse que a carne é fraca. Mas o sentido não é que essa fraqueza justifica nossos erros. Veja o versículo por inteiro:

> Vigiai e orai, para que não entreis em tentação; o espírito, na verdade, está pronto, mas a carne é fraca.[4]

Ele deu a dica: fortaleça o seu espírito através da inteligência (vigiar, ser prudente) e da fé (orar) para vencer as fraquezas da carne. O espírito está pronto para vencer as tentações, mas você tem que escolher usar essa força espiritual acima de dar vazão aos seus desejos.

[4] Mateus 26:41

AS PERIGOSAS VÁLVULAS DE ESCAPE

Todo esse esforço para se controlar quando estão juntos pode resultar em um sentimento muito forte de encontrar uma válvula de escape para a tensão sexual. É aí que a masturbação e a pornografia se apresentam como alternativa. "Esperem aí! Não vão me dizer que eu não posso fazer o que quiser com o meu corpo. Não estou prejudicando ninguém!" Na verdade, você está. Deixe-me explicar.

É claro que você é livre para fazer o que quiser com o seu corpo. Mas isso não quer dizer que ficará livre das consequências do que fizer. E quais as possíveis consequências de ver pornografia e se masturbar?

Apesar de alguns advogarem por essa prática a título de "conhecer o seu corpo" e aliviar a tensão, um crescente corpo de especialistas em compulsões sexuais têm alertado as pessoas sobre os perigos dos vícios sexuais.

Deixe-me esclarecer, primeiro, que é normal durante a transição da infância para a puberdade a criança reagir naturalmente aos novos impulsos sexuais que ela descobre em seu corpo. A curiosidade e as próprias reações físicas ao sexo oposto podem levar o jovem a explorar o seu corpo e descobrir nisso o prazer. Isso não significa que é normal ou saudável o jovem fazer disso um vício nem se tornar dependente da masturbação como uma forma de escape ou recreação.

Atualmente a maioria dos jovens está descobrindo a sexualidade precocemente através da pornografia. E muitos adultos também estão acessando esse conteúdo na Internet sem muita moderação. Estudos já demonstraram que os efeitos em nosso cérebro de assistir a pornografia de forma prolongada são semelhantes aos do uso de drogas como cocaína. Como a prática é altamente viciante, muitos jovens e adultos têm reportado distúrbios sexuais, entre eles vício de sexo e impotência sexual. Antes da Internet, era raro encontrar homens abaixo de 40 anos de idade que sofriam com impotência. Hoje, alguns estudos já reportam que:

- 4 a cada 10 homens com impotência têm entre 18 e 40 anos
- 3 a cada 10 jovens entre 18 e 24 anos sofrem com impotência

Não é difícil de entender por que a masturbação e a pornografia têm um efeito tão entorpecente. Quando o cara gasta a maior parte de suas ejaculações se masturbando diante de imagens pornôs, com intermináveis cenas e personagens estimulantes, o que tende a acontecer em longo prazo? Ele vai achar sua parceira no mundo real bem menos estimulante do que aquelas personagens virtuais desfilando em sua mente. Em outras palavras, a explosão da pornografia digital tem feito muitos homens se desligarem de suas parceiras reais. E mesmo quando as procuram para um encontro sexual, querem sujeitá-las às mesmas experiências das personagens virtuais.

Infelizmente, muitas mulheres também têm entrado e se viciado nessa prática altamente solitária e prejudicial para sua saúde mental e sexual. Prejudicial, porque a masturbação e a pornografia não lhe ensinam nada sobre sexo. O que a pornografia ensina, basicamente, é que a mulher é um objeto de prazer do homem. E o que a masturbação frequente lhe ensina é se acostumar a um certo toque de sua mão para lhe dar prazer. Uma vez habituado a essa sensação, será muito mais difícil ter um orgasmo com uma outra pessoa.

Portanto, ambas as práticas são prejudiciais não somente a você, mas também a seu futuro marido ou esposa.

Cristiane e eu recebemos inúmeros e-mails de esposas e maridos que vivem o drama dos efeitos da pornografia e masturbação em seus casamentos. Veja a situação da Larissa, que nos escreveu:

> *Namorei à distância com meu marido por quase dois anos e, depois de nove meses de noivado, nos casamos. Quando namorávamos, houve um episódio em que liguei pra ele e ouvi voz de mulher. Depois de insistir, ele me confessou que estava vendo filme erótico. Eu disse que não aceitava aquilo e ele alegou que era coisa de homem, mas me prometeu que não o faria mais.*
>
> *Meses depois de casados descobri por acaso que ele continuava vendo esses vídeos. Fiquei sem chão, porque havia confiado na palavra dele. Briguei, chorei, reclamei e disse novamente que aquilo era inaceitável. Ele disse que não sabia que eu ficaria tão chateada, apesar de eu já ter falado no namoro. Depois de um tempo, voltei a confiar e, novamente, devido a alguns hábitos estranhos, como não querer que eu mexesse no computador ou celular dele, resolvi procurar e descobri que ele, mais uma vez, havia mentido.*
>
> *Dessa vez conversei calmamente com ele, quis saber porque ele havia mentido para mim e então me disse estar viciado nisso desde a adolescência, que queria mudar, mas não tinha forças. Me deu as senhas das redes sociais e consentiu que eu instalasse um programa no computador dele para rastrear os sites que ele visitava. Daí, vez ou outra, eu tocava no assunto para ver como ele estava. Me obriguei a querer ajudá-lo. Até que um dia percebi que ele estava acessando pornografia de modo anônimo no celular e computador. Não quis acreditar. Coloquei-o contra a parede. De início ele dizia que eu estava maluca, que não estava fazendo nada de errado, e isso olhando nos meus olhos. De tanto eu insistir, ele acabou confessando. Foi a gota d'água. Eu só chorava. Tirei a aliança, passei a dormir no quarto de hóspedes, evitava-o ao máximo. Ele prometeu que aquela seria a última*

vez que aquilo aconteceria, pediu perdão, fazia de tudo para me agradar e eu simplesmente não me importava.

Agora, depois de pouco mais de um ano de casados, ainda não confio plenamente nele. Na verdade, fico esperando um erro dele para pedir a separação. Não há mais confiança da minha parte. Toda vez que eu tento, me lembro de todas as vezes que ele mentiu.

A situação de Larissa é muito típica, com variações de falta de interesse sexual por parte do marido e exigências que a esposa faça certas coisas que ela se sente constrangida em fazer na cama, mas a que muitas vezes se submete por medo do marido "procurar outra lá fora" que faça.

O erro de Larissa foi não ter consciência da seriedade do problema quando ela o descobriu ainda no namoro. Dependendo do grau daquele vício, um simples "me desculpe, não vou fazer de novo" não basta. A pessoa tem que buscar ajuda para se libertar totalmente daquela dependência. Se seu namorado ou namorada tem um vício sexual, você deve encarar isso como um vício de droga. Você se casaria com alguém se soubesse que essa pessoa tem vício em cocaína? Só se você quisesse sofrer.

Só se case com alguém que é viciado em pornografia se você quiser ser sexualmente frustrada depois de casar.

O certo é suspender o casamento e colocar uma condição de que a pessoa assuma seu problema, busque ajuda e dê provas de que o superou. Somente aí, com muita cautela, você pode voltar a considerar o casamento. E se houver resistência do outro em fazer o necessário para se libertar, a única opção inteligente é terminar o relacionamento.

Por isso, em algum momento, você tem de perguntar ao seu namorado, na lata, se ele vê pornografia. Se ele titubear na resposta ou tentar enrolá-la dizendo que não vê nenhum problema nisso, que é coisa de homem etc., coloque em questão esse relacionamento. Lembre-se das mentiras do marido de Larissa. Todo viciado é especialista em mentir. Mente tão bem que acredita nas próprias mentiras e fica com raiva de quem não acredita nele.

Fique atenta aos sinais de que a pessoa pode ser viciada em pornografia e, consequentemente, masturbação. Entre eles:

- É evasiva quando você toca no assunto.
- Defende a prática como normal.
- Diz que não vê problemas "para quem gosta".
- Tem sites de sexo marcados no navegador de Internet que visita regularmente.

- Costuma apagar o histórico do computador ou celular — total ou parcialmente.
- Usa palavras de conotação sexual em ferramenta de busca na Internet.
- Reage de forma estranha tentando esconder o computador ou o celular quando alguém chega de repente.
- Costuma ficar online a altas horas da noite sem razão aparente.
- Tem perfil, e-mail ou nomes de usuário falsos na Internet ou que nunca compartilhou com você.
- Usa a Internet ou aplicativos em modo privado ou anônimo.
- Faz comentários insinuantes para você ou outras pessoas do sexo oposto (que você vem a descobrir depois).
- Demonstra nervosismo, ansiedade ou sintomas de depressão sem razão aparente.

Se seu namorado ou namorada demonstra algum desses sinais, atente para isso e não tenha medo de confrontar o comportamento. Se por acaso você mesmo tem esse problema, busque ajuda conforme indicamos no Capítulo 3, páginas 51 e 52. Do contrário, seu vício de pornografia e masturbação poderá lhe custar muito caro lá na frente.

Vai cair na prova!

1. *Por que morar junto costuma ser um passo mais longe e não mais perto do casamento?*
2. *Quais os limites você precisa colocar no namoro para lidar com as tentações sexuais?*
3. *Pornografia: você está livre dessa praga? Já confrontou seu namorado(a) sobre isso?*

Poste em nosso Facebook (fb.com/livronamoroblindado) ou em sua rede social preferida:

Adquirindo inteligência sexual para um #namoroblindado

PARTE 5

DEPOIS do namoro

CAPÍTULO 20

NOIVAR ou TERMINAR?

O OBJETIVO DE UM NAMORO BLINDADO é saber o quanto antes se a pessoa é ou não para você. Sem perda de tempo e sem erro. Se você seguir os princípios explicados aqui, você jamais ficará amarrado a um relacionamento sem futuro. Saberá quando pular fora, sem medo nem arrependimento. Por outro lado, se a pessoa é para você, você também saberá sem delongas. Estará pronto para dar o próximo passo: noivar e casar.

É incrível o número de pessoas, hoje, que ficam namorando por três, cinco, sete anos ou mais sem nenhuma perspectiva de um desfecho no relacionamento, quer seja casamento ou rompimento. Vivem à deriva, perdendo tempo em uma relação que provavelmente vai terminar aos poucos por indefinição.

Logo, vem a pergunta: qual a duração ideal de um namoro? Não há uma fórmula, mas há o bom senso. Casar com uma pessoa que você mal conhece em três ou quatro meses é um risco muito grande. Se o objetivo é conhecer o suficiente da outra pessoa para decidir se é ou não para você, alguns fatores devem ser considerados.

Quanto e quão bem vocês se conheciam *antes* de começar a namorar? Amigos de infância, que cresceram juntos, conhecem as respectivas famílias e não perderam contato ao longo dos anos, saem na frente aqui. Porém, casais que se conheceram por pouco tempo antes de namorar, nunca cruzaram o mesmo caminho até então e talvez tenham poucos ou nenhum amigo em comum, precisarão de mais tempo para se conhecerem. É o caso de muitas pessoas que se conheceram online, por exemplo.

Presumindo, então, este último cenário, em que vocês não se conheciam antes de começar a namorar, a pergunta é: quanto tempo vocês precisam para se conhecerem e decidirem se querem noivar ou terminar?

Se vocês fizerem as coisas certas, em média de 12 a 18 meses, no máximo.

Veja: se vocês namorarem por um ano e meio e se encontrarem apenas uma vez por semana, terão 78 encontros. Isso sem incluir conversas telefônicas e outros tipos de contato. Será que não dá para decidir se é a pessoa para um futuro juntos? Se o foco de vocês for se conhecer (e não apenas se divertir ou passar tempo), é mais do que suficiente.

A exceção aqui é se o namoro começou à distância e vocês quase nunca passaram tempo juntos durante esse período. Apesar de ser possível trocar bastante informações à distância, vocês precisarão de um tempo presencial para se conhecerem melhor, bem como o círculo social um do outro. Por isso, longos namoros à distância sem planejamento nem previsão de se encontrarem são receitas para frustração — especialmente se ele for um príncipe nigeriano.

Portanto, em termos de tempo de namoro, se chegar aos 18 meses e você não tiver certeza sobre a outra pessoa ou se o rapaz não a pedir em casamento, acabe com essa enrolação. Corte suas perdas e bola para frente.

Não perca tempo quando vir que não é para você. Tempo é uma das coisas mais preciosas que temos na vida. Não roube tempo de você mesmo nem da outra pessoa. Muitos homens, particularmente, alimentam a esperança da mulher de que um dia irão casar com ela. Isso é uma das coisas mais cruéis e injustas que você pode fazer com uma pessoa. É roubo. Cedo ou tarde, isso se voltará contra você.

Namoros que se estendem por muito tempo por desculpas do tipo "não temos dinheiro para casar", "somos muito jovens", "primeiro temos de ________________ [preencha a lacuna]" são namoros que perderam ou nunca tiveram um propósito. As consequências poderão incluir:

- O casal terá muita dificuldade de se guardar sexualmente até o casamento.
- Um ou ambos ficarão frustrados pela indefinição.
- A tentação de ir morar junto será muito forte.
- O relacionamento entrará em fases turbulentas por causa das dúvidas e falta de progresso.

É por isso que jovens devem considerar bem a idade para começar a namorar. A não ser que você se veja casado aos 18 anos, não comece a namorar aos 16.

Casais que namoram blindadamente estão prontos para definir o relacionamento em até 18 meses. E, se a decisão for de se casar, podem levar mais uns 6 meses até o casamento (mais sobre isso no próximo capítulo).

Porém, obviamente não é só o tempo de namoro que precisa ser considerado.

SINAIS DE QUE ESTÁ NA HORA DE TERMINAR

Gostar de uma pessoa ou mesmo amá-la não é suficiente para manter um relacionamento. Depois de avaliar tudo o que você sabe da outra pessoa e suas experiências juntos, você poderá chegar à conclusão, ainda que relutantemente, de que não dá para continuar.

Relacionamento é uma via de mão dupla. Não adianta só você querer, só você tentar, só você amar. Se o outro não coopera, vocês jamais serão um casal.

A sabedoria de Deus explica isso assim: "Andarão dois juntos, se não houver entre eles acordo?"[1]

E se há um momento para descobrir isso é durante o namoro, jamais no casamento. Quais os sinais?

Além de vários que já pontuamos em todo o livro, atente para estes cinco sinais básicos, cada um grave o suficiente para terminar:

1. **Falta segurança.** A pessoa tem comportamentos que o fazem sentir inseguro. Agressividade, vício, irresponsabilidade, futuro incerto, temperamento instável, indecisão... Se a pessoa não lhe passa segurança em todos os sentidos, você não tem base alguma para um casamento.
2. **Falta fidelidade.** Não ocorre apenas quando há uma traição plena, mas quando há uma quebra de confiança — seja por traição virtual ou qualquer outra indiscrição envolvendo terceiros.
3. **Falta honestidade:** Onde há mentira não pode haver relacionamento. Lembre-se de que a mentira também tem outros nomes, como meias verdades, segredos e partes da vida ou da história da pessoa às quais você não tem acesso. A pessoa se torna muito protetora da própria privacidade, não gosta de revelar detalhes, dar informações ou acesso a certas coisas de sua vida.
4. **Falta respeito:** Respeitar é considerar qual impacto tudo o que você faz poderá ter no parceiro. Se o outro não se importa com isso, ignora-o em sua conduta ou não atenta para sua opinião, não há respeito por você. Há pessoas que não conseguem se colocar no lugar da outra. Possuem uma atitude egoísta e incompreensiva. Não compreendem que a namorada está no trabalho e não pode atender o telefone; que ela está em período de provas e por isso não poderão se encontrar muito nas próximas semanas; que a mãe do namorado está doente e ele precisa cuidar dela neste

---

[1] Amós 3:3

fim de semana. Imagine conviver a vida toda com uma pessoa que nunca o respeita nem compreende.

5. **Falta disposição de mudar e lutar pelo relacionamento.** Todo mundo erra. Seu parceiro pode ter muitos defeitos, cometido até erros graves, mas há um defeito que impede todos os outros de serem corrigidos: a falta de vontade de reconhecer os erros e lutar para eliminá-los em prol do relacionamento. Quem tem essa disposição, pode mudar. Quem não tem, acha que apenas o outro precisa mudar. Cuidado quando só um faz todo o trabalho pelo relacionamento e o outro se sente em um pedestal.

Estes sinais são assassinos de relacionamentos. Não adianta você se enganar e achar que com seu amor irá mudar a outra pessoa. Se alguém comete um erro uma ou duas vezes, pode-se dizer que errar é humano. Porém, o mesmo erro mais de três vezes, já é o caráter dele. Você é o que você faz.

Quando faz um balanço da pessoa e do relacionamento, você só pode chegar a uma destas três conclusões:

1. **A pessoa nunca enxerga seus erros.** Conclusão: terminar.
2. **A pessoa enxerga seus erros, mas nunca muda.** Conclusão: terminar.
3. **A pessoa enxerga seus erros, se esforça para mudar e busca ajuda se necessário.** Conclusão: vale a pena dar uma chance e, depois, reavaliar.

Cuidado! Não dê uma de salvador em casos de pessoas que não querem mudar. Não pense: "Eu vou ajudá-lo, ele vai mudar, vai se recuperar!".

Mulheres, especialmente, costumam sentir atração por homens problemáticos e selvagens, porque pensam que eventualmente irão domesticá-los. Acham que nas mãos de "uma boa mulher" ele irá mudar. Sonham com o dia em que ele mudará por amor a elas. Enquanto isso, ele a faz se sentir como a pior mulher do mundo, nunca boa o suficiente, inferior à ex. Justifica o contato dele com a ex e faz você se sentir culpada, como se estivesse em uma competição com ela. E você não se dá conta de que está sendo usada como uma "clínica de recuperação" amorosa, da qual um dia ele sairá para ficar com outra.

Por que alguns homens fazem isso? Porque podem! O nível de tolerância delas é muito alto. A maioria das mulheres naturalmente sonha com o casamento desde criança. Já os homens, não. Já reparou que não existe revista de noivo, só de noiva? Os homens costumam focar no lado negativo do casamento, enquanto as mulheres tendem a focar no positivo. Elas sonham com a admiração das amigas no dia do casamento... E eles se lembram de que, a partir daquele dia, nunca mais poderão tocar em nenhuma daquelas amigas...

É preciso mudar de pensamento.

Você pode ser uma ótima mulher, mas não queira realizar o sonho de se casar a qualquer custo. Tampouco superestime sua capacidade de recuperar alguém que não quer recuperação. Não se deixe ser usada.

Fique atenta para sinais típicos de um relacionamento abusivo: ele tenta controlar os seus passos, chantagear emocionalmente ou ditar o seu guarda-roupa; é agressivo fisicamente ou com palavras; quer isolá-la de seus familiares e amigos.

Afastá-la dos familiares e amigos por ciúme é sinal de grande insegurança ou coisa até pior. Um namoro deve adicionar alguém à família, não tirar.

Amigos no namoro podem ser em comum ou não. Ao passo que o namoro procede para o noivado, o natural é que os amigos passem a ser em comum. Evidentemente, amigos devem fazer bem ao casal, não mal.

Se você está em relacionamento abusivo e não tem forças para sair, busque ajuda de uma pessoa de confiança imediatamente!

Se você é o manipulador, que sufoca e abusa do outro, atenção:

> *Manipuladores servem apenas a si mesmos e aos seus próprios desejos. Nunca pensam em mais ninguém. Um dia, porém, sua fama se espalhará por todo seu círculo social e você acabará sozinho.*

Talvez você não tenha se dado conta do seu caráter manipulador até vê-lo descrito aqui. Se agora você enxerga suas falhas, saia do relacionamento e não entre em mais nenhum até ter buscado ajuda e vencido a raiz do problema.

Quando um se dá demais no relacionamento e o outro só recebe, há um desequilíbrio. Deve haver equilíbrio no dar e no receber. Se apenas um se dá, o que só recebe é como um ladrão ou aproveitador.

Porém, entenda: não adianta querer forçar o outro a amá-lo. Ou há amor ou não há. O amor verdadeiro não exige o amar de volta. Ele deixa a pessoa escolher. Se ela quer, amém. Senão, deixe-a ir.

Veja como Deus age. Ele ama as pessoas, mas se elas não O querem, Ele as respeita. Acima de tudo, Ele Se ama.

> *É por amor ao Meu próprio nome que vou agir; não permito que o Meu nome seja profanado.*[2]

Por falta de amor próprio, muitas pessoas têm sido envergonhadas por parceiros a quem amaram acima de si mesmas. Jamais permita que isso aconteça com você.

---

[2] Isaías 48:11

MEDO E AMOR NÃO COMBINAM

O amor tem alguns arqui-inimigos, entre eles: indiferença, egoísmo e medo. Quero focar neste último porque ele é um dos grandes responsáveis por relacionamentos intoleráveis ou que nunca deveriam ter acontecido.

Muitas pessoas nunca alcançam a felicidade amorosa porque são eternas reféns do medo. Medo de ficar sozinho, medo de rejeição, medo de confrontar um comportamento inaceitável, medo de perder a outra pessoa, medo de ser traído, medo de se casar, medo de não se casar...

> *No amor não existe medo; antes, o perfeito amor lança fora o medo. Ora, o medo produz tormento; logo, aquele que teme não pode amar perfeitamente.*[3]

Se há medo, não há amor. Se há amor, não há medo. Os dois não combinam.

A única forma de se livrar do medo é ter a absoluta certeza de que, não importa o que acontecer, tudo ficará bem. E só há uma maneira de ter essa certeza: ter total confiança em Deus. Se "sabemos que todas as coisas cooperam para o bem daqueles que amam a Deus"[4], logo, não tememos nada. Essa confiança absoluta nos dá a certeza de que mesmo as coisas aparentemente ruins que nos acontecem são para o nosso bem.

É por isso que afirmamos que o verdadeiro amor vem da fé. Assim como a luz e o calor que iluminam e aquecem nosso planeta vêm do Sol, o perfeito amor vem de Deus[5]. E o canal que nos liga a Ele não é uma religião, e sim uma fé sincera na pessoa dEle.

Quando você tem essa ligação com o Autor do amor perfeito, você não tem medo de nada nem ninguém.

Não tem medo de ficar sozinho porque a solidão não faz parte dos planos[6] dEle para você. Você não teme a rejeição porque tem estrutura espiritual para lidar com ela. Você não tem medo de confrontar um comportamento inaceitável de seu namorado porque seus padrões estão baseados no amor que faz bem, não mal. Você não tem medo de perder a outra pessoa porque entende que a outra pessoa é quem perderia você. Não tem medo de ser traído porque sabe que o erro maior sempre será do traidor, não seu. Não casa por medo de ficar solteiro nem deixa de casar por temer os desafios do casamento.

---

[3] 1 João 4:18
[4] Romanos 8:28
[5] 1 João 4:8
[6] Gênesis 2:18

O medo traz tormento. Lance-o para bem longe de você. Busque o amor perfeito, que vem da fé, que confia em Deus. Confronte seus medos. Não aceite o inaceitável no relacionamento. Não tenha medo de questionar o questionável de seu namorado ou namorada. Se você perder a pessoa por ter mantido seus padrões e princípios, não é perda. É livramento.

O que você prefere: assistir a um filme que tem um final horrível ou a um filme horrível que nunca chega ao fim?

DÚVIDAS CRUÉIS

Muitos namoros se arrastam indefinidamente porque há dúvidas que impedem o casal de prosseguir para o casamento. Algumas destas dúvidas são justificadas, outras são apenas monstrinhos em suas cabeças. Seja qual for a fonte das dúvidas, não se casem enquanto elas existirem.

Se há uma coisa que você vai precisar no seu relacionamento é certeza. Você precisa dar e receber certeza. Se há dúvida, porém, então há certeza de que não dará certo.

Toda dúvida tem uma fonte. Qual é a fonte de sua dúvida? Se a fonte é real, então sua dúvida é justificada. Por exemplo, sua namorada já mentiu para você várias vezes; você não consegue confiar nela. Logo, tem dúvidas se deve se casar com ela. Sua dúvida é legítima. Ela lhe mostra que, se vocês se casarem, terão sérios problemas.

Dúvidas legítimas são avisos para que você não prossiga. Não as ignore.

Mas há dúvidas com fontes duvidosas, como medo, crenças erradas ou falta de planejamento. São infundadas.

Por exemplo, você tem medo de se casar porque viu o grande sofrimento que sua mãe passou no casamento. Esse medo gera dúvida, mas é infundado porque não é inteligente. O fracasso do casamento de seus pais não significa que o seu casamento fracassará. O que você precisa é aprender as lições positivas das experiências deles e fazer melhor que eles em suas escolhas.

Um outro exemplo comum é a dúvida por questões financeiras. "Será que vamos ter dinheiro para manter a vida de casado?" A maioria dessas questões provém de falta de planejamento ou de crenças erradas. A crença de querer ter tudo materialmente antes de casar, por exemplo. A verdade é que começar a vida de casado sem nenhuma necessidade ou aperto é utopia para a maioria dos casais. Mas isso não os impede de agir com consciência, planejar seus gastos, fazer economias e prosperar paulatinamente.

Questione suas dúvidas. Veja como outros superaram os mesmos problemas.

Talvez a sua dúvida venha de uma eterna busca pela perfeição. Nos dias atuais, com a abundância de opções de aplicativos de relacionamento, sites de encontros e a facilidade de deslizar o dedo por centenas de perfis com fotos de pessoas atraentes, a ilusão da busca por alguém sempre melhor é muito grande. "E se eu me casar com ela e depois me arrepender? Será que devo esperar para ver se aparece alguém mais interessante?"

Esta parálise é conhecida como "paradoxo da escolha", um fenômeno moderno estudado pelo professor e psicólogo Barry Schwartz. Ele explica como a multitude de opções não nos faz mais felizes, mas sim paralisados. Diante de tanta oferta, podemos ficar sem ação ao comparar e duvidar se nossa escolha realmente é a melhor e mais vantajosa. Isso se aplica em todas as áreas da vida, seja ao decidir que roupa do seu closet lotado você irá vestir pela manhã, qual modelo de plasma tevê irá comprar ou com quem irá se casar.

Como já discorremos aqui, há milhares de pessoas que poderiam ser adequadas para você. Mas aí está o poder e a beleza do amor: dizer sim para apenas uma e não para as demais. Como você se sentiria ao saber que, de todos os homens do mundo, a mulher que você ama quer somente você? Sem esta decisão, não pode haver amor. Ou você acha que pensar "estou com você até aparecer alguém mais interessante" é amoroso?

Não estamos dizendo que você tem de se casar com o primeiro que aparecer. Ter opções é bom. Mas cuidado para não se iludir com a busca por um "negócio" cada vez melhor. Pessoas assim encontram alguém mais interessante e logo ficam procurando uma razão para terminar o relacionamento em que estão.

"Amiga, vê se pode, ele não faz o pezinho do cabelo! Como eu posso me casar com ele?"

(Liga para o namorado:) "Alô, Ronaldo? Desculpe, mas acho que a gente deve terminar por aqui. Não, não tem nada de errado com você, o problema sou eu."

Pelo menos nisso ela acertou. O problema é ela, mesmo!

Pessoas indecisas não são bons cônjuges. Elas se tornam um peso e uma fonte de insegurança para o parceiro. Se você duvida de si mesmo, a outra pessoa duvidará também. Seja uma pessoa de fé, não de dúvida. O amor tem de ser com fé[7].

Se você tem dúvidas sobre o relacionamento, não fique enganando a outra pessoa dando-lhe falsas esperanças. Seja sincero sobre suas intenções e pensamentos. Talvez você não queira terminar porque sabe que vai machucar a outra pessoa, pois ela gosta muito de você. Porém, sua indecisão acabará ferindo-a mais. Chega um ponto em que ou você se vê com aquela pessoa para o resto da vida ou não. Esse é o ponto da decisão. Não fique adiando.

---

[7] Efésios 6.23

O ideal é que o homem inicie esta conversa assim que perceber que o momento é apropriado, segundo o progresso do relacionamento. Alguns homens, porém, têm se mostrado tímidos neste quesito — seja por medo de compromisso, insegurança ou não ter certeza do "sim" da namorada. Por isso, às vezes, a mulher terá de dar uma forcinha e trazer o assunto à baila. Não que ela deva se mostrar desesperada nem impor ao namorado que a peça em casamento. Jamais implore por isso, como se você fosse um artigo de fim de feira. Mas você precisa ficar atenta a sinais de indecisão ou acomodação por parte dele. Se o tempo está passando e nada de ele tocar no assunto, talvez você precise dar um empurrãozinho. "Então, quais são os seus planos com respeito ao futuro do nosso relacionamento?" Se ele não captar a mensagem, ou der uma de bobo, ou enrolá-la com uma resposta esfarrapada, talvez seja hora de dar um chute no traseiro dele.

Um recado para os homens: a não ser que você tenha boas razões para duvidar dela, dê um passo de fé e peça-a em casamento. Não tenha medo. O casamento é uma das melhores coisas que podem acontecer na vida de um homem. Ter uma boa esposa traz estabilidade para sua vida, além de paz e o apoio que você precisa para conquistar qualquer sonho que você tenha. Não pense que você precisa resolver alguma coisa em sua vida primeiro, antes de se casar. Resolva sua vida amorosa primeiro. O resto será mais fácil. Quando você chega em casa e tem um porto seguro, uma esposa que o admira e apoia, você terá a força de um navio guerreiro para sair e lutar suas batalhas todas as manhãs.

O MAU CONSELHO DOS PAIS

Os brasileiros estão se casando cada vez mais tarde. A idade média dos solteiros na data do casamento subiu em 2014 para 27 anos, as mulheres, e 30 os homens. Em 1960, a maioria das mulheres se casava por volta dos 22 anos de idade e os homens, dos 25. A tendência é mundial.

Por que as pessoas estão se casando cada vez mais tarde?

Os pesquisadores do IBGE atribuem o aumento a alguns fatores, como maior dedicação aos estudos, busca por crescimento no mercado de trabalho e por salários mais elevados, bem como a maior aceitação das uniões informais, que fazem os jovens adiarem o casamento cada vez mais.

Sem dúvida, esses fatores sociais têm contribuído. Mas algo que as pesquisas não mostram é a verdadeira lavagem cerebral que deu origem a tudo isso e começa cada vez mais cedo na mente das crianças. E os principais lavandeiros são os próprios pais — especialmente as mães. Entorpecidas pela influência de ideias feministas, rebelando-se contra a figura masculina e quase odiando suas vidas de mãe e esposa (muitas vezes abandonadas), muitas mães têm inculcado em suas filhas sua própria versão deste discurso:

Estude, estude, estude! Seja alguém na vida. Tenha sua carreira. Ganhe seu dinheiro e nunca dependa de homem. Homem é assim: quando você menos esperar, ele a troca por outra. E aí você não vai ter nada. Por isso, não me venha com essa história de se casar. Casamento e filho só depois que você estiver garantida, com sua faculdade, sua carreira e seu dinheiro. Conquiste o mundo, minha filha, e seja feliz!

Cristiane

Este conselho que a maioria das jovens de hoje recebe de suas mães é muito bem-intencionado. Muitas dessas mães viram suas respectivas mães e avós fazerem o papel da boa dona de casa, dedicarem suas vidas para o marido e filhos, aturarem muita coisa de seus companheiros – apenas para depois serem traídas e abandonadas por eles. Por isso, as ideias feministas ecoaram alto em seus corações quando a revolução feminista ganhou força nos anos 60 e transformou uma geração inteira.

Não se engane: meu profundo respeito pelas vozes corajosas que se levantaram contra a opressão e a desigualdade entre os sexos. Muitos avanços que nós, mulheres, temos hoje são graças a elas. Ainda há espaço para melhorar, mas é inegável que a mulher desfruta de direitos, acesso, independência e poder de realização como nunca antes na história.

Porém, toda essa liberação e empoderamento também têm produzido um efeito inesperado: na vida pessoal, as mulheres modernas parecem estar tão frustradas quanto suas avós. Hoje, mais do que nunca, as mulheres estão sendo usadas, traídas e descartadas pelos homens. A única diferença? Eles não precisam mais sustentá-las enquanto fazem isso.

E com uma agravante: na busca por essa independência, elas precisam adiar o casamento e eventuais planos de maternidade para se dedicarem aos estudos e à carreira. As estatísticas mostram que quanto maior o nível acadêmico, mais tarde elas se casam. É isso o que a maioria faz hoje, até por volta dos 30 anos.

Depois de conquistarem seu espaço, o sonho que suas mães minimizaram começa naturalmente a se tornar muito importante para elas: o casamento. Só que agora elas olham ao seu redor e não encontram homens disponíveis. E os que estão, não querem nada com uma mulher na idade delas, já que as de vinte e poucos estão disponíveis para uma aventura – e melhor: elas não querem casar. Ótimo para eles.

Outro obstáculo que ninguém contou para as que têm interesse em engravidar: a fertilidade da mulher começa a diminuir a partir dos 25 anos de idade. É muito mais difícil engravidar depois dos 30; e especialmente depois dos 35, quando 90% dos óvulos já se foram.

Aí eu lhe pergunto: quem saiu perdendo nessa "revolução"?

Não estou defendendo a volta aos anos 50 nem condenando as mulheres que querem uma vida além do fogão, das fraldas e da máquina de lavar. Estou chamando mães e filhas a uma reflexão.

Sei que muitas de nossas jovens leitoras cresceram sem ver muito do pai e da mãe durante toda a infância e adolescência porque eles estavam sempre trabalhando. Tiveram mais contato com as tias da creche do que com a própria mãe. Sei também que essas mães se sentiam tremendamente culpadas ao deixar seus filhos todas as manhãs aos cuidados de estranhos para irem trabalhar. E à noite, já não tinham energia para ser a mãe presente. Sem contar o estresse com o marido nas discussões sem fim sobre "por que você não me ajuda mais nas tarefas da casa?".

Precisamos refletir e ver que, na prática, o conselho de adiar o casamento não está funcionando para ninguém.

A maioria de nós mulheres tem o sonho de ter uma carreira e uma família. E isso é totalmente válido – até natural. O que não está funcionando é a ordem em que estamos sendo incentivadas a perseguir esse sonho.

Quando você olha para as mulheres que colocaram a carreira e os estudos em primeiro lugar, quase que invariavelmente você vê um destes dois cenários:

- Elas sacrificaram o casamento e/ou ter filhos para investirem na carreira, ou
- Elas tiveram de interromper a carreira por volta dos 30 e poucos anos (muitas vezes no auge dela) para, com grande luta e risco, tornarem-se esposas, mães e cuidarem dos filhos.

Esta ordem não funciona, é antinatural e ineficiente.

Olhe, porém, para as mulheres que se casaram e se tornaram mães mais cedo, nunca abandonaram o sonho da carreira, mas investiram mais pesado nela depois que seus filhos já estavam encaminhados. Elas seguiram a ordem mais natural e inteligente e hoje são realizadas. Elas são provas vivas de que:

Você pode ter tudo o que quer, mas não tudo ao mesmo tempo nem na ordem errada.

A proposta para as jovens é: comece a pensar sobre casamento mais cedo, entre os 20 e 25 anos. Isso não significa que você precisa deixar de estudar e trabalhar, pois trabalho e estudo não são incompatíveis com o casamento. E se vocês decidirem ter filhos, planejem e reavaliem a questão de tempo, finanças e prioridades. Se for preciso uma pausa, sua carreira ainda estará lá, esperando por você quando estiver pronta para se dedicar mais.

Isso não significa, é claro, que não exista mais esperança para você, que já passou dos 35 e não recebeu essas orientações a tempo de fazer tudo na ordem certa. Ainda que a dificuldade de encontrar um parceiro adequado seja maior, agora você tem maturidade e informações preciosas para fazer o relacionamento funcionar. Tenha coragem de romper com as mentiras que lhe contaram e assumir seu sonho de ter um casamento blindado para toda a vida. Não importa sua idade ou sua história, se decidir agir certo a partir de agora, seus ganhos no futuro serão muito maiores do que as perdas do passado.

E para as mães: não roubem de suas filhas o sonho de ter um marido, sua própria família. Não minimizem esse desejo natural da mulher. Não pintem os homens como inimigos. Quer você queira ou não, elas irão se apaixonar. Apenas as ensinem a ter um namoro blindado, fazer as coisas certas, para garantir a escolha de um homem que será um verdadeiro marido e parceiro para elas.

Este conselho também serve para os homens. Precisamos de uma nova geração de jovens que sejam preparados para serem homens e não eternos adolescentes. E se há uma coisa que contribui para a maturidade do homem é o casamento.

Enquanto os pais criarem seus filhos com a mentalidade de estudar, ganhar dinheiro e se divertir antes de entrar na "prisão" do casamento, nossa sociedade só produzirá meninos com corpo de homem.

São esses *playboys* que frustram os corações de moças que aceitam ficar com eles por um pouco de carinho. E, cada vez mais, alguns estão se tornando *toyboys* — o último recurso para as solteironas mais velhas que não encontram homens de sua idade e recorrem aos mais jovens para satisfazerem suas necessidades afetivas. (Por sinal, novamente um ótimo negócio para eles: elas se tornam troféus com uma conta bancária para sustentá-los.)

Mesmo que eles não sigam esse estereótipo, considere a expectativa, que a cultura de hoje cria nos homens, de que a mulher trabalhe e ajude no orçamento familiar. Ou seja, eles não são mais criados para sustentar a família sozinhos. Até aí, tudo bem.

O problema começa quando, já casados, ela se vê trabalhando fora, cuidando da casa e dos filhos, e passa a se ressentir do marido, que não "carrega o fardo" igualmente com ela. Senão isso, quando ela quer parar de trabalhar por um tempo para se dedicar aos filhos, o marido passa a se ressentir dela, porque "o fardo de sustentar a casa" recai totalmente sobre ele. Ou seja, não há mais apreciação das diferentes contribuições que cada um faz na família. Se o homem não fizer tudo o que a mulher faz ou se a mulher não fizer tudo o que o homem faz, não há paz nessa casa.

Bem-vindo à Era do Eu! Onde a desconfiança impera, o dinheiro é a lei e não há mais parceria.

Saia dessa. Seja mais inteligente do que essa cultura falida. Valorize o casamento e veja-o como a base de uma vida sólida e próspera. O segredo da felicidade não está nas coisas materiais. A segurança não está no dinheiro. O quanto antes você acertar a sua vida amorosa, encontrar um parceiro para a vida e firmar uma aliança blindada com ele, maiores chances vocês terão de serem felizes no amor e bem-sucedidos materialmente. Pense no "nós", não no "eu". Muitos acabaram perdendo o amor de suas vidas porque não quiseram se comprometer logo cedo... Depois se arrependeram.

> *É por isso que o homem deixa o seu pai e a sua mãe para se unir com a sua esposa, e os dois se tornam uma só pessoa.*[8]

Às vezes, deixar pai e mãe significa deixar os conselhos deles que não concordam com os de Deus.

O PEDIDO DE CASAMENTO

Quando chega o momento em que vocês constroem a certeza de querer fazer a vida juntos, é hora do pedido de casamento. Esse momento tem sido ignorado ou tomado proporções exageradas nas últimas décadas.

Como já explicamos, muitos hoje não seguem as etapas bem definidas do relacionamento — amizade, namoro, noivado e casamento. É tudo misturado, sem muito planejamento ou transição. O que nunca foi amigo, agora é namorado, que de repente é namorido. O pedido de casamento se perde nessa confusão.

---

[8] Efésios 5:31 (NTLH)

No outro extremo, temos a nova moda de pedido de casamento cinematográfico. Na era da Internet, algumas pessoas que sentem a necessidade de divulgar suas vidas para o mundo, planejam o pedido de casamento como o roteiro de um filme. Um Oscar para elas, mas vamos lembrar aqui do verdadeiro propósito por trás do pedido de casamento. Permita-me ilustrar esta lição através do processo de conquista que Jesus seguiu para nos pedir em casamento.

Como um homem que se apaixonou por uma mulher que nem sabia que ele existia, a Bíblia nos conta que Deus amou o ser humano desde o início, ainda que este O tenha ignorado consistentemente.

Um dia, Deus decidiu vir até a nossa corte, esta Terra, para que O conhecêssemos pessoalmente. Apresentou-Se pelo nome de Jesus e nos conquistou com Suas obras de amor. Suas palavras verdadeiras nos tocaram profundamente. A impressão de quem O conheceu pessoalmente foi como a de uma jovem que encontrou o amado por quem tanto esperava.

Ele nos pediu em casamento e propôs uma "nova aliança", em que seríamos um só com Ele. Nos ofereceu uma nova vida aqui na Terra e por toda a eternidade. Mas não Se resumiu a palavras. Como prova de Seu amor e Suas intenções, entregou-Se primeiro para "pagar o preço" por nós — o nosso "dote". Esse preço foi o sacrifício da própria vida; e prometeu que iria nos preparar morada até que, finalmente, voltasse para nos buscar a fim de morarmos com Ele para sempre.

Quem é cristão vive nessa expectativa, como uma noiva aguardando o noivo e o lindo dia em que o casamento será consumado.

Enquanto isso, o mistério de como será essa vida juntos mantém a nossa fé acesa e inabalável, resistindo fielmente a todas as tentações que o mundo nos oferece. Temos um Noivo. Estamos comprometidos com Ele. Ele nos cortejou, conquistou, pediu em casamento e voltará para Se casar conosco. Fomos escolhidos por Ele. É amor de verdade.

Esse é o modelo que devemos seguir.

O pedido de casamento é esta decisão de comprometimento que o rapaz assume pela moça e ela por ele. Essa decisão e comprometimento são o mais importante. Não importa se foram expressados com um anel de brilhantes ou de arame, mas que foram verdadeiros. Esse pedido é, de fato, o início do processo de casamento.

Quando eu pedi a Cristiane em casamento aos cinco meses de namoro, não foi um momento sequer fotográfico. Não me apoiei em um joelho nem tinha alianças numa caixinha, mas tinha meus dois pés no chão e uma certeza inequívoca em minha mente. Eu lhe dei a minha palavra.

Foi simples, mas tão forte que ainda hoje eu me empenho para cumpri-la. Foi essa palavra que me fez reagir quando a Cristiane disse, em meio a uma longa briga aos 12 anos de casamento, que era melhor nos separarmos.

"Nunca mais diga isso!", eu a repreendi. E ali começou o fim de nossos problemas de casamento.

Se você não está preparado para esse tipo de compromisso com a pessoa que vem namorando já há vários meses, então é hora de terminar.

Mas se você tem essa certeza em sua mente, construída não apenas por um sentimento, e sim por um namoro blindado, então ganhe coragem e peça-a em casamento! E você mulher, aceite! E preparem-se para um noivado blindado!

Vai cair na prova!

Em algum momento, a pergunta mais importante que você terá de fazer e responder no namoro é: Minha inteligência me mostra que eu devo me casar com essa pessoa ou terminar por aqui? Se você já chegou neste momento, responda à pergunta e escreva suas razões.

____

____

____

Poste em nosso Facebook (fb.com/livronamoroblindado) ou em sua rede social preferida:

Já sei qual é a pergunta mais importante em um #namoroblindado

CAPÍTULO 21

CASAMENTO ou RECOMEÇO?

ANTES DE OLHARMOS para o que deve acontecer em seguida do pedido de casamento, temos de considerar um outro possível cenário. Nem todo namoro blindado irá terminar em casamento. Afinal, um dos objetivos é não se casar com a pessoa errada. Você tem que se perguntar: "Essa pessoa vai acrescentar algo à minha vida? Essa será uma boa parceria para construirmos uma vida juntos até o fim?".

Depois de avaliar tudo, você poderá chegar à difícil conclusão de que não dá para prosseguir. A boa notícia é que, se você seguir os conselhos que damos aqui, não demorará muito para chegar a esta conclusão. As perdas serão mínimas. Na verdade, você poderá até tirar proveito da experiência. Veja como.

TERMINAMOS

Se foi você quem concluiu que não dá mais e é melhor terminar, o melhor é fazer isso o quanto antes. Não fique enrolando o outro, dando falsas esperanças ou tirando proveito de algumas vantagens que o relacionamento possa lhe dar — por exemplo: esperar acabar o ano letivo porque o seu namorado tem um carro e a leva e traz da faculdade todos os dias.

E nunca termine um relacionamento por mensagem de texto, telefone ou outro meio, a não ser que não haja outra opção — por exemplo: ela disse que foi comprar leite, nunca mais voltou e se recusa a vê-lo de novo. Ou se o nome dele for Bruce Banner e você corre o risco de ele se transformar no Incrível Hulk e fazer um grande estrago quando receber a notícia. Melhor priorizar sua segurança, dizer que vai comprar leite, desaparecer e depois terminar com ele por WhatsApp.

Fora isso, pode ser desagradável, mas a decência pede que você termine face a face. E, por favor, não use aquela cansada desculpa: "Não é você, sou eu". Ninguém nunca terminou um relacionamento porque tudo estava certo com a outra pessoa. Seja sincero. Por que deixar o outro se perguntando o resto da vida: "onde foi que eu errei?". Não precisa ser insensível nem dar uma razão fútil, do tipo: "Ok, a verdade é que eu não posso me casar com alguém que tem um nariz desses". Aí é melhor assumir que o problema é você mesmo.

Não se atenha a longas explicações nem tente ajudar a "consertar" a outra pessoa. "Olha, tomei a liberdade de procurar os três melhores rinoplastas da cidade, aqui estão os contatos. Este último aqui ficou famoso por ter conseguido transformar um rinoceronte em um poodle. Estão fazendo maravilhas nas cirurgias plásticas hoje em dia." Evite. Cabe à outra pessoa julgar se o que você apontou é algo que ela precisa mudar ou se é você que é um idiota. Sim, considere esta última possibilidade.

Nem sempre quem termina o relacionamento é o mais bonzinho da história. Será que não foi você que errou na escolha? Foi impulsivo e entrou no relacionamento por razões superficiais? Talvez tenha visto sinais logo no início e mesmo assim preferiu ignorá-los? Ou aceitou namorar, mesmo sabendo de uma grande incompatibilidade que tinha tudo para ser um problema e realmente foi?

Pior que ter perdido tempo em um relacionamento que não deu certo é não aprender as lições dos erros de ambos.

Por isso você precisa ser prático. O término de um namoro blindado deve dar início a um período de avaliação e reflexão. Chorar, ficar triste, com raiva ou qualquer outra expressão de sentimento negativo além de alguns dias não vai ajudá-lo em nada. Entrar em um outro relacionamento logo, só para ficar por cima ou tentar esquecer o ex, é estúpido.

Faça uma autoanálise e um balanço do relacionamento. Não apenas admita onde errou, mas veja também por que errou. Foi por imaturidade, ter agido pelo enganoso coração, ignorado sua inteligência? Se o relacionamento começou a desgastar, você contribuiu para isso? Como? Identifique o que você precisa mudar ou melhorar para não repetir os mesmos erros da próxima vez.

Da mesma forma, se foi o outro quem terminou com você, não entre em uma crise de pânico nem comece a implorar uma chance enquanto se arrasta aos pés dele. Entenda que, quando alguém chega ao ponto de terminar o namoro, as chances desse relacionamento dar certo, mesmo que haja uma volta, são mínimas. Isso porque já entrou a dúvida — sem contar as outras razões que levaram a outra pessoa a concluir que não dá mais.

A última coisa que você deve fazer se alguém terminar o namoro com você é pedir uma outra chance. Isso só faz você se desvalorizar e se sentir a pior das criaturas. Mesmo que o outro o aceite de volta, o relacionamento nunca mais será o mesmo, pois você ficará andando em ovos, se rebaixando, enquanto o outro irá usar todo e qualquer probleminha para justificar que era melhor ter terminado mesmo. O poder da relação ficará desigual, totalmente nas mãos do outro. Quem faz isso é porque tem baixa autoestima e por isso se anula para não perder o outro. Mas ela já perdeu a pessoa mais importante: ela mesma.

O melhor é você aceitar graciosamente, de cabeça erguida, e entrar em sua fase de avaliação e reflexão. Leia *Namoro Blindado* novamente. Veja onde pode ter descuidado. Decida o que fará diferente da próxima vez. E não descarte a possibilidade de que realmente não houve nada de errado com você. Muitos relacionamentos entre duas pessoas maravilhosas terminam porque elas simplesmente não são adequadas uma para a outra. Às vezes, você só vai notar isso depois de alguns meses de namoro. É normal.

Aprenda as lições, mas mantenha sua autoconfiança, continue gostando de si mesmo e melhorando a cada dia. Pessoas que gostam de si mesmas superam rapidamente o término de um relacionamento e não têm dificuldade de encontrar uma nova e melhor pessoa.

SIM, VOCÊ MANDA NELE

Lembre-se: aquela ideia de que a gente não manda no coração é um mito. Você tem todo o poder sobre seus sentimentos, mas precisa usá-lo.

Se ao fim do relacionamento você ainda gosta muito da outra pessoa, saiba que existe um segredo para matar esse sentimento. Sim, matá-lo, pois senão é ele que vai acabar com a sua vida. Todo sentimento é resultado de nutrição. Você só começou a gostar daquela pessoa pelo que viu, ouviu, sentiu e pensou sobre ela. Da mesma forma que o sentimento nasceu por nutrição, ele também pode morrer por desnutrição.

É por isso que "vamos ser apenas bons amigos", às vezes proposto ao fim de um relacionamento como um prêmio de consolação, quase nunca é uma boa ideia. Como ser amigo se você ainda gosta da pessoa? Há outro nome para isso: tortura.

Você precisa entrar em uma dieta radical de tudo o que o faz lembrar da outra pessoa.

Devolva os presentes, jogue fora ou doe-os. Não embarque em uma expedição de reler todos os e-mails e mensagens que vocês trocaram em busca de algum sinal ou por nostalgia. Pare de monitorar as redes sociais do ex para ver se ele está feliz, triste, já partiu para outra ou o que aquela amiga dele que nunca gostou de você está comentando na linha do tempo dele. E não fique postando indiretas na sua, na esperança de que ele vá ler ou que outros expressem dó de você. Músicas de sofrência? Só se você realmente quiser entrar em depressão. Não fique olhando os álbuns de fotos ou vídeos de vocês. Apague-os ou tranque-os em alguma pasta com uma senha de 327 caracteres — e jogue a senha fora.

E se a pessoa faz parte de um círculo social muito próximo a você ou sua família e não dá para evitar aqueles encontros constrangedores?

O poder está em como você decide na sua mente olhar para ela. Se você decidir que é constrangedor, vai ser. Se decidir que o que houve entre vocês é passado, então já passou. E se por acaso você se achar viajando nos pensamentos e lembrando da pessoa, mude de canal. Se tiver de pensar nela, pense nas razões que levaram ao fim do relacionamento. E foque em como você irá melhorar. Você manda, sim, em seu coração. E se você continuamente deixar de alimentar o sentimento, ele morrerá de fome.

Para quem praticou um Namoro Blindado, será muito mais fácil se recuperar, pois não entregou seu coração totalmente ao outro antes do tempo. Você guardou seu coração, por isso não sofreu exageradamente quando tudo terminou. A mentalidade certa é se envolver com cautela enquanto não há a certeza para casamento e estar preparado para sair da relação a qualquer momento se ela se tornar insustentável. Sua vida não pode terminar ao término de um relacionamento.

Cristiane

Se há uma coisa que aprendi com o amor inteligente é a ser prática. Se a música me entristece, não vou ouvi-la. Se a foto me entristece, vou tirá-la do alcance dos meus olhos. Se seguir uma pessoa nas redes sociais vai me entristecer, vou deixar de segui-la.

O amor burro quer que você sofra, que sinta dor. Ele quer que você fique preso ao passado para não viver o presente nem ter um futuro diferente. Ele quer que você sinta a dor da decepção diariamente e guarde uma mágoa contra aquela pessoa para que, então, nunca mais seja feliz com ninguém. O amor burro não quer vê-lo feliz, somente sofrer, gemer, chorar... e, é claro, tudo isso com uma trilha de sofrência para que você não pense, não raciocine e não saia do lugar.

Quem vive o amor burro não pode ser feliz. Esse tipo de "amor" quer que você desacredite de tudo e todos, se isole, viva ensimesmado, como se isso fosse resolver sua solidão.

Mas o amor inteligente faz você decidir hoje viver além das suas emoções:

- Guarde ou jogue fora as fotos que o fazem chorar.
- Deixe de ser amigo nas redes sociais de quem o faz sofrer, mesmo que seja um parente. Você não precisa saber tudo o que essa pessoa faz!

- Pare de ligar ou enviar mensagens para quem não o valoriza. E se receber uma mensagem, não responda imediatamente. Que o outro espere.
- Deixe a condição de vítima. Você não precisa de dó de ninguém.
- Deixe de ouvir as músicas que o fazem chorar ou lembrar de momentos emotivos.
- Se permita amar novamente, mas, desta vez, de forma inteligente!

Quanto mais cedo você aplicar estas dicas, mais rápido se recuperará do término e estará preparado para um novo relacionamento.

Agora, retomando o assunto do que deve acontecer logo após o pedido de casamento: quais os passos mais importantes?

NOIVAMOS, E AGORA?

A primeira coisa que vocês precisam fazer é fixar a data de casamento. Vou além: se vocês não estiverem dispostos a marcar a data de casamento no momento do noivado ou nos dias logo após, então não fiquem noivos. Se você, homem, pensa em colocar um anel de noivado no dedo dela só para "ganhar tempo" porque ela vinha perguntando sobre casamento, não faça isso. Meu conselho para você é: se você não tem em mente uma data para se casarem, não a peça em casamento.

E para você, mulher: não se iluda com um anel no dedo, que agora você pode mostrar para suas amigas ou postar uma foto nas redes sociais. Se ele não deu uma data de casamento, então não foi pedido de casamento.

Tudo bem, talvez ele não tenha uma data fixa no momento do pedido — afinal, vocês provavelmente vão querer conversar e consultar as famílias a respeito. Mas se houver hesitação da parte dele em fazer isso logo, então devolva o anel para ele. Se ele não quer marcar o casamento, ele simplesmente não quer casar com você. Não caia na lorota de que você é maravilhosa, mas que ele não está pronto. E se ele ficar enrolando para se decidir, termine o relacionamento e siga em frente.

A data não precisa ser para o mês que vem. Dependendo do que vocês queiram organizar antes, pode demorar de três meses até um ano ou mais. Nossa recomendação, porém, é que vocês tenham um alvo razoável e não muito distante. Noivados longos tendem a convidar complicações.

Vocês ficarão tentados a se tornar sexualmente ativos, devido ao "vamos casar mesmo". Quanto mais longe a data, mais coisas vocês vão querer preparar para o casório. Quanto mais coisas, mais custos. Quanto mais custos, mais estresse. Quanto mais estresse, mais oportunidades de brigas e desentendimentos entre vocês. Por isso há noivos que nunca chegam ao casamento. O período do noivado é tão longo e estressante que desgasta a relação e os dois começam a duvidar se devem se casar ou não.

Sim, a ocasião é especial e única. Sabemos que a noiva, especialmente, quer fazer esse dia memorável. Mas ela também precisa manter os pés no chão e ter uma perspectiva mais alta do que significa aquele dia. O que vai fazer a ocasião ser realmente especial e "única" — e não apenas o primeiro casamento de muitos — não serão os detalhes luxuosos da cerimônia, e sim o que os noivos levarão dentro de si para o altar.

Cristiane

O nosso casamento foi relativamente simples para os moldes atuais, mas luxuoso para a época. Eu não me envolvi muito, meus pais cuidaram de tudo e sou muito grata a eles por isso. Entendo que eles queriam fazer algo especial, afinal, a primeira filha estava se casando. Porém, eu me lembro que não aproveitei quase nada do meu próprio dia de casamento! Um dia longo e cansativo, muitos convidados que eu nem conhecia, muita coisa que deu errado. Se eu soubesse o que sei hoje, teria feito tudo diferente: uma cerimônia simples, somente convidados e familiares mais próximos, uma lua de mel em que não precisássemos pegar quatro tipos de transporte diferentes para chegar ao destino (essa história fica para outro livro...) e, principalmente, o foco em nossa aliança diante de Deus.

Concordo plenamente! É claro que se você quer e pode ter um evento com pompa e circunstância, vá em frente. Apenas saiba que o verdadeiro valor não estará no que as fotos e o vídeo irão mostrar, e sim na qualidade do compromisso que vocês levarão para o altar. E isso não custa dinheiro.

Muitas vezes a noiva fica preocupada com a festa, o vestido, o bufê etc. e se esquece do noivo, do relacionamento e da preparação para ser esposa. Não é porque vocês estão noivos que o casamento já está garantido. Considere o caso de uma noiva indiana que se casou com um convidado do seu próprio casamento quando o noivo teve um ataque epilético no altar e desmaiou antes de dizer o "sim".

Segundo o jornal *The Times of India*, o noivo Jugal não havia revelado para a noiva Indira que era epilético. Furiosa, enquanto o noivo era levado para o hospital, ela propôs a um convidado da família do cunhado que casasse com ela ali mesmo, provocando um alvoroço entre os presentes...

Como você pode ver, nem casamento arranjado está garantido hoje em dia!

Muitos problemas no relacionamento só aparecem mesmo nessa fase mais intensa de preparações e planejamento. É aí que os temperamentos e as habilidades de dialogar sobre diferenças são testados. Fiquem atentos a isso.

Uma coisa que a Cristiane fez também que nos foi muito útil foi a preparação para ser esposa. A mãe dela, durante cinco meses, lhe ensinou tudo sobre o que é cuidar de uma casa e de um marido — habilidades hoje que poucas jovens esposas têm ao casar. A noiva tem que estar preparada para assumir o papel na vida do futuro marido que antes era cumprido pela mãe dele — de cuidar. E o noivo, da mesma forma, o papel do pai para ela — de proteger e dar segurança.

Esses são alguns dos preparativos práticos negligenciados por muitos noivos que, preocupados demais com o dia da festa, se esquecem que o mais importante é estar preparado para todos os outros dias. Muitos sequer se preparam para a noite de núpcias. É importante consultar o ginecologista (no caso das mulheres) e urologista (no caso dos homens) e manter seus exames em dia, para evitar surpresas desagradáveis no dia do casamento[1].

QUANTO PRECISAMOS PARA CASAR?

Parece que não importa o seu saldo bancário, vocês nunca têm o suficiente para se casar. Parece. Essa ilusão se deve principalmente aos apelos emotivos que rodeiam a ocasião. Do momento em que a noiva aceita o pedido de casamento, ela começa a pesquisar sobre vestido de noiva, salões de festa, dia da noiva, bolo de casamento... As amigas começam a presenteá-la com revistas de noivas, sites sobre preparativos... E não demora muito para ela se dar conta de que, para ter tudo o que gostaria, seria necessário uma pequena fortuna.

E o primeiro desentendimento do noivado costuma acontecer exatamente aí, quando ela apresenta para ele a "pequena" lista do que gostaria de ter no dia do casamento.

Só que antes de passar do terceiro item, a discussão já está acirrada:

— *Quer dizer que você acha que eu não mereço um vestido desses?*

— *É claro que merece. Eu só não acho que vale a pena gastar tudo isso para uma coisa que você só vai vestir uma vez!*

— *Amor, olha nos meus olhos. Você me ama mesmo?*

Dá para imaginar como vai acabar essa conversa. Alguém não vai ficar feliz.

Entenda que a indústria do dia do casamento trabalha para alimentar, especialmente nas noivas, o desejo de ter tudo e mais um pouco. Quanto

---

[1] Nossa palestra "Sexo em um Casamento Blindado" será de grande valia para o casal se preparar para a lua de mel e a vida sexual no casamento. Acesse casamentoblindado.com para mais informações.

mais você consumir essas mensagens publicitárias, mais ansiedade terá pelo que eles oferecem.

> *A pergunta correta não é "quanto precisamos para casar?", e sim "quanto precisamos para começar a viver juntos após o casamento?"*

Quando focam nesta última pergunta, vocês têm respostas muito mais práticas e inteligentes para a realidade de vocês. Friamente falando, para se casar, vocês não precisam de muito mais do que a taxa do cartório e a benção no altar. O que puderem fazer além disso, é bônus.

O mais importante mesmo é como vocês viverão depois da cerimônia. Para que ter um evento de um dia e passar anos pagando a dívida? Melhor aplicar o que vocês têm para darem a si mesmos um começo de casamento menos estressante.

Um casal estava noivo já há dois anos (depois de dois de namoro) e viviam adiando a data do casamento. Razão: eles compraram um apartamento na planta, financiado, planejando se casar assim que ficasse pronto. Como eles condicionaram a data do casamento à promessa da construtora de cumprir o prazo, se tornaram reféns da mesma. Toda vez que a construtora adiava o prazo, eles adiavam o casamento. Não era para menos que eles estavam em nosso consultório estressados, não apenas por isso, mas também porque os salários dos dois não eram suficientes para as prestações do apartamento mais as outras preparações. Ele já estava em dois empregos e ela fazendo bicos nos fins de semana — e o relacionamento já estava mostrando sinais de desgaste por falta de tempo juntos.

Perguntamos para eles por que haviam se enrolado com tantos gastos para se casarem, claramente acima de suas posses. Ela disse: "Porque não queremos dar um mau testemunho para nossas famílias, que casamos sem nada e com uma cerimônia muito pobre".

Mesmo? Quer dizer, eles estavam fazendo tudo aquilo para mostrar para os outros, não para eles.

Conseguimos fazê-los ver a loucura de suas razões e como poderiam se casar dentro de dois meses sem estresse e sem aumentar suas dívidas. Hoje eles estão casados e felizes, construindo sua prosperidade juntos.

Este ponto é muito importante: um dos objetivos do casamento é crescerem juntos financeiramente. Desde que vocês não passem fome, comecem a vida juntos! Onde come um, comem dois. Onde mora um, moram dois. Não deem ênfase demasiada às coisas materiais que idealmente todo casal teria a partir do primeiro dia do casamento. Se vocês forem primeiro conquistar casa própria, terminar a faculdade, comprar carro e juntar uma fortuna antes de se casar, poderão esperar muito tempo, de fato.

Obviamente, se vocês decidirem começar juntos com o mínimo necessário, os dois precisarão estar prontos para o sacrifício inicial. De nada adiantará se casar e depois ficar jogando a situação difícil na cara do outro. Planejem juntos, lutem juntos, sacrifiquem juntos. Lá na frente, essa experiência fará vocês valorizarem muito tudo o que conquistaram, além de fortalecer a união.

> *É melhor casar na simplicidade e construir a prosperidade do que esperar ser próspero e simplesmente nunca casar.*

Dito isso, mais um conselho para o noivo: tome a iniciativa de se envolver nos preparativos para o casamento. Divida o fardo e compreenda que a ocasião tem um valor emocional para ela que você nunca irá entender. Faça algumas concessões. Muitas vezes a noiva se magoa com o total desinteresse e falta de participação do noivo nas preparações. Envolva-se, tome a iniciativa, dê a sua opinião quando ela pedir — e que não seja "por mim tanto faz, faça o que você quiser". Se ela pediu sua opinião é porque ela quer ouvi-la, mesmo que seja para discordar dela! Então, mesmo que você não tenha preferência alguma se o bolo deve ser de morango ou de banana, escolha o sabor para o qual você tem uma pequena inclinação e diga para ela com firmeza que deve ser aquele. Mas se ela decidir no final que não vai ser de morango nem de banana, mas de laranja, não faça caso disso. Você não tinha preferência alguma, lembra?

E se você quer mesmo ganhar pontos com ela, não deixe de ler nosso outro livro *Casamento Blindado — o seu casamento à prova de divórcio*. De fato, muito mais do que uma forma de impressioná-la, ele é um manual para ambos começarem a vida a dois perfeitamente equipados para tudo o que irão enfrentar.

A COBERTURA CERTA

Considere este desabafo profético que Deus fez sobre o Seu povo de Israel nos tempos do profeta Isaías[2], que tem relevância assombrosa ainda hoje:

> *Ai dos filhos rebeldes, diz o Senhor, que tomam conselho, mas não de Mim; e que se cobrem com uma cobertura, mas não do Meu Espírito, para acrescentarem erro sobre erro.*

[2] Isaías 30:1

O contexto aqui é que, por muitas vezes, a loucura do povo de Deus foi ignorar Seus conselhos. Quando os judeus eram atacados por seus vizinhos de um lado, eles procuravam por socorro de seus vizinhos do outro lado, em vez de olhar para Deus e colocar sua confiança nEle. Ora buscavam cobertura dos sírios, ora dos assírios, ora dos egípcios para se protegerem de algum inimigo. Eles não consultavam a Deus, mas seguiam os conselhos de suas próprias cabeças e das de seus vizinhos. O resultado não podia ser diferente: erro sobre erro, fracasso sobre fracasso.

Quando falamos de um namoro blindado, estamos falando de uma cobertura para o seu coração e vida amorosa; uma proteção para que você não sofra como a maioria tem sofrido nesse mundo.

Nossos conselhos neste livro não foram apenas tirados de nossas experiências pessoais e do nosso trabalho ajudando milhares de casais e solteiros. Tudo o que escrevemos aqui tem base nos conselhos de Deus. Nós buscamos a cobertura do Espírito dEle. Por isso, muitas vezes o que você leu aqui contradisse o que as pessoas deste mundo estão fazendo. O mundo não tem seguido os conselhos de Deus. Como disse o profeta, são, em sua maioria, filhos rebeldes, que preferem ouvir e imitar o que é popular a seguir conselhos considerados antiquados. Mas os resultados estão aí para quem quiser ver.

Você tem de fazer a escolha. Erro sobre erro ou a certeza de que está no caminho certo.

O que fazer agora?

PARABÉNS! Ao concluir este livro, você pode se considerar uma pessoa dotada de uma "super visão" para enxergar o que a maioria não consegue ver nos relacionamentos. Infelizmente, este poder não o ajudará se você não fizer nada a respeito do que você agora vê.

Talvez, em alguns momentos da leitura, você tenha pensado: "Caramba! Nunca vou conseguir arrumar alguém assim. Desse jeito, vou acabar ficando solteiro". Sim, os Padrões Namoro Blindado são altos, mas não inalcançáveis. O objetivo não é reprovar ninguém, mas desafiá-lo a ser melhor e exigir melhor.

Não é porque você ou seu namorado ainda não se encaixa nos Padrões, que vocês automaticamente têm que terminar. Se há boa vontade, o livro está em suas mãos para apontar o caminho à mudança. Mas se alguém se recusa a mudar e melhorar, aí sim está bem claro: essa pessoa é problemática. Não se aventure a casar com alguém assim.

Então, agora que você tem essa visão, o que fazer? Aqui vai um checklist:

- ☐ **Certifique-se de ter feito todas as tarefas que aplicam a você.** Lembre-se, vai cair na prova, mesmo! A prova são as situações que você vive ou ainda vai viver em sua vida amorosa. As tarefas o ajudarão a vencê-las. Faça-as.
- ☐ **Releia as partes do livro que se aplicam à sua situação atual.** Agora que tem uma visão geral de todos os assuntos, volte nas partes mais específicas a você e releia com calma e máxima atenção. Se você não tem certeza se está pronto para começar um relacionamento, releia os capítulos 3 ao 5, por exemplo. Se tem dificuldade de atrair alguém para um relacionamento, releia o 10 e 11. Enfim, *Namoro Blindado* não é um livro para ser lido apenas uma vez. Ele é um manual para voltar e consultar sempre que precisar. Tire o máximo proveito dele.
- ☐ **Acesse o capítulo extra em nosso site.** É a sua oportunidade de aprender com as dúvidas de outros leitores, enviar suas perguntas e ter um contato direto com os autores. Veja mais detalhes na próxima seção, "Perguntas & Respostas".
- ☐ **Decida quais mudanças você vai fazer em você e/ou em seu relacionamento.** Cremos que este livro o desafiou a mudar algumas coisas. Agora, enquanto isso está fresco em sua mente, escreva quais serão essas mudanças — em si mesmo e no relacionamento, se está em um. Converse com seu namorado(a) e comunique que você quer um padrão mais alto

para o relacionamento. Seja sábio no falar, mas não tenha medo de exigir o melhor de si mesmo e do outro também.

☐ **Compartilhe o que você aprendeu.** Umas das melhores maneiras de aprender é ensinar. Compartilhe frases do livro nas redes sociais (não se esqueça de citar a fonte). Converse com seus amigos sobre os pontos que mais o impactaram. Melhor: presenteie-os com um exemplar do livro. Não espere que todos concordem com tudo. Não é sua parte convencer ninguém, mas você poderá ajudar alguém a evitar um grande desastre em sua vida compartilhando esse amor inteligente. E se sentirá superfeliz por isso.

☐ **Não se case sem fazer a Caminhada do Amor.** Uma oportunidade singular para os namorados ou noivos se abrirem como nunca antes sobre assuntos muito importantes da vida a dois. Acesse *CaminhadadoAmor.com* e saiba como funciona.

☐ **Vamos continuar essa conversa.** O livro *Namoro Blindado* tem sua página oficial no Facebook: *fb.com/livronamoroblindado* onde você deve postar suas tarefas, ver o que outros leitores estão comentando e também trocar ideias com eles e os autores. Diga-nos como o livro ajudou você como pessoa ou o seu relacionamento.

Finalmente, gostaríamos muito de ter você em uma de nossas palestras ao vivo. Acesse o site *NamoroBlindado.com* para locais e datas.

E não se esqueça: da prática vêm os resultados!

Renato e Cristiane Cardoso

CONECTE-SE COM OS AUTORES:

Blogs:

RenatoCardoso.com
CristianeCardoso.com

Redes sociais:

Facebook: *fb.com/bprenatocardoso, fb.com/cbcardoso*
Instagram: *renatocardosooficial, cristianecardosooficial*
Twitter: *@bprenato, @criscardoso*

TV:

Assista a The Love School na Rede Record aos sábados 12h – ou pela *tv.r7.com/escoladoamor*
Podcasts: ouça a Escola do Amor Responde no iTunes
Palestras ao vivo: *Terapiadoamor.tv*
Lista completa de horários e canais: http://goo.gl/vNhDh

Perguntas & Respostas

NENHUM LIVRO pode contemplar todas as situações possíveis em um relacionamento. Procuramos fazer de Namoro Blindado um dos livros mais completos e práticos sobre o assunto para o Século 21. Porém, sabemos que alguns leitores terão perguntas mais específicas ou gostariam que nos aprofundássemos mais em algum ponto. Por isso, criamos uma área em nosso site para continuarmos esta conversa.

Se você quer saber as respostas para as perguntas abaixo ou fazer a sua pergunta para os autores responderem, basta acessar o nosso site:

namoroblindado.com/perguntas

1. Quais as suas dicas sobre relacionamento online?
2. Meus relacionamentos não duram mais que um ano. O problema pode ser eu?
3. Por que não consigo arrumar namorado?
4. Não tenho vontade de namorar agora. Estou errado?
5. Antes de começar a namorar devemos orar para ver se Deus aprova? De que maneira Deus confirma? Se comecei a namorar, mas não orei antes, eu errei?
6. O que vocês acham do uso de sites e aplicativos de relacionamento?
7. Acesse o site e envie a sua pergunta agora!

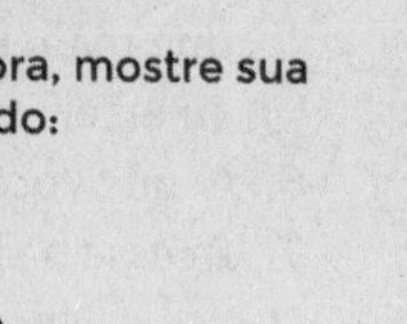

Apêndice 1

TRAÇOS DE BOM CARÁTER *

1. **Alegria** – Manter uma boa atitude, mesmo quando confrontado por condições desagradáveis.
2. **Atenção** – Mostrar o valor de uma pessoa ou tarefa, oferecendo a minha concentração total.
3. **Autocontrole** – Rejeitar desejos errados e fazer o que é certo.
4. **Benevolência** – Disposição para dar as necessidades básicas a quem precisa, sem esperar recompensa pessoal.
5. **Compaixão** – Ser sensível às feridas dos outros e contribuir para curá-las.
6. **Confiabilidade** – Cumprir o que eu consenti fazer, mesmo que isso signifique sacrifício inesperado.
7. **Consideração** – Limitar a minha liberdade para não ofender gratuitamente os que me rodeiam.
8. **Contentamento** – Perceber que a verdadeira felicidade não depende de condições materiais.
9. **Criatividade** – Olhar uma necessidade, tarefa, ou ideia a partir de uma nova perspectiva.
10. **Decisão** – A capacidade de reconhecer os fatores-chave e tomar decisões difíceis.
11. **Desenvoltura** – Agilidade e viveza para encontrar caminhos que outros iriam ignorar ou descartar.
12. **Determinação** – Propor-se a atingir os objetivos certos, no momento certo, independentemente da oposição.
13. **Diligência** – Investir meu tempo e energia para concluir cada tarefa atribuída a mim.
14. **Discernimento** – Compreender as razões mais profundas por que as coisas acontecem.
15. **Discrição** – reconhecer e evitar palavras, ações e atitudes que poderiam trazer consequências indesejáveis.
16. **Disponibilidade** – Fazendo minha própria agenda e prioridades secundárias aos desejos daqueles que eu sirvo.
17. **Economia** – Permitir a mim mesmo e a outros gastar apenas o que é necessário.
18. **Entusiasmo** – Expressar alegria em cada tarefa enquanto faço o meu melhor esforço.

19. **Fé** – Além de um relacionamento real com Deus, ter a confiança de que as atitudes fundamentadas em um bom caráter produzirão o melhor resultado, mesmo quando eu não vejo como.
20. **Finalização** – Começar algo e terminá-lo com qualidade e dentro do prazo esperado.
21. **Flexibilidade** – Disposição para mudar os planos ou ideias de acordo com a direção de meus superiores ou necessidade.
22. **Generosidade** – Gerir cuidadosamente os meus recursos para que eu possa dar livremente a quem precisa ou a quem eu queira honrar.
23. **Gentileza** – Mostrar consideração e preocupação pessoal para com os outros.
24. **Gratidão** – Deixar outros saberem por minhas palavras e ações como eles beneficiaram minha vida.
25. **Honra** – Respeitar os que estão na liderança por causa da autoridade que representam.
26. **Hospitalidade** – Partilhar com alegria alimento, abrigo ou conversa para beneficiar os outros.
27. **Humildade** – Reconhecer que minhas realizações são fruto do investimento de outros em minha vida.
28. **Iniciativa** – Reconhecer e fazer o que precisa ser feito antes que me peçam para fazê-lo.
29. **Justiça** – Assumir a responsabilidade pessoal de defender o que é puro, certo e verdadeiro.
30. **Lealdade** – Aproveitar tempos difíceis para demonstrar meu compromisso para com aqueles a quem eu sirvo.
31. **Mansidão** – Ceder meus direitos e expectativas com o desejo de servir.
32. **Obediência** – Executar com rapidez e alegria a direção daqueles que são responsáveis por mim.
33. **Ordem** – Organizar minha vida e meu ambiente para alcançar maior eficiência.
34. **Ousadia (coragem)** – Ter a confiança de que o que eu tenho a dizer ou fazer é verdadeiro, correto e justo.
35. **Paciência** – Aceitar uma situação difícil, sem ter um prazo para me livrar dela.
36. **Perdão** – Limpar o histórico daqueles que me fizeram mal e não guardar rancor.
37. **Persuasão** – Conseguir contornar os bloqueios mentais de outros com argumentos verdadeiros.
38. **Pontualidade** – Mostrar respeito para com o meu tempo e o dos outros.

39. **Prudência** – Saber a importância de fazer as coisas certas nas horas certas.
40. **Resistência** – A força interior para suportar o estresse e fazer o meu melhor.
41. **Responsabilidade** – Saber e fazer o que é esperado de mim.
42. **Rigor** – Saber quais fatores irão diminuir a eficácia do meu trabalho ou de minhas palavras se negligenciados.
43. **Sabedoria** – Enxergar e reagir às situações da vida a partir de uma perspectiva que transcende as minhas circunstâncias atuais.
44. **Segurança** – Estruturar minha vida em torno do que não pode ser destruído ou tirado de mim.
45. **Sensibilidade** – Perceber as verdadeiras atitudes e emoções das pessoas ao meu redor.
46. **Sinceridade** – O anseio de fazer o que é certo com motivos transparentes.
47. **Tolerância** – Perceber que todos estão em diferentes níveis de desenvolvimento de caráter.
48. **Veracidade** – Ganhar confiança futura relatando com precisão fatos do passado.
49. **Vigilância** – Estar alerta ao que está acontecendo ao meu redor para que eu possa ter as respostas certas.
50. **Virtude** – A excelência moral evidente em minha vida à medida que eu consistentemente faço o que é certo.

**Adaptado, cortesia CharacterFirst.*

Apêndice 2

REFERÊNCIAS E CITAÇÕES

Capítulo 1

VERONIQUE SEMIK. "Namoro e galanteio no século XIX e começo do século XX: Mostra-me e diz-me como me amas?". Revista Cais. Janeiro, 2014. p. 52 e 53. <http://ielt.fcsh.unl.pt/pt/imprensa/jornais/123>. Acesso em 04 de abril de 2016.

CHEDIAK, Alex; CHEDIAK, Marni. Sobre adolescência e Casamento. With One Voice: Singleness, Dating, and Marriage to the Glory of God. p. 46

Got Questions, Qual é a diferença entre namorar e cortejar? <http://www.gotquestions.org/Portugues/diferenca-namoro-cortejo.html>. Acesso em 04 de abril de 2016.

Wikipedia, Romanticism. <http://en.wikipedia.org/wiki/Romanticism#Defining_Romanticism>. Acesso em 13 de janeiro de 2015.

Krznaric, Roman "Sobre a arte de viver - Lições da História para uma vida melhor", Ed. Zahar

Capítulo 2

Wikipedia, Telescópio Espacial Hubble. <http://pt.wikipedia.org/wiki/Telescópio_espacial_Hubble>. Acesso em 13 de janeiro de 2015.

Wikipedia, Mars One. <http://en.wikipedia.org/wiki/Mars_One>. Acesso em 13 de janeiro de 2015.

DUNN, Jimmy. An Overview of Mummification in Ancient Egypt. Disponível em <http://www.touregypt.net/featurestories/mummification.htm>. Acesso em 04 de abril de 2016.

Wikipedia, Heart (symbol). <https://en.wikipedia.org/wiki/Heart_(symbol)#Renaissance_and_early_modern>. Acesso em 04 de abril de 2016.

Wikipedia, Sagrado Coração de Jesus. <https://pt.wikipedia.org/wiki/Sagrado_Cora%C3%A7%C3%A3o_de_Jesus>. Acesso em 04 de abril de 2016.

A palavra no hebraico bíblico comumente traduzida em nossas Bíblias como "coração", na verdade se refere ao interior do homem, sua mente, caráter e entendimento — e não ao seu lado emocional. Banwell, B. O. (1996). Heart. In D. R. W. Wood, I. H. Marshall, A. R. Millard, J. I. Packer, & D. J. Wiseman (Eds.), New Bible dictionary (3rd ed.). Leicester, England; Downers Grove, IL: InterVarsity Press.

IBGE – Instituto Brasileiro de Geografia e Estatística. Estatísticas do Registro Civil. Vol. 40. Rio de Janeiro: IBGE, 2013. <http://biblioteca.ibge.gov.br/visualizacao/periodicos/135/rc_2013_v40.pdf> Acesso em 04 de abril de 2016.

IBGE – Instituto Brasileiro de Geografia e Estatística. Pesquisa Nacional por Amostra de Domicílios (Pnad). IBGE, 2013

Goop, Conscious Uncoupling. <http://goop.com/conscious-uncoupling-2/>. Acesso em 04 de abril de 2016.

Mirror, Chris Martin and Gwyneth Paltrow split: Read the couple's statement here in full. < http://www.mirror.co.uk/3am/celebrity-news/chris-martin-gwyneth-paltrow-split-3286069>. Acesso em 04 de abril de 2014.

Covenant Eyes, Pornography Statistics: Annual Report 2015. <http://www.covenanteyes.com/pornstats/>. Acesso em 04 de abril de 2015.

Capítulo 4

Web Artigos, Psicologia da Personalidade - Aspectos, Conteúdo, Estrutura e Desenvolvimento Psicossexual (0 a 12 anos), Controvérsias e Correlações. <http://www.webartigos.com/artigos/psicologia-da-personalidade-aspectos-conteudo-estrutura-e-desenvolvimento-psicossexual-0-a-12-anos-controversias-e-correlacoes/60160/#ixzz3WcfQ5IHq>. Acesso em 04 de abril de 2016.

Live Science, Personality Set for Life By 1st Grade, Study Suggests. <http://www.livescience.com/8432-personality-set-life-1st-grade-study-suggests.html>. Acesso em 04 de abril de 2016.

Wikipedia, Developmental psychology. <https://en.wikipedia.org/wiki/Developmental_psychology>. Acesso em 04 de abril de 2016.

Capítulo 5

Bramlett MD and Mosher WD. Cohabitation, Marriage, Divorce, and Remarriage in the United States. National Center for Health Statistics. Vital Health Stat 23(22). 2002.<http://www.cdc.gov/nchs/data/series/sr_23/sr23_022.pdf>. Acesso em 04 de abril de 2016.

Capítulo 8

Wikipedia, List of countries by sex ratio. <https://en.wikipedia.org/wiki/List_of_countries_by_sex_ratio>. Acesso em 04 de abril de 2016.

Priberam Dicionário, Adequado. <http://www.priberam.pt/dlpo/adequado>. Acesso em 04 de abril de 2016.

Capítulo 9

Wikipedia, Soulmate. <https://en.wikipedia.org/wiki/Soulmate>. Acesso em 04 de abril de 2016.

The New York Times, The Downside of Cohabiting Before Marriage.
<http://www.nytimes.com/2012/04/15/opinion/sunday/the-downside-of-cohabiting-before-marriage.html?_r=3&ref=todayspaper>. Acesso em 04 de abril de 2016.

UVA Today, Was Living Together Before Marriage Your Fatal Mistake?
<http://news.virginia.edu/content/was-living-together-marriage-your-fatal-mistake>. Acesso em 04 de abril de 2016.

ZH Vida, Brasileiros estão casando cada vez mais tarde. <http://zh.clicrbs.com.br/rs/vida-e-estilo/vida/noticia/2015/04/brasileiros-estao-casando-cada-vez-mais-tarde-4737796.html>. Acesso em 04 de abril de 2016.

Uol Mulher, Chegada do primeiro filho é prova de fogo para o casamento.<http://mulher.uol.com.br/comportamento/noticias/redacao/2013/11/01/chegada-do-primeiro-filho-e-prova-de-fogo-para-o-casamento.htm>. Acesso em 04 de abril de 2016.

G1, País ganha 2,7 milhões de solteiros, segundo a Pnad. <http://g1.globo.com/economia/noticia/2014/09/pais-ganha-27-milhoes-de-solteiros-segundo-pnad.html>. Acesso em 05 de abril de 2014.

Capítulo 10

Investopedia, Marketing. <http://www.investopedia.com/terms/m/marketing.asp>. Acesso em 04 de abril de 2016.

Rosenfeld, Michael J., Reuben J. Thomas, and Maja Falcon. 2011 and 2014. How Couples Meet and Stay Together, Waves 1, 2, and 3: Public version 3.04, plus wave 4 supplement version 1.02 [Computer files]. Stanford, CA: Stanford University Libraries.

Capítulo 11

Shy & Free. What is shyness? <http://shyandfree.com/>. Acesso em 04 de abril de 2016.

Shyness Research Institute. Are we born shy? <https://www.ius.edu/shyness/frequently-asked-questions/are-we-born-shy.php>. Acesso em 04 de abril de 2016.

Capítulo 12

Passagens bíblicas que associam relacionamento entre homem e mulher ao relacionamento entre Deus e o ser humano – Aliança: Gênesis 9:9-13; 17:2; Êxodo 6:4,5; Salmo 25:14; Lucas 22:20. Deus querendo casar com Israel: Oseias 2:19,20. Jesus como o Noivo e a Igreja como Noiva: Mateus 9:15; João 3:29; Apocalipse 21:2; 22:17

Capítulo 13

Proibições bíblicas de casamentos inter-religiosos: Êxodo 34:12-16; Deuteronômio 7:3,4; Malaquias 2:11; 2 Coríntios 6:14

Capítulo 14

The New York Times, Interfaith Unions: A Mixed Blessing. < http://www.nytimes.com/2013/04/06/opinion/interfaith-marriages-a-mixed-blessing.html?_r=0>. Acesso em 04 de abril de 2016.

Capítulo 15

J. DOHERTY, William; WARD SEARS, Leah. Second Chances – A proposal to reduce unnecessary divorce. Institute for American Vallues, 2011.

Capítulo 17

Wikipedia, Teoria Humoral. <https://pt.wikipedia.org/wiki/Teoria_humoral>. Acesso em 04 de abril de 2016.

BBC, Para mulheres, homens engraçados são mais inteligentes, diz estudo. <http://www.bbc.com/portuguese/noticias/2009/04/090401_sensohumorpesquisafn.shtml> Acesso em 04 de abril de 2016.

Science Direct, Humor ability reveals intelligence, predicts mating success, and is higher in males. <http://www.sciencedirect.com/science/article/pii/S0160289611000523>

Capítulo 18

Consultor Jurídico, Justiça anula casamento porque mulher recusou ter relação sexual. <http://www.conjur.com.br/2006-mar-27/casamento_anulado_porque_mulher_recusou_sexo>. Acesso em 04 de abril de 2016.

Só leis, Capítulo VIII - Da Invalidade do Casamento. <http://www.soleis.com.br/ebooks/civil-126.htm>. Acesso em 04 de abril de 2016.

Wikipedia, Feminism. <https://en.wikipedia.org/wiki/Feminism>. Acesso em 04 de abril de 2016.

Wikipedia, Oxytocin. <https://en.wikipedia.org/wiki/Oxytocin> Acesso em 04 de abril de 2016.

Live Science, Realities of One-Night Stands Revealed. <http://www.livescience.com/2678-realities-night-stands-revealed.html>. Acesso em 04 de abril de 2016.

Uol Mulher, Casamento sem sexo é coisa antiga, mas reclamar disso é novidade. <http://mulher.uol.com.br/comportamento/noticias/redacao/2013/11/25/casamento-sem-sexo-e-coisa-antiga-mas-reclamar-disso-e-novidade.htm>. Acesso em 04 de abril de 2016.

The New York Times, Searching for Sex. <http://www.nytimes.com/2015/01/25/opinion/sunday/seth-stephens-davidowitz-searching-for-sex.html?_r=0>

Focus on the Family, Premarital Sex and Greater Risk of Divorce. <https://www.focusonthefamily.com/about_us/focus-findings/marriage/premarital-sex-and-divorce.aspx>. Acesso em 04 de abril de 2016.

The Economist, The waiting game. <http://www.economist.com/node/17956905?story_id=17956905>. Acesso em 04 de abril de 2016.

Sheila Wray Gregoire. "The Good Girl's Guide to Great Sex: (And You Thought Bad Girls Have All the Fun)". Zondervan 2012, p.224

Wikipedia, Limerence. <https://en.wikipedia.org/wiki/Limerence#Limerent_reaction>. Acesso em 04 de abril de 2016.

Time, Would You Buy a Car Without Giving It a Test-Drive? <http://business.time.com/2012/08/15/would-you-buy-a-car-without-giving-it-a-test-drive/>. Acesso em 04 de abril de 2016.

Male microchimerism in women without sons: Quantitative assessment and correlation with pregnancy history

Yan, Zhen et al. The American Journal of Medicine , Volume 118 , Issue 8 , 899 – 906

Glenn T. Stanton. "The Ring Makes All the Difference." Moody Publishers, 2011. Chap. 4 - Is test-driving your relationship smart?. <https://news.byu.edu/news/good-things-come-couples-who-wait>. Acesso em 04 de abril de 2014.

Jay Teachman, "Premarital Sex, Premarital Cohabitation and the Risk of Subsequent Marital Dissolution among Women", Journal of Marriage and Family 65 (2003): 444–55.

Capítulo 19

Galena K. Rhoades and Scott M. Stanley, "Before I do - What Do Premarital Experiences Have to Do with Marital Quality Among Today's Young Adults?" - The National Marriage Project at the University of Virginia, 2014.

Live Science, Prenuptial Cohabiting Can Spoil Marriage. <http://www.livescience.com/5561-prenuptial-cohabiting-spoil-marriage.html>. Acesso em 04 de abril de 2016.

Glenn T. Stanton. "The Ring Makes All the Difference." Moody Publishers, 2011. Chap. 4 - Is test-driving your relationship smart?

Shmuley Boteach. "Dating Secrets of the Ten Commandments." Cap. 7. Adaptado.

Psychology today, Does Porn Contribute to ED? <https://www.psychologytoday.com/blog/therapy-matters/201205/does-porn-contribute-ed>. Acesso em 04 de abril de 2016.

Your Brain on Porn, Porn-Induced Erectile Dysfunction (2014). <http://yourbrainonporn.com/erectile-dysfunction-and-porn>. Acesso em 04 de abril de 2016.

NCBI, Pornography addiction: A neuroscience perspective. <http://www.ncbi.nlm.nih.gov/pmc/articles/PMC3050060/>. Acesso em 04 de abril de 2016.

Your Brain on Porn, Research confirms sharp rise in youthful sexual dysfunctions. <http://yourbrainonporn.com/research-confirms-sharp-rise-youthful-ed>. Acesso em 04 de abril de 2016.

Capítulo 20

Schwartz, Barry. O Paradoxo da Escolha - Por que Mais É Menos. Ed. Girafa

IBGE – Instituto Brasileiro de Geografia e Estatística. Diretoria de Pesquisas, Coordenação de População e Indicadores Sociais. Estatísticas do Registro Civil 1974/2014.

Dra. Tânia Regina Schupp Machado, Gravidez após os 35 anos. <http://drauziovarella.com.br/mulher-2/gravidez-apos-os-35-anos/>. Acesso em 04 de abril de 2016.

BBC, Maioria das mulheres perde quase 90% dos óvulos até os 30 anos, diz estudo. <http://www.bbc.com/portuguese/ciencia/2010/01/100128_reservaovulosestudofn.shtml>. Acesso em 04 de abril de 2016.

Capítulo 21

BBC, Noivo tem ataque epilético no altar e noiva se casa com convidado. < http://www.bbc.com/portuguese/noticias/2015/02/150219_india_casamento_hb>. Acesso em 04 de abril de 2016.

Leia também:

RENATO & CRISTIANE CARDOSO
Apresentadores do programa *The Love School – A Escola do Amor*
CASAMENTO BLINDADO
O SEU CASAMENTO À PROVA DE DIVÓRCIO
MAIS DE DE EXEMPLARES
CASAMENTO BLINDADO

RENATO & CRISTIANE CARDOSO
Guia
de Estudo e Aplicação
CASAMENTO BLINDADO
O SEU CASAMENTO À PROVA DE DIVÓRCIO
COM 21 AULAS EXTRAS
Baseado no livro que já vendeu mais de 2.500.000 exemplares

RENATO & CRISTIANE CARDOSO
AUTORES DO BEST-SELLER CASAMENTO BLINDADO
MAIS DE 2.000.000 LIVROS VENDIDOS
120 MINUTOS PARA BLINDAR SEU CASAMENTO
PREFÁCIO DE ANA HICKMANN
Os melhores conselhos do programa MINUTO DO CASAMENTO
com QR codes para assistir aos vídeos em seu smartphone ou tablet
120 MINUTOS PARA BLINDAR SEU CASAMENTO RENATO & CRISTIANE CARDOSO

A MULHER
V
EDIÇÃO ESPECIAL COM
MENSAGEM INÉDITA DA AUTORA
Mais de 1 milhão
de exemplares
vendidos
Moderna, à moda antiga
CRISTIANE CARDOSO

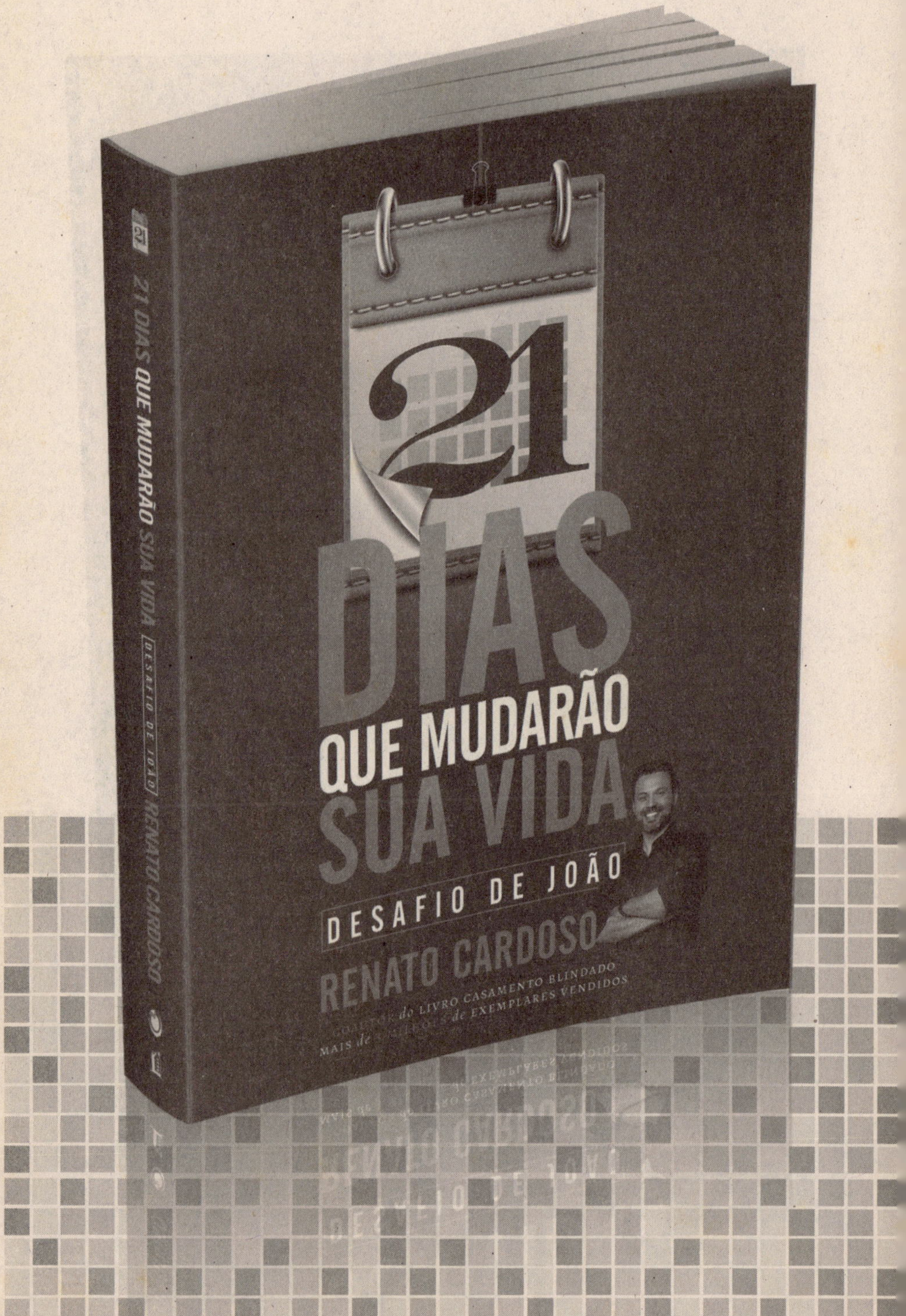

21
DIAS
QUE MUDARÃO
SUA VIDA
DESAFIO DE JOÃO
RENATO CARDOSO
do LIVRO CASAMENTO BLINDADO
MAIS de
de EXEMPLARES VENDIDOS
21 DIAS QUE MUDARÃO SUA VIDA
DESAFIO DE JOÃO
RENATO CARDOSO

Este livro foi impresso no Rio de Janeiro, em 2019,
pela Edigráfica, para a Thomas Nelson Brasil.
A fonte usada no miolo é Chaparral Pro, corpo 11/14.